Jurek Becker

Nach der ersten Zukunft

Erzählungen

Suhrkamp Verlag

Erste Auflage 1980

Druck: May + Co., Darmstadt
Printed in Germany

Für Lonni, Nicki
und Rieke

Grossvater

»Ach bitte, tu uns doch den Gefallen.«
»Nein und nochmals nein.«
»Ach sei doch nicht so. Von wem sollen wir denn sonst etwas erfahren, wenn nicht immer wieder von dir?«
»Wozu müßt ihr denn überhaupt so viel erfahren? Gibt es vielleicht keinen anderen Zeitvertreib?«
»Es ist so schön.«
»Ihr wißt nichts mit euch anzufangen, das ist alles. Ich kann mich ja selbst kaum noch hören. Versprecht ihr wenigstens, daß es heute für lange Zeit das letztemal ist, wenn ich mich wieder breitschlagen lassen sollte?«
»Das können wir dir nicht versprechen. Das hatten wir dir neulich schon versprochen, weißt du nicht mehr? Wir würden es ja doch nicht halten.«
»Aber ihr werdet mir nicht wieder so frech dazwischenfahren, wenn euch irgendeine Stelle anders vorkommen sollte als sonst?«
»Trag uns das doch nicht länger nach.«
»Denn auch wenn es manchmal aussieht, als verwickelte ich mich in Widersprüche – es ist nur das Gedächtnis.«
»Verstehen wir doch längst.«
»Ich könnte ja auch in den Geschichten einfach Lücken lassen. Da würdet ihr euch schön bedanken. Ich könnte sagen, jetzt kommt ein Stück, an das ich mich beim besten Willen nicht erinnern kann, und Schluß. Möchtet ihr das lieber?«
»Wie du es bis jetzt gehalten hast, so ist es gut.«
»Ihr dürft nicht glauben, ich selbst hätte kein Ohr für Ungereimtheiten. Es geht mir sogar schlimmer als euch

damit: Ich merke ja beim Erzählen, wie sich eine solche Stelle nähert, wie sie wächst und wächst und schließlich vor mir steht wie eine schwarze Wand. Lange vor euch sehe ich den Widerspruch. Und ihr sollt doch nichts merken. Dann denkt es in mir hastig: Verflucht, wie war denn das damals? Und es denkt: Verdammt, kann man denn so vergeßlich sein! Meistens habt ihr Glück, denn die Erinnerung kommt mir rechtzeitig. Aber nicht jedesmal, das sollt ihr ruhig wissen. Was bleibt mir in solchen Fällen nun zu tun? Soll ich vielleicht aufhören zu erzählen?«

»Bloß das nicht.«

»Mich ärgert es ja selbst, wenn es sich einmal so und das anderemal anders anhört. Ich habe schon überlegt, ob es nicht das Klügste wäre, sich ein paar Notizen zu machen. Noch besser wäre freilich, wenn ich nichts mehr zu erzählen brauchte. Aber ihr Rasselbande gebt ja keine Ruhe.«

Großvater streicht uns über die Köpfe.

»Was du dir für unnütze Sorgen machst.«

»Oder stellt euch einen anderen Fall vor: Trotz einer Gedächtnislücke höre ich nicht zu erzählen auf, weil ich euch nicht den Spaß verderben will. Ein paar Tage später komme ich beim Erzählen an dieselbe Stelle, doch plötzlich weiß ich wieder, wie es wirklich war. Fragt nicht, woher ich das weiß, die Erinnerung ist ein rätselhaftes Ding. Blitzschnell muß ich dann entscheiden zwischen etwas, das ihr für die Wahrheit haltet, und der Wahrheit. So kann es also sein, daß ich als Flunkerer dastehe, nur weil mir die Wahrheit endlich eingefallen ist.«

»Du stehst doch nicht als Flunkerer vor uns da.«

»Manchmal, das gebe ich ehrlich zu, rede ich euch auch nach dem Munde.«
»Ach was, das sagst du nur so.«
»Und nicht nur euretwegen tue ich das, ich tu es auch mir zuliebe: Ich möchte, daß ihr zufriedene Zuhörer seid, so sieht der Grund für meinen Egoismus aus. Sonst würde mir das ganze Erzählen keine Freude machen.«
»Du bist uns vielleicht einer.«
»Leider hat sich im Laufe der vielen Jahre manches zugetragen, worüber ihr nie und nimmer zufrieden wärt, wenn ihr es hörtet.«
Großvater seufzt.
»Gewiß, die Wahrheit ist die Wahrheit. Und was passiert ist, ist passiert, das ist genauso klar. Doch hat auch das Erzählen seine Gesetze. Ein schöner Erzähler ist mir, wer seine Zuhörer ohne Sinn und Verstand mit der Wahrheit überschüttet. Wer es sich hübsch leicht macht und sagt: So und so ist es gewesen, freßt! Es ist doch wohl ein Unterschied, ob man eine Geschichte erzählt, oder ob man sie den Zuhörern vor die Füße wirft.«
»Und ob da einer ist.«
»Daß ihr mich aber nicht falsch versteht: Ich will nicht gesagt haben, die Wahrheit sei bloß dazu da, sie zu mißachten. So dicht an sie heran wie möglich, das ist meine Devise. Am allerwohlsten fühlt sich der Erzähler nämlich, wenn links und rechts von seinem Weg noch etwas Wahrheit übrigbleibt, zum Ausweichen sozusagen. Ganz wörtlich könnt ihr das nehmen: Ein Feind kommt euch entgegen, er oder ihr heißt die Frage, der Weg ist schmal. Und wie ihr wißt: In der Not gibt der Klügere nach. Da wird kaltblütig ausgewichen, der Feind stößt ins Leere, man selbst aber hat noch Grund unter den Füßen,

steht nicht im Sumpf, wie er es gerne hätte – man ist gerettet.«
»Das ist gut.«
»Was meint ihr, aus welchem Grund wohl alles das geschehen ist, was mir beim Erzählen manchmal Schwierigkeiten macht?«
»Wir wissen es nicht.«
Großvater runzelt die Stirn.
»Ihr macht mir Spaß: wißt es nicht. Einen Verstand habt ihr wohl nicht im Kopf?«
»Wir wissen ja nicht einmal, wovon du sprichst. Wir hören doch immer nur dir zu. Und da du nie darüber reden magst, wer hätte uns denn etwas sagen sollen? Bevor du es erwähnt hast, haben wir ja nicht einmal geahnt, daß da etwas war.«
»Um Ausreden seid ihr nie verlegen.«
»Wir sagen dir die reine Wahrheit.«
»Aber ich durchschaue euch: Ihr wollt mir ein schlechtes Gewissen machen. Damit ich alle meine Hemmungen und Bedenken abstreife. Damit ich blind drauflosplappere! Weil ihr in eurer Unvernunft kein Auge dafür habt, daß Hemmungen und Bedenken nicht des Erzählers Schande sind, sondern sein Vorzug.«
»Ach sei uns doch nicht böse. Du täuschst dich, auf Ehre und Gewissen, du tust uns unrecht. Wir wollen ja gar nicht hören, was du für dich behalten möchtest. Wir sind mit deinen Geschichten mehr als zufrieden. Wir wollen, daß alles zwischen uns so bleibt, wie es bisher gewesen ist. Wie können wir es dir nur beweisen?«
»Na gut, in Teufels Namen, weil ihr es seid. Wo waren wir stehengeblieben?«
»Du hattest uns gefragt, aus welchem Grund wohl alles

das geschehen ist, was dir manchmal beim Erzählen solche Schwierigkeiten macht.«
Großvater denkt nach.
»Nehmen wir ein Beispiel: Das Kind verbrennt sich. Die Mutter tut sofort Öl auf die Wunde, denn die Verbrennung soll nicht wehtun und schnell heilen. Zurück bleibt eine Narbe. Jahre später stellt sich heraus, daß Öl genau das Falsche war. Wasser hätte draufgemußt, klares kaltes Wasser. Aber die Mutter hat aus Liebe Öl genommen. Öl galt ihr ohne jeden Zweifel als das Beste. Von nun an nimmt sie bei Verbrennungen natürlich Wasser, denn jetzt weiß sie es besser. Verlangt ihr nun von ihr, daß sie sich mitten auf den Markt stellt, sich die Haare rauft und, für alle hörbar, schreit, wie schlecht sie doch ihr eigenes Kind behandelt hat?«
»Niemals würden wir das von ihr verlangen.«
»Das wäre ja auch noch schöner. Wo sie nur aus Liebe so gehandelt hat.«
»Das glauben wir dir aufs Wort.«
»Aus Liebe, Himmelherrgott! Und jeder, der etwas anderes behauptet, ist ein elender Lügner und Verleumder!«
»Reg dich doch nicht so auf.«
»Gebt es zu – ihr verschweigt mir etwas! Ihr denkt, ich bin ein alter Trottel, der nichts merkt? Jetzt will ich endlich die ganze Wahrheit hören, raus damit!«
Großvater schlägt auf den Tisch.
»Was wißt ihr und von wem?«
»Um Himmels willen, wir wissen nichts. Wir verstehen nicht, worauf du hinauswillst. Die Sache mit der Mutter und dem Öl hast du doch eben erst erfunden. Wir haben es nie zuvor gehört. Niemals würden wir dir verschweigen, wenn es anders wäre.«

»Und warum seht ihr mich so mißtrauisch an?«
»Auch darin täuschst du dich. Ungeduldig sind unsere Blicke, nicht mißtrauisch.«
»Ungeduldig?«
»Weil wir es kaum erwarten können, daß du endlich loserzählst.«
»Ihr wißt, daß es nicht wenige sind, die mir das Wort im Munde umdrehen?«
»Du hast es uns so herrlich oft erklärt.«
»Ich kann nicht vorsichtig genug sein. Sie prüfen jeden meiner Sätze. Sie drehen ihn fünfmal um, ob er ihnen etwas nützt, das heißt: ob sie ihn gegen mich verwenden können. Genau darum muß ich jeden meiner Sätze doppelt prüfen, vor ihnen. Jetzt sagt mir: In wessen Interesse tue ich das?«
»In unserem, das ist doch klar.«
»Vergeßt es nicht. Und habt in Zukunft ein bißchen mehr Verständnis für meine Wachsamkeit, die ihr doch nicht für übertrieben haltet?«
»Aber nein.«
»Ohne sie wären wir schon wer weiß wo.«
»Aber ja. Fang doch bitte jetzt endlich zu erzählen an.«
Großvater wiegt noch ein wenig den Kopf, bevor er eine der Geschichten beginnt.

Der Nachteil eines Vorteils

Pinguine, so habe ich einmal gelesen, seien außerhalb ihrer Heimat, in zoologischen Gärten etwa, äußerst schwer zu halten. Die natürlichen Bedingungen, unter denen sie lebten, seien so beschaffen, daß es Krankheitskeime kaum gebe. Das habe zur Folge, daß der Organismus der Pinguine, da er solche Keime praktisch nie abzuwehren habe, auf deren Abwehr praktisch nicht eingerichtet sei. Nur gegen Kälte verfüge er über große Widerstandskraft.
In zoologischen Gärten nun, wo es von Bakterien aus aller Herren Länder nur so wimmle, sei die Lage für Pinguine fatal. Nahezu schutzlos, hieß es, seien sie Krankheitskeimen ausgeliefert, über die andere Tiere gewissermaßen nur lächelten. Und selbst winzigste Gefahren, die von den Organismen der übrigen nicht einmal wahrgenommen würden, könnten für die Pinguine tödlich sein. Die Gewöhnungszeit sei lang und erfordere von den Pflegern außerordentliche Geduld.

Lenchen und Dieter
oder
die Gewalt aus dem Nichts

Ein Bericht

Die Täter sind von unwahrscheinlicher Verstocktheit und Künstler beim Ersinnen immer neuer Schwierigkeiten, die Wahrheit zu erforschen. Sie verweigern einfachste Auskünfte, dann wieder verwickeln sie sich in Widersprüche oder erzeugen diese ganz bewußt. So läßt sich bis zur Stunde nicht sagen, ob das Verbrechen kopfüber beschlossen oder geplant wurde. Für beide Möglichkeiten spricht einiges, wie sich auch manches zugetragen hat, was gegen beide spricht. Da eine Untersuchung aber nicht unentschieden bleiben soll, neigt der Untersuchende zu der Ansicht, daß Lenchen und Dieter sich zwar kurzfristig zu ihrer Tat entschlossen haben, daß ein Plan jedoch schon lange existierte. Verschiedene Vorkehrungen beweisen es. Auch waren sie sich bei der Tatausführung fortwährend einig, sie stritten während der drei Tage nicht ein Mal, wie es bei Kindern sonst gang und gäbe ist, zumindest nicht vor Zeugen. Ebenso läßt ihre Taktik während der Verhöre, zu denen man sie oft einzeln vorführt, auf Absprache schließen. Virtuos nehmen sie ihre Rechte wahr und weisen immer wieder auf ihr äußerst jugendliches Alter hin, leider nicht ohne Grund.

Im Gegensatz dazu sind die Eltern der Delinquenten von großer Hilfsbereitschaft. Sie geben jede Antwort, sie stellen jede Erinnerung dem Ausschuß zur Verfügung, sie sind, nicht weniger als der Untersuchende selbst, an lückenloser Klarheit interessiert. Dennoch liegt das Motiv der Tat im Dunkel. Es soll erwähnt werden, daß die Behörde dem Elternpaar Sympathie entgegenbringt, auch ein gewisses Mitleid angesichts solcher Kinder verspürt. Die Mutter weint halbe Tage und schafft es doch nicht, das Herz von Sohn und Tochter zu erweichen. Herr S. versucht mit Güte wie mit Strenge, Dieter und Lenchen auszuforschen, vergeblich bis zu diesem Augenblick. So können wir beim Stand der Dinge nur das Wenige berichten, was zweifelsfrei erwiesen ist, dazu ein wenig von dem Vielen, das vermutet wird.

Im letzten März überraschten die Eltern S. ihre Kinder mit der Mitteilung, die Familie werde in den Sommerferien nach Matanza verreisen. Dankbarkeit wurde nicht erwartet und also nicht vermißt, doch löste es Überraschung aus, als wenige Tage später die Kinder wie aus einem Munde erklärten, sie wollten nicht wieder nach Matanza. Mit Hilfe der Eltern ist es möglich, das jener Weigerung sich anschließende Gespräch zu rekonstruieren:

Zuerst erkundigten sich die Eltern nach dem Grund der Unlust, worauf Lenchen sagte, in Matanza sei man schon so oft gewesen. Mit Recht wollte der Vater wissen, warum man nicht oft an einen Ort fahren sollte, an dem es schön sei. Lenchen: Es sei nicht schön dort. Die Mutter klagte, wie verwöhnt doch die Kinder seien, der Vater fragte, was sie an Matanza auszusetzen hätten. Dieter gab im Namen beider zur Antwort, das Hotel sei *Scheiße.* Die Eltern blieben sachlich und erwiderten, das Hotel sei im Gegenteil äußerst sauber und leise, und auch am Essen gebe es nichts auszusetzen. Dieter aber beharrte auf seinem Standpunkt, auch sei im Ort nichts los, es

trieben sich nur alte Leute dort herum. Lenchen unterstützte ihn, indem sie sagte, die Ferien in Matanza seien schon immer stinklangweilig gewesen. Die Eltern wiesen darauf hin, wie schön der Strand sei und daß die Sonne dort fast immer scheine und daß man sich ganz wunderbar erholen könne. Darauf die Kinder: Sie wollten sich nicht erholen. Da erinnerten die Eltern an die vielen herrlichen Ausflüge, sie holten Urlaubsbilder aus dem Schrank. Die Kinder aber behaupteten, *die drei dämlichen Klöster* kennten sie in- und auswendig, und im Hafen stinke es, und andere Ausflugsziele seien nicht vorhanden. Die Eltern fragten, ob die Kinder denn in all den Jahren zuvor gelogen hätten, als sie sagten, die Ferien seien schön gewesen. Darauf die Kinder: Wie gedruckt. Die ratlosen Eltern erzählten schließlich von den freudlosen Ferien ihrer eigenen Kindheit, doch Dieter und Lenchen blieben ungerührt. Sie brachen das Gespräch ab, indem sie sagten, sie wollten lieber zu Hause bleiben, als wieder nach Matanza zu fahren. Der Mutter kamen Tränen, der Vater schlug auf den Tisch.
Bis zum Beginn des Urlaubs wurde das Thema nicht mehr angerührt, obwohl die Eltern täglich damit rechneten. Später glaubten sie, es habe sich um einen unerklärlichen Trotz der Kinder gehandelt, so schnell verschwunden wie entstanden. Sie unterließen es, von sich aus wieder davon anzufangen und meinten bald, die Zeit habe Lenchen und Dieter von ihrer kleinen Krankheit geheilt. Heute finden sie vor Selbstvorwürfen keinen Schlaf, da sie befürchten, eben diese Zeit, die sie den Kindern zur Besinnung gegönnt hatten, sei von jenen genutzt worden, das Verbrechen vorzubereiten. Frau S. sagt aus, sie als Mutter hätte spüren müssen, daß etwas

nicht in Ordnung gewesen sei; Entscheidungen der Eltern hinzunehmen, sagt sie, sei sonst nicht ihrer Kinder Art gewesen, warum dann diesmal?
Am elften Juli jedenfalls startete die Maschine nach Matanza, um 8.24 Uhr. An Bord befanden sich an diesem warmen, wolkenlosen Tag 92 Passagiere. Es gelang herauszufinden, auf welche Weise die Waffe ins Flugzeug kam; die Beamtin, die mit der Leibesvisitation der weiblichen Passagiere beauftragt war, erinnert sich genau an das Mädchen. Als sie zur Kontrolle ansetzte, sagt sie aus, habe es zu lachen angefangen. Die Beamtin habe gefragt, was nur so komisch sei, und das Mädchen habe geantwortet, es sei so schrecklich kitzlig. Da habe die Beamtin auch lachen müssen, sie habe, sagt sie aus, auf weitere Kontrolle verzichtet, bei einem zwölfjährigen Mädchen, das mit den Eltern in die Ferien flog, sei ihr das vertretbar vorgekommen. Sie ist dafür zur Rechenschaft gezogen worden.
Gegen 9.05 Uhr, nach knapp dem halben Flug, betrat Dieter die Pilotenkanzel. Normalerweise hätte sein Gang nach ganz vorn den Stewardessen auffallen und von ihnen verhindert werden müssen, nur waren alle gerade in diesem Augenblick beschäftigt: Lenchen hatte einer Frau Tee über das Kleid gegossen, die schrie vor Schmerz und mußte beruhigt werden. Die Stewardessen verteidigen sich, indem sie sagen, auch wenn es ein Ablenkungsmanöver gewesen sei, so habe doch die Frau, die ja tatsächlich schrie, tatsächlich beruhigt werden müssen.
Der Navigator bemerkte Dieter S. als erster und sagte, wie man eben zu Kindern spricht, die sich eines nicht allzu schweren Vergehens schuldig gemacht haben, Dieter habe doch gewiß längst lesen gelernt, draußen

an der Tür befinde sich ein Schildchen, auf dem zu lesen sei, wer hier hereinkommen dürfe und wer nicht. Dieter stand aber nur da, dem Co-Piloten schien es auf provozierende Weise, so daß er sagte: »Verschwinde, Junge, sonst mache ich dir Beine.« Die Antwort Dieters bestand darin, ihm einen Kaugummi an den Kopf zu spucken. Empört stand der Co-Pilot, selbst Vater dreier Söhne, von seinem Sitz auf, da hatte Dieter plötzlich eine Pistole in der Hand, Modell FY66. Der Co-Pilot setzte sich wieder und stieß den Kommandanten an, der erst jetzt des Vorfalls gewahr wurde. Der Navigator sagte: »Komm, Junge, laß den Quatsch.« Der Co-Pilot fragte seinen Kommandanten: »Soll ich mir den Bengel greifen? Todsicher ist das eine Spielzeugpistole.« Dieter sagte: »Vielleicht« und richtete die Waffe auf den Co-Piloten. Inzwischen wissen wir nicht nur, daß die Pistole echt war, sondern überdies scharf geladen. Ihre Herkunft ist unbekannt; jahrelang hatte niemand sie benutzt, vielleicht jahrzehntelang, doch war sie tadellos gepflegt.
Der Kommandant hatte wohl Vorschriften für das Verhalten bei Entführung, nur war darin von einem Unterschied zwischen erwachsenen und minderjährigen Entführern nicht die Rede. So machte er auch keinen, wofür ihm, da sind sich alle einig, hohes Lob gebührt. Später gab er zu Protokoll, er habe gehofft, bei besserer Gelegenheit den Jungen schon noch überwältigen zu können. Daß diese Hoffnung sich erst so spät erfüllte, ist nicht seine Schuld. Er fragte, wie er jeden Entführer gefragt hätte: »Was willst du von uns?« Dieter antwortete, alle drei Zeugen versichern es, wörtlich: »Ich heiße Dieter und möchte mit *Sie* angesprochen werden.« Gewissermaßen handelte es sich um die erste Forderung des Entfüh-

rers, der Kommandant erfüllte sie, indem er fragte: »Was verlangen Sie von uns?« Dieter trat zurück und verriegelte die Tür der Pilotenkanzel. Spätestens jetzt spürte der Kommandant, so sagt er aus, daß Dieter ein vollwertiger Entführer war, dem mit Leichtsinn zu begegnen der halbe Tod sein konnte. Und mehr noch, er sagt, er habe in Dieters Augen eine Entschlossenheit gesehen, wie sie ihm noch nie so kalt begegnet sei. Er sagte zu Dieter: »Ich muß Sie darauf aufmerksam machen, daß wir uns in den nächsten zwei Minuten bei unserem Zielflughafen in Matanza zu melden haben.« Dieter antwortete: »Wir fliegen nicht nach Matanza.« Obwohl die Forderung, den Kurs zu wechseln, bei Flugzeugentführungen das Alltäglichste ist, waren die Anwesenden bestürzt. Der Navigator sagte später, er hätte sich lieber einen maskierten Terroristen mit Pudelmütze gewünscht, wie man ihn aus den täglichen Berichten kennt. Auf die Frage des Untersuchenden nach dem Grund gab er zur Antwort, weil seine Ohnmacht ihm dann nicht so beschämend vorgekommen wäre.

Nach einer Schrecksekunde fing der Co-Pilot zu erklären an, wie viele technische Gegebenheiten eine Änderung des Flugziels angeblich ausschlossen. Der Kommandant schnitt ihm bald das Wort ab, weil die Einwände, wie er fand, selbst für Kinderohren nicht gut genug erfunden waren. Er fragte, welches Ziel Dieter anzufliegen wünsche, der sagte ohne Zögern: »Nini.« Der Co-Pilot lachte laut auf, wie über ein Ding der Unmöglichkeit. Dieter fragte ihn examinierend, wo Nini liege, doch der Co-Pilot wußte es nicht. Da verbot Dieter ihm unter Strafe, über die er sich nicht näher ausließ, irgend etwas zu sagen, ohne gefragt zu sein. Der Co-Pilot

hielt sich daran. Der Kommandant funkte zum Heimatflughafen, er habe eine Entführung an Bord; es werde verlangt, nach Nini zu fliegen, man möge ihm, bat er, die Daten von Nini hochgeben und ihn darüber informieren, wie dort die Landemöglichkeiten seien.
Nini ist eine unbewohnte Insel im Atlantik, die während des Krieges den Deutschen, danach für kurze Zeit den Amerikanern als Stützpunkt für den Notfall diente. Es gibt dort eine provisorische Rollbahn, seit zwei Jahrzehnten nicht benutzt und zugewachsen. Für den Tourismus blieb die Insel deshalb unbenutzt, weil sie zu klein ist und zu entfernt von anderen Inseln liegt. Nachforschungen haben ergeben, daß Nini weder in Lenchens noch in Dieters Geographie-Unterricht behandelt worden war. Möglicherweise haben Mitverschwörer, über die ja noch nichts bekannt ist, die Insel ausgewählt. Eine andere Erklärung wäre, daß vor etwa zehn Wochen die Insel Nini im Kinderprogramm des Fernsehens kurz erschien, als Heimat einer seltenen Salamanderart. Mehrmals sah der Untersuchende sich den Film an, für äußerst aufmerksame Betrachter war sekundenlang ein Stück Rollbahn zu erkennen. Für eine dritte Hypothese fehlt jeder Hinweis.
Der Heimatflugplatz gab die Auskunft, Nini sei ein sehr ungünstiger Landeort. Über den Zustand einer, im übrigen zu kurzen, Rollbahn, die es vor Jahren dort gegeben habe, sei nichts bekannt; außerdem sei die Insel unbewohnt, also könne, falls sich bei der Landung ein Unfall ereigne, niemand helfen. Man werde versuchen, weitere Informationen zu beschaffen, doch wäre es gut, wenn die Entführer sich zu einem anderen Ziel überreden ließen.
Dieter, der alles mitanhörte, sagte: »Schalten Sie das

Funkgerät ab, und fliegen Sie nach Nini.« Wenige Minuten später, als der Kurs geändert war, sagte er zum Kommandanten: »Ich finde es prima, daß Sie uns nicht mit zu wenig Treibstoff gekommen sind. Wir hätten es sowieso nicht geglaubt.« Der Kommandant sagt aus, die Worte *uns* und *wir* hätten ihn elektrisiert, sie seien der erste Hinweis gewesen, daß Dieter nicht alleine war.
Lenchen saß unterdessen auf ihrem Platz, scheinheilig, fügen wir hinzu, aß Lakritzbonbons und las ein Buch, wie mehrere Zeugen bekunden. Die Fluggäste wie auch die Stewardessen wußten bis hierher nichts von der Entführung, es schien ein normaler Flug zu sein. Ein Ehepaar will beobachtet haben, daß Lenchen mehrmals während der Lektüre zufrieden lächelte, wofür sich in dem Buch, das wurde nachgeprüft, kein Grund gefunden hatte. Erst um 10.10 Uhr setzte die allgemeine Besorgnis ein, als über den Lautsprecher der Kommandant mitteilte, man sei zu einer Art Notlandung gezwungen. Den Passagieren wurde angegeben, in welche Position sie sich für ihre Sicherheit zu bringen hätten, eine Erklärung für die plötzliche Situation gab es aber nicht. Von den Stewardessen rannte eine zur Pilotenkanzel und rüttelte vergeblich an der Tür. Das erschreckte alle, die es sehen konnten. Frau S. erhob sich und rief laut: »Mein Sohn! Mein Junge ist verschwunden!« Lenchen beruhigte sie mit den Worten: »Es ist alles in Ordnung, Muttchen.«
Die Landung, 10.26 Uhr, war das Werk von Meistern. Kein einziger Passagier kam zu Schaden, sofern man an physische Beeinträchtigungen denkt; seelischen Schaden erlitt natürlich jeder. Die Piste, die diesen Namen kaum verdient, ist nicht nur verödet und nicht nur viel zu kurz, sondern so uneben nach den vielen Jahren, daß jede

Landung ausgeschlossen scheint. Der Kommandant flog zweimal äußerst niedrig über die Landebahn hinweg, um sich ein Bild von den Gegebenheiten zu verschaffen. Dann setzte die Maschine auf, und einen Moment lang, erinnert sich jeder, war alles ruhig. Dann aber fing ein schlimmes Rütteln an, auch ein Getöse, man hörte und spürte, wie eins nach dem anderen zerbrach. Als das Flugzeug stillstand, weit hinter dem Ende der Rollbahn und knapp vor Bäumen, bestand es beinah nur noch aus dem Rumpf. Der aber hielt. Teile des Fahrwerks, die geborstenen Tragflächen, die hohen Reifen fand man später weit verstreut. Auf wunderbare Weise, wie Fachleute meinen, brach das Feuer, dem man schutzlos ausgeliefert gewesen wäre, nicht aus. Die weinenden Stewardessen öffneten die Notausgänge, die sich öffnen ließen. Wer ein wenig Mut hatte, sprang ins Freie, den anderen mußte hinabgeholfen werden. Es meldete sich ein Arzt unter den Fluggästen, doch niemand, wie gesagt, brauchte seine Hilfe. Noch immer wußte man nicht, was eigentlich geschehen war.

Erst als die Maschine leer war, erlaubte Dieter dem Navigator, die Tür der Kanzel aufzusperren. Nacheinander verließen dann Navigator, Co-Pilot, Kommandant und schließlich Dieter S. das Flugzeug. Die anderen standen in ziemlicher Entfernung, aus Angst vor einem Feuer. Einige begrüßten die Mannschaft mit Beifall. Als ganz zuletzt der Junge Dieter mit der Pistole erschien, brach Stille aus. In die hinein schrie, außer sich, Herr S.: »Dieter!« Als er von seinem Sohn nicht beachtet wurde, lief er auf ihn los und rief: »Sofort kommst du her und legst diesen Revolver weg!« Da richtete Dieter die Pistole gegen seinen Vater, bis der stehenblieb. Allen war nun klar, was vor sich ging, nach dieser kürzesten Erklärung. Dieter sagte: »Kann jemand diesen Mann zum Schweigen bringen.« Nur das Weinen von Frau S. war noch zu hören, ihr Mann wich zurück und stellte sich wieder neben sie.

Es muß erwähnt sein, daß Dieter konsequent darauf bedacht war, niemanden an sich heranzulassen. Auch sorgte er dafür, daß hinter ihm stets eine Deckung war, ein Baum, ein Fels, der Flugzeugrumpf. Der einzige, mit dem er vorerst sprach, war der Kommandant. Ihm gab er leise seine Weisungen, die laut für alle zu wiederholen waren, so daß sie klangen wie Weisungen des Kommandanten. Navigator und Co-Pilot hatten zu den anderen zu gehen, allein der Kommandant blieb vorn bei Dieter. Zum erstenmal trat jetzt auch Lenchen vor aller Augen in Erscheinung: sie verließ die Gruppe und stellte sich in einiger Entfernung auf, wie um einen guten Überblick zu haben. Ihr Vater rief ihr nach: »Du kommst sofort zurück!« Lenchen wendete kaum den Kopf und sagte: »Halt die Klappe.« Neben dem Schluchzen der Mutter hörte man nun auch Seufzer der Empörung. Ein Mann, der sich in offenbar besinnungsloser Wut nach vorne stürzen wollte, wurde vom Kommandanten angeherrscht, auf seinem Platz zu bleiben und es ja nicht noch einmal zu versuchen.

Als sich alle ein wenig beruhigt hatten, hielt der Kommandant, entsprechend Dieters Instruktionen, eine kleine Rede. Er sagte, es handle sich, wie jeder inzwischen wohl begriffen habe, um eine Entführung, deren Dauer nicht vorherbestimmbar sei. Doch wenn man sich den Anordnungen des Befehlshabers gemäß verhalte – dabei zeigte er mit ernstem Gesicht auf Dieter –, dann brauche nie-

mand etwas zu befürchten. Die Anordnung bestehe einzig darin, ihm, Dieter, nicht zu nahe zu kommen, wie auch nicht Lenchen. Ansonsten könne jeder auf der Insel treiben, wozu er Lust habe, nur bei Angriffsversuchen würde scharf geschossen. Weil niemand sich nach diesen Worten von der Stelle rührte, fragte der Kommandant Dieter: »Was weiter?« Dieter sagte: »Nichts weiter, das ist alles.« Der Kommandant fragte allen aus dem Herzen: »Aber worin bestehen denn nun Ihre Forderungen?« »Welche Forderungen?« »Die Sie mit Hilfe der Entführung durchsetzen wollen?« fragte der Kommandant. »Wir haben keine Forderungen«, sagte Dieter.
Obwohl das kein Mensch glaubte, wurde nichts mehr gefragt. Man stand noch ein wenig, wie vor Erwartung oder vor Verlegenheit, bis jeder eingesehen hatte, daß es nichts mehr zu erwarten gab. Die Leute verliefen sich auf der Insel, es war sehr warm, die meisten suchten Schatten. Die Stewardessen wußten nicht recht, ob sie sich noch im Dienst befanden; sie wollten gern hilfreich sein, doch kamen sie sich albern vor, nach Wünschen zu fragen, die sie ohnehin nicht erfüllen konnten. Zum Glück waren keine Kranken unter den Passagieren und keine besonders alten, nur ein paar Kinder. Die standen, sofern sie nicht von ihren Eltern fortgezogen wurden, da und wollten nichts versäumen. Auch die Eltern S. standen noch, als gehörten sie irgendwie dazu, bis Lenchen ihnen sagte, sie sollten lieber gehen. Da gingen auch sie. Zu den Kindern sagte Lenchen: »Ihr könnt meinetwegen bleiben, aber stört nicht. Die Regeln, die für alle gelten, gelten auch für euch.«
Es gibt keine Notwendigkeit, die Insel ausführlich zu beschreiben. Man soll nur wissen, daß sie aus etwas Wald

und recht viel freiem Feld besteht und hügelig ist und daß sich, von den erwähnten alten Zeiten noch her, ein paar verrottete Baracken auf ihr befinden. In weniger als einer Stunde kann sie abgeschritten werden.

Dieter verlangte vom Kommandanten, ihn ans Gepäck heranzulassen. Der rief den Navigator, gemeinsam plagten sie sich ab, den Laderaum zu öffnen, was schwer war, da die Maschine ja auf dem Bauch lag. Der Navigator hörte deutlich, wie Lenchen zu Dieter sagte, als kenne sie sich auf der Insel aus: »Dort drüben muß der Strand sein.« Als es gelungen war, die Klappe aufzuschließen, mußten drei junge Männer herbeigerufen werden. Sie hatten das Gepäck auszuladen, bis der Koffer von Lenchen und Dieter gefunden war. Diesen Koffer nahmen die beiden und entfernten sich. Der Kommandant rief ihnen nach, ob die anderen Passagiere ihr Gepäck nun auch haben dürften. Dieter sagte im Weggehen: »Meinetwegen«, wie am weiteren Geschehen nicht mehr interessiert. Dann blieben aber beide doch noch einmal stehen, und Lenchen rief zum Kommandanten: »Haben Sie eigentlich Waffen?« Der antwortete: »Nein.« Jetzt gingen die Entführer endgültig, Dieter trug den Koffer und Lenchen die Pistole, ein paar Kinder folgten ihnen mit Abstand.

Bis zum späten Nachmittag badeten Lenchen und Dieter, jedoch nie gemeinsam. Stets saß auf einem kleinen Sandhügel eins von beiden, mit der Waffe in der Hand, während das andere herumschwamm, nach einer Weile lösten sie sich ab. Als ihre Mutter einmal rief: »Lenchen, schwimm nicht so weit hinaus!«, legte Dieter auf sie an und rief, das hörten einige: »Peng!« Während beide abwechselnd badeten, mit einem aufgeblasenem Haifisch,

ging der Kommandant herum und warnte jeden, an irgendwelchen Widerstand auf eigene Faust zu denken. Nicht wenige der Passagiere begannen, die Baracken herzurichten, das lenkte ab und war von Nutzen. Die Kinder kamen den Entführern immer näher und fragten schließlich, ob sie auch baden dürften. Lenchen sagte: »Haut endlich ab und macht, was ihr wollt.« Der Kommandant wählte zwei gute Schwimmer aus, die vom Strand her auf die Kinder achtzugeben hatten, doch es passierte nichts.
Hinter dem Rücken des Kommandanten kam es gegen 15.00 Uhr zu einem Zwischenfall. Als Lenchen an der Reihe war mit Wachen und Dieter im Wasser, nahm sich der Co-Pilot eine Heldentat heraus, die fast zur Katastrophe geführt hätte. Geduckt wollte er Lenchen anschleichen, und bis auf die letzten zehn Meter glückte ihm das auch. Dann sah ihn Dieter vom Wasser her und brüllte: »Paß auf!« Schnell drehte Lenchen sich herum mit der Pistole, da stand der Co-Pilot entdeckt. Er sei unschlüssig gewesen, sagt er, ob er die Hände heben sollte vor diesem Ding, das wahrscheinlich nur ein Spielzeug war, oder sich auf das Lenchen stürzen. Er sagt aus, noch nie sei er sich so verächtlich vorgekommen wie in dem Augenblick, da er die Hände vor dem Mädchen hob. Doch rettete ihm dieser Entschluß vielleicht das Leben. Lenchen sah ihn lange an, reglos wie eine Schlange, sagt er, bevor sie sagte: »Na schön, damit das klar ist.« Nach diesen Worten schoß sie in die Luft. Überall auf der Insel wurde der Knall mit Entsetzen gehört, und man kam angelaufen. Der Co-Pilot, der jetzt die Arme bis in die Fingerspitzen streckte, ging langsam rückwärts, bis Lenchen ihm anzuhalten befahl. Dieter kam aus dem Wasser

und flüsterte mit seiner Schwester; denen, die zuschauten, sah es wie ein Gericht aus. Nach dem Geflüster wurde dem Co-Piloten befohlen, sich auszuziehen, und er gehorchte. Als er in Unterwäsche vor Zuschauern und Entführern stand, sagte Lenchen: »Alles.« Auch das geschah, dann wurde der Übermutige angewiesen, bis zur Hüfte ins Wasser zu gehen und dort zu bleiben bis auf Widerruf. Manche knirschten mit den Zähnen, geholfen werden konnte nicht; der Co-Pilot stand, um das vorwegzunehmen, sechs Stunden im Wasser, im zum Glück nicht allzu kühlen. Dieter und Lenchen sprachen noch einmal leise miteinander, und es schien, als sei eine Uneinigkeit zwischen ihnen. Doch die kleine Hoffnung zerstob sofort. Dieter ging zurück ins Meer und badete wie zuvor, dem Co-Piloten vor der Nase. Die Leute verliefen sich, nur der Kommandant trat, den vorgeschriebenen Abstand wahrend, an Lenchen heran und fragte, ob man Verpflegung aus dem Flugzeug holen und verteilen dürfe. Lenchen sagte: »Bitte. Vergessen Sie aber uns nicht.«
Als er genug gebadet und später gegessen hatte, legte Dieter sich unter Bäume schlafen. Lenchen spazierte unterdessen mit der Pistole herum, doch nie so weit, daß sie Dieter aus den Augen verloren hätte. Ihre Eltern, die sich ihr einmal zu nähern und mit ihr zu sprechen versuchten, fuhr sie leise an, sie sollten sich gefälligst an die Weisungen halten. Die Mutter sagte: »Lenchen, wir sind doch deine Eltern.« Lenchen entgegnete, das sei ihr bekannt, sie solle nicht den Bruder stören, und sie winkte ihre Mutter mit der Pistole fort. Wie beim Baden lösten sie sich auch beim Schlafen ab, die ganze Nacht hindurch.
Zu den Entführern, die sich weiterhin separierten, sagte

am Morgen der Kommandant, zwei Personen seien erkrankt und brauchten Hilfe. Die eine sei gestürzt und habe sich das Bein verletzt, vielleicht gebrochen, die andere habe Fieber, dessen Herkunft der anwesende Arzt nicht herausfinden könne. Und noch eins sei zu besprechen: Auch wenn Lenchen und Dieter sich weigerten, die Dauer der Entführung bekanntzugeben, so sei doch klar, wie lange Essen und Trinken reichen würden: bei knappen Rationen noch zwei Tage. Auf der Insel gebe es keine Verpflegungsreserven, wie genießbare Pflanzen, Tiere oder Quellen, das sei erkundet worden. Auch ein paar Decken brauche man dringend, der kühlen Nächte wegen, man könne manche Passagiere schon niesen und husten hören, nicht nur den Co-Piloten.
Lenchen und Dieter schienen dem Kommandanten nach dieser Mitteilung ein wenig ratlos. Dieter fragte: »Wie könnten denn die kranken Leute weg von hier? Denn wir wollen kein Schiff.« Der Kommandant sagte, man könne einen Hubschrauber herbeibeordern über Funk, das sei wohl möglich. Dieter fragte: »Geht denn das Funkgerät?« Der Kommandant bejahte, da fragte Lenchen schnell, woher er das so genau wisse. Der Kommandant suchte nach der besten Antwort, doch Lenchen, das sehr genau verstanden hatte, fuhr ihn an: »In Zukunft wird nur gefunkt, wenn wir es vorher erlaubt haben. Sonst wird das Ding kaputtgemacht, verstanden?« Dann berieten sie unhörbar miteinander, und dann gab Dieter Befehl: Es sollte ein Hubschrauber bestellt werden, so groß wie möglich. Er sollte Lebensmittel bringen, so viel wie möglich, und er könnte Leute mitnehmen, die beiden Kranken und möglichst viele andere. Es dürfe aber nur ein einziger Hubschrauber landen, und niemand dürfe

ihn verlassen, und die Lebensmittel seien in durchsichtigen Plastiksäcken abzuladen, die sie, Lenchen und Dieter, vor allen anderen ansehen wollten. Lenchen fragte, wann der Hubschrauber hier sein könnte, der Kommandant vermutete am Nachmittag. Dann ging er, Lenchen begleitete ihn waffenlos, um das Funkgespräch zu überwachen. Als nach ein paar Schritten eine Entführte sie laut zu beschimpfen anfing, wies der Kommandant diese ebenso laut zurecht.

Lenchen kletterte mit ihm in den Flugzeugrumpf, entfernte sich aber wieder, als das Funkgespräch in englischer Sprache stattfand. Der Kommandant mußte ihr versichern, dies richte sich nicht gegen sie, sondern entspreche den Gepflogenheiten. Nach weniger als einer Minute aber kam sie zurück und bestand darauf, das Funkgespräch habe auf Deutsch geführt zu werden. Die andere Seite mußte einen Dolmetscher herbeischaffen, das dauerte seine Zeit, dann wurden die Informationen endlich ausgetauscht. Der Kommandant verbot der anderen Seite, irgendwelche Waffen mit dem Hubschrauber herbeizuschaffen oder gar jemanden mitzubringen, der Gewalt im Sinn habe. Er sagte mehrmals, er trage hier die Verantwortung, am Ende klopfte Lenchen ihm auf die Schulter.

In den folgenden Stunden kam es zwischen den Entführern und den Kindern zur Verbrüderung. Einige hatten am Strand ein Ballspiel angefangen, bei dem sich nach bestimmten Regeln zwei Parteien bekämpften. Dieter und Lenchen waren das einzige Publikum, zuerst aus größerer Entfernung, dann aus der Nähe. An ihrem Zuschauen konnte man erkennen, daß sie mitspielen wollten, doch forderten sie das nicht. Sie sahen nur auf

neidische Art zu, verstanden offenbar etwas von der Sache, freuten sich über gelungene Würfe, schüttelten den Kopf über schlechte. Nach einem Weilchen lud ein Junge sie ein mitzuspielen, und beide waren sofort einverstanden. Später darüber befragt, was seine Gründe für die Einladung gewesen seien, gab der Junge zu Protokoll, er habe sich von Dieter eine Verstärkung für seine Mannschaft, die gerade beim Verlieren gewesen sei, versprochen. Dieter und Lenchen spielten also mit, und nicht nur dieses eine Spiel, sondern von nun an jedes; zusammen aber konnten sie nie dabeisein, wie schon beim Baden oder Schlafen wechselten sie sich ab, eine ihrer vier Hände mußte immer die Pistole halten.
Um 16.21 Uhr landete der Hubschrauber. Dieter hatte zuvor Anweisung gegeben, wo die Passagiere, die man getrost einmal Geiseln nennen sollte, sich nach der Landung einzufinden hatten: am Landeort durfte, bis auf den Kommandanten, niemand sein. Alle mußten zum Strand und sich dort in zwei Gruppen aufstellen, in eine der Abreisewilligen und in eine andere Gruppe derer, die weiter auf der Insel bleiben wollten. Der gesunde Menschenverstand läßt vermuten, daß die erste Gruppe riesig und die zweite so gut wie nicht vorhanden gewesen sei, doch ist das falsch. Nicht nur die Flugzeugbesatzung wollte bleiben, aus Pflichtgefühl, nicht nur die Eltern S. aus noch verständlicheren Gründen, sondern eine erstaunliche Anzahl von Passagieren auch. Beim Verhör erklärten einige ihr Verhalten damit, daß im Hubschrauber ohnehin ja nicht Platz für alle gewesen wäre. Andere sagten, sie hätten sich vom Bleiben eine hübsche Aufregung versprochen, die ihr gewöhnlicher Urlaub nie für sie bereithielt, und mit Gefahren rechneten sie nicht

mehr, nachdem die Landung überstanden war. Grob geschätzt hielten sich beide Gruppen die Waage, was, obgleich es faktisch folgenlos war, den Untersuchenden seltsam berührt. Die Kinder hatten natürlich nicht selbst zu entscheiden, die meisten von ihnen standen bei den Abfahrbereiten, wurden von ihren Eltern an der Hand gehalten, wie berichtet wird, und weinten.
Dem Hubschrauberpiloten war es verboten auszusteigen. Er ließ Lebensmittel, Decken und einige Medikamente auf den Boden fallen, in Plastiksäcken, wie befohlen. Dieter, der Kommandant und Lenchen sahen aus der Entfernung zu, sonst niemand. Dann mußten vierzehn Personen zum Mitfliegen ausgewählt werden, mehr Platz war nicht. Dieter und der Kommandant verließen den Landeplatz und gingen zu den Versammelten, während Lenchen zurückblieb und Säcke und Hubschrauber im Auge behielt.
Dieter schritt die Reihen wie ein Feldherr ab, zu einigen Kindern sagte er, sie sollten aufhören zu flennen, sie blieben, wenn sie es wollten, natürlich hier. Dann bestimmte er, daß seine Eltern mitzufliegen hätten. Zu den neuerlichen Tränen seiner Mutter sagte er kalt: »Als ob Heulen mir je geholfen hätte.« Auch den Co-Piloten befahl er zum Rückflug. Auf den Einwand des Kommandanten, er brauche seinen Co-Piloten, antwortete Dieter nur mit einem höhnischen Blick auf das Flugzeugwrack. Da zwei der Plätze von den beiden Kranken schon besetzt waren, blieben noch neun zum Verteilen. Dieter sagte, es interessiere ihn nicht, wem die zugesprochen würden, der Kommandant solle sie vergeben, aber schnell. Er sagte: »Einzige Bedingung – keine Kinder gegen ihren Willen.« Dann ging er zurück zu Lenchen,

gemeinsam untersuchten sie die Plastiksäcke. Der Hubschrauberpilot erzählte nach der Rückkehr, wie erstaunlich gründlich und geduldig, er sagte *professionell,* die Kinder Päckchen für Päckchen überprüft hätten; eine Waffe, die natürlich nirgends versteckt war, wäre unweigerlich gefunden worden. Erst als die Arbeit erledigt war, nach gut zwei Stunden, durften die vierzehn Personen in die Maschine klettern. Zwei Kinder waren dabei, Dieter fragte sie: »Wollt ihr wirklich weg?« Und beide mußten es ausdrücklich versichern. Vor dem Lärm des Starts rief der Pilot den Entführern zu, ob es noch etwas auszurichten gebe. Lenchen sagte: »Nichts.« So stieg der Hubschrauber auf, es muß ein bewegender Augenblick gewesen sein. Eine der zurückgebliebenen Personen sagt aus, ihr sei vor Verzweiflung elend geworden, denn von dem Helikopter habe sie sich die Bändigung der Terroristen erhofft.

Für den Rest des Tages gab es zu tun, man lagerte die Lebensmittel ein, verteilte Decken, Seife, man konnte sich endlich gründlich waschen, man aß das Abendbrot. Lenchen und Dieter verlangten von allem ihren Anteil, jedoch nicht mehr. Sie schienen jetzt freundlicher zu sein als vorher, berichten einige, sie befahlen nicht mehr laut und hörten auf, herausfordernd umherzublicken, einmal lachten sie sogar wie Kinder. Als sei mit dem Entschwinden des Hubschraubers, so kam es einigen vor, ein Druck von ihnen abgefallen. Auch der Kommandant meint, es habe sich eine gewisse Sorglosigkeit der Entführer angedeutet; er meint, es sei ihm an diesem Abend sinnvoll erschienen, besonders konzentriert auf einen Fehler der beiden zu warten. Doch er hoffte vergeblich, die Pistole wurde nie außer acht gelassen, und nur eine solche

Nachlässigkeit hätte ja die Chance zum Eingreifen geboten.
Nachdem Lenchen und Dieter ihre Decken und das Essen empfangen hatten – Dieter nahm es für beide, und Lenchen stand mit der Pistole abseits –, gingen sie wieder fort und blieben für die Nacht allein. Dreimal während der Nacht versuchte der Kommandant, sich an die zwei heranzuschleichen, und dreimal fand er eins von beiden wach und auf dem Sprung. Sie waren so geschickt postiert, daß er sich ihnen nur von vorne hätte nähern können, und das war ausgeschlossen, solange nicht beide schliefen. Die Nächte auf der Insel Nini sind wolkenlos und voll von Mondschein, die Dunkelheit taugt also nichts.
Am frühen Morgen zog weit draußen ein Schiff vorbei, das von allem, was auf der Insel geschah, nichts wußte. Man machte den Kommandanten auf das Schiff aufmerksam und schlug ihm vor, ein Feuer anzuzünden und Rauchsignal zu geben. Der Kommandant aber lehnte ab, er fand, die Schiffsbesatzung könnte wohl eine Lösung mit Gewalt herbeiführen, die aber könne man auch ohne Schiffsbesatzung haben. Das sah fast jeder ein, nur einer der Passagiere blieb störrisch und machte sein eigenes Feuer. Zum Glück entdeckte es der Kommandant. Er zertrat die Flamme und bestrafte den Mann für seine Eigenmächtigkeit, indem er ihm das Feuerzeug wegnahm und seine Frühstücksration strich. Als der Mann nicht einverstanden war, herumschrie und zuletzt gar in die Lebensmittelvorräte einbrach, um sich dort, wie er später sagte, nur was ihm zustand zu nehmen, sperrte der Kapitän ihn in das Flugzeugwrack. Es war zu dieser Stunde dort fünfzig Grad heiß, doch gab es keine andere

Wahl. Lenchen beobachtete, von dem Geschrei angezogen, die Festnahme des Mannes und seine Verwahrung. Sie mischte sich nicht ein, ließ sich hinterher nur die Erklärung vom Kommandanten geben und sagte: »Aha.«

Wenig später sah der Strand aus wie in einem Urlaubsort, denn die meisten der Passagiere lagen in der Sonne oder schwammen, einige hatten sich ein Badefloß gebaut. Eine junge Frau sagt aus, sie habe die Bedrohung an diesem Vormittag kaum mehr empfunden, und eigentlich habe es sie auch kaum mehr gegeben, wenn man das Abgeschnittensein nicht mitrechne. Andererseits suchten viele im Urlaub gerade Abgeschiedenheit, und so betrachtet habe die Situation auch Vorteile gehabt. Vor Hunger und vor dem Vergessenwerden, sagt sie, habe sich kaum mehr jemand gefürchtet, so sei sogar ein wenig Unbeschwertheit aufgekommen.

Plötzlich gab es das Gerücht, an Land befinde sich ein bewaffneter Unbekannter. Er sei zur Befreiung auf die Insel gekommen, hieß es, mit dem Hubschrauber, unter Wasser oder sonstwie, ein Spezialist für dergleichen Fälle. Der Kommandant nannte das Gerede unsinnig, doch wie nicht selten, wenn Rettung nur von draußen zu erhoffen ist, blieben die meisten bei ihrem falschem Glauben. Schließlich hörten auch Lenchen und Dieter davon, Kinder hatten es ihnen erzählt. Sie berieten, dann riefen sie den Kommandanten und eine Stewardeß. Der Stewardeß hielt Lenchen die Pistole vor, während Dieter den Kommandanten fragte, wo der geheimnisvolle Mann sich versteckt halte. Der Kommandant sagte fest, es gebe einen solchen Mann nicht. Lenchen sagte: »Wie Sie wollen« und ließ einen Hebel an ihrer Pistole so gefährlich knak-

ken, daß die Stewardeß vor Furcht fast starb. Und Dieter sagte: »Zum letztenmal – wo ist der Mann?« Der Kommandant aber wiederholte seine Auskunft, da sagte Lenchen: »In Ordnung.« Stewardeß und Kommandant durften gehen, für Lenchen und Dieter war die Sache allem Anschein nach erledigt, obwohl sich das Gerücht noch Stunden hielt.
Der Nachmittag ist die heißeste Zeit auf der Insel, und dieser eine war es ganz besonders, wie alle sich erinnern. Der Seewind hatte aufgehört, so daß der Boden förmlich glühte; die müden Stewardessen wurden vom Kommandanten gezwungen, umherzugehen und jedem zu sagen, wie leicht ein Brand entstehen könne. Aus dem Flugzeugwrack mußte der Arrestant entlassen werden, nachdem er alles versprochen hatte, was man versprochen haben wollte. Die Leute legten sich in den ersten besten Schatten und schliefen. Nur denen, die beängstigend erschöpft aussahen, gab der Kommandant eine zusätzliche Trinkration. Irgendwann platzte vor Hitze ein Flugzeugreifen, daß alle Schläfer auffuhren und erst beruhigt waren, als man die Ursache des Knalls gefunden hatte. Nur die Kinder schienen unerschöpfliche Kräfte zu besitzen, sie rannten am schattenlosen Strand umher. Es war ein Spiel im Gange, das Völkerball heißt und dessen Regeln der Untersuchende sich genau erklären ließ. Er forschte diesem Spiel deshalb so gründlich nach und vernahm alle Zeugen, es waren nur Kinder, deshalb so ausgiebig, weil ihm die folgenden Minuten unbegreiflich sind. In den erwähnten Regeln findet sich keine Erklärung, wie jene Leidenschaft, die der Entführung ein Ende setzte, entstehen und Terroristen in Kinder zurückverwandeln konnte.

Zwischen beiden Mannschaften bestand ein Gleichgewicht. In der einen kämpfte Lenchen, während Dieter, nicht weit entfernt mit der Pistole, zusah. Nach einer Weile kam er dicht heran und wollte gern mit seiner Schwester tauschen, die aber lehnte ab. Dieter sagte, daß ihre Zeit nun um sei, doch Lenchen konnte nicht aufhören und wollte nur gewinnen. So mußte Dieter weiterhin zusehen. Bald kam er zurück ans Spielfeld und versuchte es noch einmal, mit gleichem Mißerfolg. Lenchen rannte, warf, sprang und duckte sich, ihr Bruder war wohl jetzt nichts anderes für sie als eine Last. Dieter war an der Seitenlinie stehengeblieben, eine Zeugin will beobachtet haben, daß er mit den Zähnen mahlte. Plötzlich ließ er die Pistole fallen und sprang ins Spiel, gegen die Mannschaft seiner Schwester. Minutenlang lag die Waffe unbeachtet im Sand. Auf die Frage, warum sie denn nicht in einem günstigen Augenblick die Pistole an sich genommen und gegen die Entführer gerichtet hätten, antworteten einige Zeugen, sie hätten sie ja gar nicht bemerkt; andere erklärten es mit dem knappen Spielstand.
Nach wenigen Minuten näherte sich der Junge Ullrich D. dem Spiel. Er kam erst jetzt, weil seine Eltern ihn zum Mittagsschlaf gezwungen hatten, und diese Unerbittlichkeit war segensreich. Schon aus der Ferne, sagt Ullrich D. aus, habe er das Außergewöhnliche an dem Spiel erkannt: daß sowohl Lenchen als auch Dieter beteiligt waren. Weil Dieter Badehosen trug und Lenchen einen Badeanzug, sei ihm sofort die Frage durch den Kopf geschossen, wo die Pistole sei. Er habe die Umgebung des Spielfelds mit Blicken abgesucht. Er habe die Pistole bald entdeckt. Wie zufällig sei er dorthin geschlendert und habe sie an sich genommen, von keinem der Spieler

bemerkt. Er habe sich entfernt, immer noch unbeachtet, sei zunächst betont langsam gegangen, und später erst, außer Sichtweite, habe er zu rennen angefangen. Vor der Pistole, sagte er, als man ihm eine Tapferkeitsmedaille verlieh, habe er sich ebenso sehr gefürchtet wie davor, verfolgt zu werden.

Als der Kommandant die Waffe von Ullrich D. überreicht bekam, war die Entführung so gut wie zu Ende. Der Kommandant ging, begleitet nur vom Navigator, zu den Kindern, die immer noch spielten. Der Navigator sagt aus, es habe ihm einen Stich gegeben, als er Lenchen und Dieter so selbstvergessen beim Spiel sah, es habe ihn gerührt. Die Männer mußten dicht an das Spielfeld herantreten, um wenigstens bemerkt zu werden. Als die ersten schon mit dem Spielen aufhörten, sagte der Kommandant: »Es ist Schluß jetzt.« Sofort war es da still. Lenchen blickte zu Dieter, als entdeckte sie ihn jetzt erst in der anderen Mannschaft, Dieter sah zu der leeren Stelle, viele sahen einander an. Lenchen sagte: »Du Idiot«, und ein Mädchen, das als letzte den Ball gefangen hatte, fing zu weinen an.

Noch vor der Nacht befanden sich alle in Sicherheit, und Lenchen und Dieter in Gewahrsam. Sie werden streng nach Gesetz behandelt, das heißt gemäß ihrem Alter. Das wiederum heißt für den Untersuchenden, daß man ihm peinlich genau auf die Finger sieht. Die Eltern, obschon mit ganzem Herzen auf unserer Seite, haben ihren Kindern doch den gerissensten Anwalt weit und breit verschafft, und dieser Mann behindert die Aufklärung, wo er kann. Nahezu jede Frage an die beiden nennt er suggestiv, fast alles, was die Behörde unternimmt, schwärzt er als üble Methode an, und mit der Uhr in der Hand lauert er darauf, daß wir die zulässige Verhörzeit um Sekunden überschreiten. Dennoch behandeln Lenchen und Dieter ihn nicht als ihren Verbündeten, sondern abweisend wie den Untersuchenden. Sie verweigern auch ihm jede Auskunft, wie wir zuverlässig wissen, als hätten sie Angst, auf solchem Umweg könnte Licht in ihre Sache dringen. Den Untersuchenden befriedigt das ein wenig, doch hilft es ihm nicht weiter. Nach wie vor weiß er nichts über die Motive, und er kennt die Anstifter nicht, obwohl es die, nach menschlichem Ermessen, gegeben haben muß. Ihm sind die Wege unbekannt, auf denen der schlimme Plan in die Köpfe der Kinder drang, und das ist bitter, denn verbauen kann man nur Wege, die man erkennt.

Die Klage

Im Frühjahr 1973 brachte mein Sohn Leonard aus der Schule einen Brief folgenden Inhalts nach Hause: »Sehr geehrte Eltern! Ihr Sohn Leonhard folgt leider nur dann aufmerksam dem Unterricht, wenn er interessant ist.«

Es ärgert mich schon sehr, daß die Gewohnheit, von der die Rede sein wird, vor meiner Zeit entstand und vor meiner Zeit verging. Damals war die Familie noch weitverzweigt – ich habe das Wort *unüberschaubar* im Ohr –, und um sie an einem Ort zu versammeln, brauchte es einen mächtigen Anlaß. Gewöhnliche Geburtstage genügten da nicht. Meine einzige Brücke zu jener Zeit, die mir am treffendsten mit *damals* bezeichnet vorkommt, war mein Vater. Als er starb, hatte ich nicht das Gefühl, umfassend über *damals* unterrichtet worden zu sein; die Informationen, die ich von ihm erhalten hatte, kamen mir plötzlich wichtiger vor als ehedem. Ich wußte, daß keine neuen mehr hinzukommen würden, von wem denn, und ich empfand die spärlichen Erzählungen jetzt wie einen Vorrat, mit dem ich sorgfältig umzugehen hatte.
Meist waren es Geburten, die von überallher unsere Familie zusammenbrachten. Nicht etwa, daß jemand es so beschlossen hätte, doch schrie, sooft mein Vater sich erinnerte, immer irgendwo im Haus ein Säugling, wenn alle beieinandersaßen. Zufall? hat er mich, der ich ja nur bei meiner eigenen Geburt dabeigewesen bin, einmal gefragt. Er hat ein bißchen abgewartet und dann den Kopf geschüttelt, so entschieden, als ginge mein Verdacht in eine selten dumme Richtung. Wenn aber kein Zufall, hat er mich gefragt, was steckte sonst dahinter? Ich habe dagesessen und getan, als quäle es mich, die Antwort nicht zu wissen; und dann, nachdem ich ihm lange genug mit den Schultern gezuckt hatte, erfuhr ich, daß Geburten sich aus verschiedenen Gründen für Familientreffen

eignen: Erstens kommen sie selten vor, seltener als zum Beispiel Geburtstage. Zweitens hat jeder anständige Mensch das Bedürfnis, ein neues Familienmitglied zu sehen und anzufassen und zu küssen, denn Familiensinn ist, laut meinem Vater, nicht nur eine Theorie. Drittens kann man, nachdem man das neue Kind bewundert und die Geschenke abgegeben hat, ohne Umweg zum wahren Grund seines Besuchs kommen: Man kann sich gegenseitig fragen, was die Gesundheit macht, wie die Geschäfte gehen, was seit der letzten Geburt an Neuigkeiten anliegt, und kein Mensch fühlt sich übergangen: das Baby sowieso nicht, die Mutter ist mit ihrem Kind beschäftigt und mit den Geschenken und der Vater ist entweder betrunken oder vor Glück ganz dumm. Und viertens, erklärte mir mein Vater, machen Geburten die Besucher auf sonderbare Weise fröhlich, sobald die Tür sich ihnen öffnet. Deshalb wohl, weil alle immer guter Stimmung waren, wurden einige Geschichten gar nicht erst erzählt und andere immer wieder.

Onkel Gideon, der Besitzer der beliebtesten Familiengeschichte, muß ein imposanter Mann gewesen sein. Meist ist es auf größeren Gesellschaften doch so, daß an die hundert Gespräche nebeneinanderher laufen, und was dem zufällig ins Zimmer Tretenden wie ein unverständliches Stimmengewirr vorkommt, hat in Wirklichkeit hundert verschiedene Bedeutungen. Wenn Onkel Gideon aber sprach, schwiegen die anderen. Er war nicht etwa der Reichste der Familie, das ganz gewiß nicht; er war auch nicht der Ärmste, doch mußte niemand fürchten, durch den Entzug seiner Gunst in eine Notlage zu geraten. Er ließ sich stets, bevor er die Geschichte zu erzählen anfing, eine hübsche Weile bitten, das wußte jeder. Man

bat ihn so, als sei das Bitten schon ein Teil der Geschichte, als könne er gar nicht anfangen, bevor man ihn nicht lang genug gebeten hatte. Jeder spürte deutlich den Augenblick kommen, da unser Onkel an der Reihe war zu sagen: Na schön.
Er war schon ziemlich alt, als seine Geschichte zu solchem Ansehen gelangte. Mein Vater beschrieb mir seinen Mund und die Narbe auf seiner Stirn und sein Haar und auch die Art, wie er sich kleidete und was er beim Erzählen mit den Händen machte. Einmal sagte mein Vater: Gideon war schon ein sehr alter Mann, als sie ihn nach Maidanek brachten, aber trotzdem.
Aus welchem Grund die Geschichte so beliebt wurde, weiß ich nicht. Manchmal ist mir, als hätte ich sie vor langer Zeit schon irgendwo gehört, ohne daß mein Onkel Gideon darin vorgekommen wäre; doch kann es sein, daß ich mich täusche. Ich finde sie nicht schlecht, so bedeutend aber auch nicht. Ihr großer Erfolg muß mit Onkel Gideons Ausstrahlung zu tun gehabt haben, oder mit dem Geschmack der damals Anwesenden, auf jeden Fall mit etwas mir Verborgenem. Mein Vater hat sie mir zehn- oder zwanzigmal erzählt, als fühlte er sich verpflichtet, die Tradition fortzuführen, nach der die Geschichte immer wieder erzählt zu werden hatte. Erst ein so Starker wie der Tod hat es fertiggebracht, die Sache aufzuhalten. Und weil ich kein undankbarer Sohn sein will, andererseits aber auch keine Lust habe, so übertrieben lange bei ein und derselben Geschichte zu bleiben, schreibe ich sie mir nun vom Hals. Jedesmal hat mein Vater getan wie jemand, der eine Geschichte zum erstenmal erzählt. Er wollte meine Neugier spüren und meine Überraschung auskosten und mich immer wieder auf die

Folter spannen. Doch gestehe ich, ob nun gern oder ungern, daß Onkel Gideons Geschichte auch mir von Mal zu Mal besser gefiel.

Bevor ich sie weitergebe, ist eine letzte Schwierigkeit zu überwinden, oder richtiger: ich will sagen, wie ich diese Schwierigkeit umgehe. Die Geschichte hat nämlich viele verschiedene Versionen. Bei jeder Erzählung meines Vaters klang sie anders, wenngleich es sich natürlich stets um Onkel Gideon handelte, der in jeder Version geschäftlich nach London fuhr. Nahezu alles Übrige aber muß mit Vorsicht angesehen werden, denn die meisten präzisen Angaben, die beim Geschichtenerzählen doch nicht immer vermeidbar sind, stellen gewissermaßen Mittelwerte dar. Ich habe sie mir aus den Abweichungen, die meinem Vater in fast jede Richtung hin unterliefen, selbst errechnet. Leider taucht mir jetzt erst, und viel zu spät, die Frage auf, ob nicht vielleicht schon Onkel Gideon Urheber der verschiedenen Versionen gewesen ist; und ob nicht am Ende gerade darin das Geheimnis seines überragenden Erfolges bestand. Die beliebteste Familiengeschichte also:

1922, während der kühlen Jahreszeit, fährt Onkel Gideon nach London. Nicht zu seinem Vergnügen etwa, wie ein Fremder vermuten könnte; zwei Maschinen sind zu kaufen für die Strumpffabrik, deren Direktor er so gut wie ist. Onkel Gideon haßt weite Reisen.

Groß verlassen hat er Lublin noch nie, obwohl er beinah sechzig ist, einmal ist er bis Lemberg gekommen, ein paarmal bis Krakau in die andere Richtung, nicht gerechnet die und jene Urlaubsreise, zumeist nach Zopot. Onkel Gideon hat es gern zu sagen: Reisen ist der Zeitvertreib der Unzufriedenen. Er pflegt hinzuzufügen: Wer

nicht die Welt bei sich zu Hause findet, der ist auch nicht zu Hause in der Welt. Er läßt ein kleines Schweigen folgen, jedesmal, dann steckt er sich eine Zigarre in den Mund. Auf diese Reihenfolge ist Verlaß, und in der kurzen Pause zwischen beiden Sätzen nimmt Onkel Menachem schon die Schachtel mit den Hölzchen in die Hand. Jedenfalls, Onkel Gideon fühlt sich zu Hause wohler als an jedem anderen Ort. Er blickt zu seiner Frau wie zum Beweis, zu Tante Linda, da schauen alle anderen auch auf sie. Und schon wird rundherum zum ersten Mal gelächelt, weil Tante Linda ein wenig zu gewaltig ist, als daß man Onkel Gideons Worten so ohne weiteres glauben möchte. Am Ende meint er haargenau das Gegenteil, doch weiß das keiner, selbst Tante Linda lächelt und scheint sich über ihres Mannes Lob zu freuen.
Onkel Gideon reist also ohne Lust nach London, schon bei der Überfahrt, auf dem Kanal, hat er ein seltsames Gefühl. Das Wasser ist ruhig, nicht nötig die Angst vor der Seekrankheit; der Onkel hat dreierlei Tabletten bei sich, sein Magen ist von Kindheit an empfindlich. Der Steward verschüttet Kaffee auf den Plaid, der über Onkel Gideons Beine ausgebreitet ist, entfernt die Decke aber schnell genug, so daß Onkels Hose – die dunkelbraune aus belgischem Wollstoff, wirft Tante Linda ein – nichts abbekommt. In London dann ist Nebel, wie man es aus den Illustrierten kennt. Den Onkel überrascht das nicht. Es fährt ihn eine Kraftdroschke zu dem Hotel auf seinem Zettel. Nicht zwanzig Meter weit kann man sehen, der englische Chauffeur aber rast, als ginge es durch allerschönstes Wetter, er fährt sich um ein gutes Trinkgeld.
Das Hotelzimmer nach überstandener Angst ist wie ein Hotelzimmer, das Essen aber ganz und gar nicht wie ein

Abendbrot. Mit der Suche nach einem koscheren Restaurant beginnt es, mit der vergeblichen, nach einer Stunde abgebrochenen. Onkel Gideon will nicht so weit gehen zu behaupten, in ganz London gäbe es kein koscheres Restaurant; doch was er verantworten kann zu sagen ist, daß solch ein Restaurant, im Falle es existiert, von einem Fremden so gut wie nicht gefunden werden kann. Hungrig geht er zu Bett, bis der empfindliche Magen, man erinnert sich, ihm seinen tugendhaften Plan zerschlägt. Der Onkel wandert hin und her im düsteren Zimmer, auf Leibschmerzen zwar nicht vorbereitet, doch in jedem Augenblick gefaßt. Auf einmal bleibt er vor der Frage stehen, wie er die Woche London ohne Nahrung überleben soll. Er findet keine Antwort und stellt dieselbe Frage auch dem lieben Gott, selbst der muß überlegen. Ein längerer Disput, ein freundschaftlich geführter, hat zur Folge, daß Onkel Gideon sich wieder anzieht, ein wenig an zu Hause denkt, das Haarnetz ablegt und in das Restaurant hinuntergeht. Der Gott der Juden ist ein einsichtiger Gott, sagt, so mein Vater, Onkel Gideon, er läßt mit sich reden. Doch kein Wort weiter über englisches Essen im Hotel, sagt Onkel Gideon und scheucht mit der gespreizten Hand die Gedanken daran fort, schlägt mit der anderen ein paarmal auf sein spitzes Bäuchlein. Er sagt: Wenn dieses Essen doch nur so leicht zu schlucken wie zu vergessen wäre.
Worum es aber geht: Es ist ein Aufenthalt von einer Woche Länge vorgesehen, nach kaum drei Tagen sind die Maschinen schon gekauft. Zu günstigsten Bedingungen, wie es sich fast von selbst versteht – schick Onkel Gideon etwas kaufen, und er kommt dir mit mehr Geld zurück, als du ihm mitgegeben hast. Rot vor Begeisterung, ruft

Onkel Julian: Gideon, du alter Unmensch, warum zum Teufel wirst du nicht mein Kompagnon? Onkel Gideon antwortet ihm ruhig: Laß uns ein andermal darüber sprechen, wenn du deine Bücher bei dir hast, es ist dann leichter zu erklären. Natürlich lachen wieder alle, am lautesten Onkel Julian selbst, was hat er auch erwartet bei solch einer Frage.

Onkel Gideon aber hat vier freie Tage vor sich und weiß noch nichts mit ihnen anzufangen. Die meisten Sehenswürdigkeiten hat er nebenbei besichtigt, wer kann von früh bis nachts verhandeln, den Palast der Königin, gewisse Türme, gewisse Brücken, auch einen Platz mit italienischem Namen, auf dem es ähnlich wimmelt wie auf dem Markt von Lublin, auf dem es aber längst nicht so gut riecht. Museen sind nicht Onkel Gideons Sache. Er fragt sich, ob die vier Tage vielleicht dann am besten angelegt sind, wenn er die Rückfahrt vorverlegt und London London sein läßt, wenn er sich in den nächsten Zug setzt und seine Beine übereinanderschlägt. Andererseits ist das Hotelzimmer im voraus schon bezahlt, am dritten Tag kommt es einem nicht mehr ganz so fremd vor. Auch wäre, um die Rückfahrt umzubuchen, Hilfe nötig, Onkel Gideons Englisch versteht ja niemand hier. Und schließlich, nüchtern überlegt: Wann kommst du schon nach London? Nebel hin und Nebel her, immerhin ist es eine Weltstadt. Onkel Gideon entscheidet, daß Furcht und Heimweh übertrieben sind für einen Mann in seinem Alter. Er bleibt die volle Woche in der Stadt und gibt dem Kommenden gottlob die Möglichkeit, so sagt mein Vater, sich zu ereignen.

Wenigstens von Tee verstehen sie etwas, die Engländer, Tee nehmen sie ernst. Der Onkel lebt von Tee und

Kuchen, der ihm nicht ganz so ungenießbar vorkommt wie die anderen Speisen. Und dabei ißt er zu Hause nie etwas Süßes, sagt Tante Linda manchmal unzufrieden. Am vierten Tag stellt unser Onkel fest, daß sich der Gürtel seiner Hose um zwei Löcher enger schnallen läßt, soll er sich nun darüber freuen oder nicht? Tante Linda sagt: Ich hab die Knöpfe an allen seinen Hosen, wie er heimgekommen ist, um solch ein Stück versetzt. Der Onkel nickt, dann sagt er: Aber vier Wochen später mußten sie zurück an die alte Stelle.

Am fünften Tag legt sich auf seine Schulter eine Hand, kaum hat er das Hotel zum Spazieren verlassen. Ein gewisser Silverstone hält ihn fest, einer von den Leuten, mit denen unser Onkel Verhandlungen zu führen hatte. Silverstone sagt: Hallo, alter Junge (so reden sie alle dort in England), ich denke, Sie sind längst wieder auf dem lausigen Kontinent?

Einen Moment lang hält Onkel Gideon das Wort *lausig* für den Ausdruck von Vorurteilen, betreffend die hygienischen Verhältnisse in Galizien. Er zieht die Augenbrauen schon hoch und will schon antworten, gerade in der letzten Nacht erst habe er in seinem so feinen Hotelzimmer nicht weniger als vier Wanzen töten müssen; doch schnell begreift er, daß Silverstone nur die allgemein übliche lässige Sprache spricht und sich nichts Böses denkt. Einmal fragt Tante Annette: Sag, Gideon, hast du wirklich vier Wanzen in dem Bett in dem Hotel gefunden? Und Onkel Gideon gibt zur Antwort: Ist das von Wichtigkeit?

Silverstone jedenfalls hört von des Onkels Absicht, sich ein paar Tage ohne Plan in London aufzuhalten, worauf er ausruft: Warum haben Sie denn nichts davon gesagt!

Onkel Gideon beschreibt ihn als einen Menschen, der viel ruft und nicht so sehr viel sagt, das habe die Verhandlung mit ihm kolossal erleichtert. Der Onkel muß sofort sein Gast sein und muß sich mit ihm in ein Teehaus setzen, obwohl er den Frühstückstee kaum hinter sich hat. Doch ist für Silverstone der Tee nur Vorwand zum Whiskytrinken, für jeden bestellt er ein großes Glas, am Vormittag, an einem beliebigen Tag der Woche, so geht das zu in England. Noch heute schüttelt es unseren Onkel, sobald er daran denkt, wie er sich den Whisky Schluck für Schluck hinterquälen mußte, da half kein Sträuben. Ein Gläschen Wodka gießt er ein, bei dieser schrecklichen Erinnerung, und trinkt es leer in winzigen Schlückchen, und mein Vater zwinkert mir zu, wie Gideon seine Geschichte zu erzählen weiß.
Mr. Silverstone trinkt also gerne, da spielt die Tageszeit nicht die ausschlaggebende Rolle. Onkel Gideon muß sich mitbetrinken, erstaunlich gut hält sich sein Magen, nur wird er niemals wieder eine Auslandsreise unternehmen. Silverstone überschüttet ihn mit Ratschlägen, was an den zwei verbleibenden Londoner Tagen noch besichtigt werden sollte; doch Onkel Gideon weiß sofort, daß nichts davon ihn interessiert. Hunderennen, sagt er und hebt die Schultern hoch bis zu den Ohren. Könnt ihr euch vorstellen, fragt er, daß ein erwachsener Mensch sich ruiniert, weil der eine Hund schneller laufen kann als der andere? Ohnehin hat er sich für seinen letzten Abend ein Konzert vorgenommen, Mendelssohn in der Albert-Hall, da ist er ohne Englisch nicht im Nachteil.
Am Nachmittag, als London sich schon recht schnell um den Onkel dreht, hätte er auf ein Schläfchen Lust, doch nicht bei Silverstone. Unerbittlich führt der ihn immer

weiter, kauft immer neue Gläser und hält sich für den besten Gastgeber. Kurz prüft Onkel Gideon den Gedanken, ob Silverstone sich gar auf diese Weise an ihm rächen will: weil die Verhandlungen so anders verlaufen sind, als er es sich wohl erträumt hat. Doch verwirft unser Onkel den Verdacht sofort, denn Silverstone fällt solche Hinterlist im Traum nicht ein. Man braucht ihn sich nur anzusehen, es handelt sich um Herzlichkeit, wenn auch um eine Art von Herzlichkeit, die zu ertragen harte Arbeit ist.
Zwischen zwei Schnäpsen auf der Straße schlägt Silverstone dem Onkel plötzlich so derb auf den Rücken, daß dieser fast vom Weg abkommt. Ich hab's! ruft er, und unser Onkel fragt erschrocken: *Was* haben Sie? Silverstone schweigt jedoch und lächelt, er wiegt den Kopf nur hin und her wie jemand, der fast erstickt an einem guten Einfall, ihn aber nicht verraten will. Onkel Gideon hätte da schon stutzig werden müssen, heute weiß er es, heute ist er klüger. Damals wundert er sich nur ein bißchen und hält fast alles, was dieser Silverstone tut und läßt, für eine unverständlich englische Art, sich zu benehmen.
Silverstone fragt: Was halten Sie davon, alter Freund, in meinen Club zu gehen? Längst hat der Onkel aufgehört, sich zu wehren; er weiß genau, daß es nichts nützen würde zu sagen: Ich halte nichts davon. Er gibt zur Antwort: Meinetwegen in den Club. Silverstone schlägt die neue Richtung ein, durch ein paar krumme Straßen und durch ein paar gerade, auf einmal bleibt er stehen. Auf einmal will er wissen, ob Onkel Gideon schon je an einem Kostümfest teilgenommen hat. An einem Kostümfest? sagt unser Onkel, jetzt wirklich sehr erstaunt, was Sie nur reden.
Silverstone ist nämlich eingefallen, daß er für morgen

zum Kostümfest eingeladen ist, zum besten in der ganzen Stadt. Unglücklicherweise ist er ausgerechnet morgen verhindert, für morgen abend hat sich ein türkischer Geschäftsfreund angemeldet, die Firma treibt Handel mit der halben Welt. Falls aber Onkel Gideon an seine Stelle treten möchte, so übernimmt er jede Garantie, daß es den Gastgebern des Festes eine Freude wäre und eine große Ehre noch dazu. Onkel Gideon muß wiederholen: Was Sie nur reden.

Dann sitzen sie im Club, zu dem nicht mehr zu sagen ist, als daß er sich in Lublin nicht einen Monat über Wasser halten könnte. In einem der Räume entdeckt Onkel Gideon Schachspieler. Er sieht ein wenig zu, bald weiß er, wie leicht er fertigwerden könnte mit den meisten hier; trotzdem läßt er sich nicht ein mit ihnen, denn sie spielen lächerlich ernsthaft, sie schweigen sich verbissen an und strafen dich für jedes unschuldige Wort mit bitterbösen Blicken. Silverstone kommt immer wieder auf diese Kostümfestangelegenheit zu sprechen, und unser Onkel schüttelt immer wieder nur den Kopf. Dabei hat er schon angefangen, sich zu fragen, warum er so dagegen ist. Er fragt sich auch, was will ich sonst hier tun? Die Kirchen interessieren mich nicht und die Schlösser nicht und nicht die Ausstellungen, wozu bin ich hiergeblieben, wenn nicht die Sitten und Gebräuche dieser merkwürdigen Menschen kennenzulernen? Das alles fragt sich Onkel Gideon, und schließlich fragt er Silverstone: In welcher Sprache aber soll ich mit den Leuten sprechen?

Da weiß Silverstone, daß er gewonnen hat. Er antwortet, die Gastgeber sprächen, wenn auch nicht polnisch, so doch ganz vorzüglich deutsch, und er strahlt über sein unschuldiges Gesicht. Viel zu spät, erst heute, fragt sich Onkel Gideon, was einer so zu strahlen hat, nur weil ein anderer bereit scheint, an seiner Stelle ein Kostümfest zu besuchen. Mendelssohn kann ich auch bei uns zu Hause hören, denkt unser Onkel damals nur, wahrscheinlich besser als in irgendeinem London. Silverstone schreibt schon den Namen jener Leute auf, darunter die Adresse, gleich morgen früh wird er sie antelefonieren, damit der Onkel auch erwartet wird.

Als was man hierzulande zu einem Kostümfest denn so geht, fragt unser Onkel im Verlauf des Abends. Darüber soll er sich nur nicht den Kopf zerbrechen, wird ihm gesagt, man zieht sich an, was einem gerade in die Finger kommt. Er, Silverstone, habe es immer so gehalten, daß ihm die Andeutung eines Kostüms schon als Kostüm genügte. Ein Hütchen sei da ausreichend oder die erste beste Pappnase, sagt Silverstone und lacht sich plötzlich halb kaputt. Sollte Onkel Gideon allerdings, was die Verkleidung angeht, irgendeinen Ehrgeiz spüren, sagt Silverstone, so ließe sich mit ziemlicher Gewißheit ein Kostümverleiher finden, sogar in der Umgebung des Hotels. In London gäbe es Kostümverleiher wie Sand am Meer. Onkel Gideon als Dschingis Khan, sagt Silverstone und lacht von neuem, und diese Vorstellung findet selbst der Onkel spaßig, *damals.* Wie sie so sitzen und trinken und später wieder essen und sich unterhalten, da kommt ein Augenblick, in dem der Onkel klar und überzeugend spürt: zu einem Kostümfest eingeladen zu werden ist eigentlich das Beste, was einem Fremden in London widerfahren kann.

Dann ist der nächste Tag da, am frühen Morgen schon fangen des Onkels Probleme mit dem Abend an. Er liegt

behaglich auf dem Rücken, als ihm unverhofft der Gedanke kommt: Was hat ein Jude aus Lublin auf einem englischen Kostümfest zu suchen? Ein paar Minuten quält er sich mit dieser Frage, bis ihm eine andere einfällt: Warum soll ein Lubliner Jude in England nicht auf ein Kostümfest gehen? Die klingt ihm überzeugender, die duckt sich nicht so vor dem Ungewohnten. Und in der Badewanne überlegt er bereits, wie er sich kleiden soll. Beim Frühstück denkt er an seinen alten Grundsatz, der ihn zu dem gemacht hat, was er heute ist: Wenn du schon etwas tust, dann tu es richtig. Als Folge davon muß der Kellner kommen und muß ihm die Adresse des nächsten Kostümverleihs beschaffen; der ist nicht weit, wie Silverstone es prophezeit hat.
Unser Onkel wandert zwischen Kleiderständern umher und weiß nicht, wie sich entscheiden, denn er hat keine Lust, von den Räubern und Piraten oder von den Königen und Edelmännern einer zu werden. Fast will er schon als Onkel Gideon aus Lublin gehen oder gar nicht, da packt ihn ein alter Kinderwunsch, genau vor dem Regal für Kopfbedeckungen: der traurige bleiche Clown zu sein, über den man nur deshalb lacht im Zirkus, weil er nichts versteht und sich doch immer für den Klügsten hält. Er leiht sich alles, was dazugehört, die Pluderhose, ein silberfarbenes Seidenhemd mit großen schwarzen Knöpfen, die hohe spitze Mütze, die unterm Kinn von einem Bändchen gehalten werden muß. Im Hotel fällt ihm ein, daß sein Clown nicht nur bestimmte Kleider trug, daß er auch ein bestimmtes Gesicht hatte, ein unglaublich weißes mit runden schwarzen Augen drin. Da kauft der Onkel auch noch weiße Schminke und schwarze Schminke, und Tante Linda muß den Kopf

schütteln, was für verrückte Einfälle ihrem Gideon früher gekommen sind.
Den halben Tag steht er vor dem Spiegel und zieht und malt sich an. Es dauert lange, bis das Gesicht ihm einigermaßen so gelingt, wie er es in Erinnerung hat. Die Augen, sagt er, die Augen haben mich zur Verzweiflung gebracht. Immer wieder wäscht er sich die Farbe vom Gesicht, nimmt schließlich, als die Haut schon rot vom vielen Reiben wird, ein Blatt Papier zu Hilfe, auf dem er immer wieder Augen ausprobiert. Erst spät entdeckt er seinen Fehler: er hat die Wimpern wie normale Wimpern gemalt, in Wirklichkeit müssen es dicke kurze Striche sein, wie Strahlen rings um eine Kindersonne. Und mitten unter jedem Auge muß ein kleiner runder Punkt sein, der Gott weiß was zu bedeuten hat, den Blick jedoch verwundert und irgendwie auch traurig macht. Onkel Gideon überträgt den Entwurf vom Papier auf sein Gesicht und ist am Ende doch zufrieden.
Es wär' gelogen zu sagen, gesteht der Onkel, daß er sich nicht ein wenig überwinden mußte, in seinem Aufzug das Zimmer zu verlassen. Aber auf welchem anderen Wege, fragt er, hätte man zu dem Kostümfest kommen können, und niemand weiß es. Natürlich zieht er einen langen Mantel über alles. Auf den Kopf setzt er seinen gewöhnlichen Hut, den jeder kennt, die spitze Mütze wird in Papier gewickelt und unterm Arm getragen. Er geht die Treppe hinunter, begegnet keinem Menschen, und die Hotelhalle ist auch leer. Des Onkels Entschlossenheit, von spöttischen Blicken nicht beschämt zu sein, ist ganz umsonst, denn bis zur Straße trifft ihn kein solcher Blick. Es ist längst dunkel, und es regnet zum Glück nicht, so muß er sich um sein Gesicht nicht sorgen. Er setzt sich in

ein Taxi und sagt: In London mußt du gut auf deine Hände achten, warum? Kaum streckst du eine aus, schon hält ein Taxi. Er zeigt dem Fahrer seinen Zettel, der nickt und weiß, wie er zu fahren hat.
Dann steht der Onkel vor dem Haus am Stadtrand. Das Gelächter greift um sich, weil jeder ahnt, was gleich geschehen wird; und wer es noch nicht ahnt, der weiß es doch zumindest. Spätestens jetzt fingern die Damen Tüchlein aus ihren Taschen, während der Onkel durch einen englischen Garten auf das Haus zuschreitet. Er bleibt ein letztes Mal stehen, zählt nur die Fenster, die erleuchtet sind, und kommt auf eine Zahl, die keiner glauben würde. Und hat vor dem Anklopfen ein letztes Problem, die Sache mit den Hüten. Einen trägt er auf dem Kopf, den Kostümhut noch immer unterm Arm, doch Onkel Gideon will nicht jemand sein, der nachher dasteht mit zwei Hüten in der Hand. Einen muß er beim Klopfen also aufbehalten, er weiß im Augenblick nicht, welchen. Nach kurzem Klären trifft er die Entscheidung: die hohe spitze Mütze kommt auf den Kopf, der gewöhnliche Hut wird ins Papier gewickelt und im Gebüsch versteckt. Dem Onkel ist, als dringe aus dem Haus Musik, doch kann er sich auch täuschen. Er zieht die Glocke, und als man Schritte durch die Tür hindurch vernimmt, steht unser Onkel Marian auf, um sich das Übrige im Stehen anzuhören.
Es wird ja schon die Tür geöffnet von einem Butler, wie man ihn vom Lubliner Stadttheater kennt. Sekundenlang denkt Onkel Gideon, die backenbärtige Person gehöre, wie er selbst, als Gast zu dem Kostümfest. Der Mann stellt eine Frage, die Onkel Gideon natürlich nicht versteht, doch rechnet er sich geistesgegenwärtig ihren Sinn

aus. Er kramt ein Visitenkärtchen aus der Tasche und legt es aufs Tablett, das ihm der Butler hinhält und das, wenn unser Onkel sich nicht täuscht, aus Silber ist. Jetzt endlich gibt man ihm den Weg frei, doch unterschätzt der Onkel die Höhe der Mütze auf seinem Kopf. Sie stößt gegen den Türrahmen, rutscht in des Onkels Genick und würgt ihn ein wenig mit dem Bändchen, der Butler schließt die Tür. Noch einmal sagt er ein paar von seinen Worten, dann rückt er einen Stuhl zurecht und geht davon mit dem Visitenkärtchen. Der Onkel setzt sich aber nicht, weil ihm der Spiegel an der Wand jetzt wichtiger ist. Er rückt die Mütze an ihren Platz zurück, er prüft den Sitz der Bluse, vor allem prüft er sein Gesicht, mit dem er nach wie vor zufrieden ist bis auf die Stirn, dort ist aus irgendwelchen Gründen ein Loch im Weiß. Dann hört er eine weit entfernte Stimme, die einem englischen Kind gehört, und hört im gleichen Augenblick, daß doch keine Musik im Haus ist, wie er draußen meinte. Zum erstenmal spürt er einen Hauch von Unbehagen, er weiß noch nicht genau warum. Doch Onkel Menachem, mit der Krawatte in der Hand, ruft jetzt schon: Geh endlich rein ins Zimmer, wer hält denn das noch aus!

Der Butler kommt zurück und hat noch immer nicht begriffen, daß unser Onkel seine Sprache nicht versteht. Er nimmt dem Onkel den Mantel aus der Hand, wenigstens das versteht man, es heißt soviel wie: man erwartet Sie. Der Onkel folgt ihm, um viele Ecken, in einen großen, nicht sehr hellen Raum, der etwas kühl ist, wie alle Räume offenbar in England. Vom Kamin her kommt der Hausherr Onkel Gideon entgegen, ein unscheinbarer Mensch, so wie man ihn zu Dutzenden im Club gesehen hat; er kommt mit einer ausgestreckten Hand, in die der Onkel seine legt. Der Hausherr sagt, wie außerordentlich ihn der Besuch des Onkels freue, in gut verständlichem Deutsch. Der Onkel bedankt sich in der gleichen Sprache für die Einladung, wobei er sich über das einfallslose Kostüm des Hausherrn ein wenig wundert: schwarze Jacke, graue Hose, weißes Hemd, Krawatte und nichts dazu. Erst dann bemerkt er die Dame in ihrem Lehnstuhl, und er geht zu ihr. Sie hält, bezaubernd lächelnd, die Hand auf eine Art und Weise hoch, daß Onkel Gideon sie zur Begrüßung küssen muß, soviel versteht er von der Sache. Er tut es, gleichzeitig hält er mit der freien Hand die hohe Mütze, weil sie nicht fest genug für eine Verbeugung sitzt. Das Kleid der Dame kommt ihm schon origineller vor, es ist ein bodenlanges rotes mit weißem Spitzenkragen, wie es vor siebzig oder achtzig Jahren die feinen Damen in Galizien trugen. Sonst ist noch niemand da.

Der Onkel sitzt im Sessel am Kamin und ärgert sich, weil er so früh gekommen ist, weil Silverstone wahrscheinlich eine falsche Anfangszeit gesagt hat. Der Butler quält und quält ihn, indem er neue Fragen stellt, Onkel Gideon blickt um Hilfe. Der Hausherr übersetzt, ob Sherry oder Portwein oder Tee gewünscht wird, und Onkel Gideon entscheidet sich für Tee, solange er der einzige Gast ist. Dann, während man auf die Getränke wartet, sieht er einen Hund im Zimmer liegen. Doch was sag ich Hund, sagt Onkel Gideon und hält sein Weinglas hoch, damit ihm nachgegossen wird, bei uns in Lublin sagt man Pferd dazu. Dann sieht er auch, daß keine Gläser in dem Zimmer stehen und nirgends Flaschen mit Getränken, und auch daß keine Stühle da sind für weitere Gäste, was

soll denn das für ein Kostümfest werden? Und zum zweitenmal spürt der Onkel dieses Unbehagen, jetzt ziemlich heftig.
Mein Vater, wenn ich das einflechten darf, war immer ziemlich aufgelöst bei diesem Stand der Dinge, meist schon davor. Meist kam ich ihm nicht amüsiert genug vor, doch war das nie ein großes Hindernis. Nur einmal hat er geseufzt und zu erzählen aufgehört, bis ich ihn fragte, was geschehen ist. Da hat er mir gestanden, um wieviel lieber er die Geschichte hören würde, anstatt sie zu erzählen. Ich habe lange überlegt, ob ich ihm nicht den Vorschlag machen sollte, unsere Rollen zu tauschen. Ich habe darauf verzichtet, weil es mir irgendwie ungehörig zu sein schien. Vielleicht wäre er auch gar nicht darauf eingegangen. Er führte mir schon vor, wie unser Onkel dasitzt, unter der hohen Mütze mit dem Tee. Der Hausherr möchte wissen, ob Onkel Gideon zum erstenmal in London ist. Dann fragt er, wie lange unser Onkel Herrn Silverstone schon kennt. Der Onkel sagt die Wahrheit: persönlich erst seit ein paar Tagen, von Briefen schon geraume Zeit. Der Hausherr wechselt einen Blick mit seiner Dame, einen beunruhigend langen, bevor er traurig lächelt und sagt: Er ist schon immer ein etwas eigenartiger Mensch gewesen, dieser Herr Silverstone.
Von einem Augenblick zum nächsten beschließt der Onkel, sich von der Mütze zu befreien, um jeden Preis. Er denkt: Ich werde es ja wohl fertigbringen, eine Mütze vom Kopf zu nehmen. Er beugt sich vor zu einem kleinen Tisch und stellt die Tasse mit dem Tee ab, da hebt der Hund den Kopf und knurrt. Das Pferd! schreit Tante Esther oder Tante Moira und schlägt dem derb auf seine Schulter, der gerade vor ihr sitzt. Onkel Gideon aber

führt trotzdem seinen Plan aus: er öffnet das Riemchen unterm Kinn, er nimmt seine Mütze ab, er stellt sie auf den Boden neben den Stuhl. Er spürt im selben Moment eine Erleichterung, die wir, die nie in solcher Lage gewesen sind, ihm gar nicht nachempfinden können.
Die Dame erkundigt sich, wie London Onkel Gideon gefällt. Der Onkel sagt nicht ganz die Wahrheit, indem er London lobt, als habe er die Aufgabe, es zu verkaufen. Nur über die englische Art zu essen beklagt er sich ein wenig, das wird man dürfen nach den Qualen. Die Dame entgegnet, Geschmack sei eine Sache der Gewöhnung, sie könne gut verstehen, daß jeder seine heimatliche Küche für die beste halte. Das streitet Onkel Gideon ab. Er bittet die Dame, sich vorzustellen, daß ein Mann vom, sagen wir, Mond zur Erde kommt und die englische Küche mit, sagen wir, der französischen vergleicht. Der Hausherr sagt: der Mann vom Mond ißt lieber auf französisch, da bin ich sicher. Der Onkel lächelt aus Höflichkeit, es ist nicht seine Sache, für nichts und wieder nichts zu streiten. Allmählich fängt er an zu überlegen, was Silverstones Motiv gewesen ist, ihm diesen Abend anzutun. Der Butler kommt zurück mit frischem Tee; unser Onkel nimmt die Tasse zurück vom Tisch und fügt hinzu, der englische Tee dagegen sei der beste weit und breit.
Dann hört man Klingeln an der Tür. Unserem Onkel hüpft sofort das Herz bei dem Gedanken, nun seien doch noch andere Gäste da, nun kämen doch noch die Toreros und die Schönen Helenas. Insgeheim annulliert er die Morddrohungen gegen Silverstone und macht die Flüche ungedacht; schon fällt sein Blick auf die Mütze am Boden, die gleich, wenn alles gutgeht, ihren Dienst wieder

anzutreten hat. Der Hausherr und die Dame sprechen ein paar Worte miteinander, der Onkel schlürft den heißen Tee und richtet seine Ohren starr nach draußen. Die Tür geht auf, im Rücken Onkel Gideons leider, der Selbstbeherrschung genug besitzt, nicht den Kopf zu wenden. Die Dame sagt, vorbei an Onkel Gideon, in ihrer Sprache einen Satz, der einen Vorwurf zu enthalten scheint, dem Klang der Stimme nach. Wenn unser Onkel sich nicht täuscht, sind ihre Worte an ein Kind gerichtet. Er rafft sich auf und überwindet seine Selbstbeherrschung und dreht den Kopf, doch viel zu spät, die Tür ist wieder zu. Der Onkel sieht noch, wie sich die Klinke nach oben bewegt bis zum Anschlag. Der Hausherr entschuldigt sich für den kleinen Zwischenfall, und Onkel Gideon weiß gar nicht, was geschehen ist. Ihm fällt das Sprechen noch schwerer von diesem Augenblick an, denn immer mächtiger muß er an Silverstone denken.
Du armer, armer Mann, sagt Tante Miriam, und niemand weiß, ob sie dem Lachen oder dem Weinen nah ist. Onkel Menachem sagt: Ich hätt' ihn umgebracht, ich schwör' es dir, ich hätt' ihn umgebracht. Der Onkel antwortet ihm: Das war mein einziger Gedanke an diesem Abend.
Ach, unser Onkel denkt jetzt nur noch ans Überleben; er taugt nicht mehr für das Gespräch, an dem er sich mit halbem Ohr beteiligt, von Zeit zu Zeit erschießt er Silverstone und stößt ihn von einem hohen Berg hinunter. Er sagt nur ja und nein und ist ein miserabler Gast, bis ihn, ganz unverhofft, ein starkes Mitleid mit der Dame und mit dem Hausherrn packt. Er stellt sich vor, wie jemandem zumute sein muß, der mit einem normalen Besucher rechnet und, ohne eigenes Verschulden, dann einen Gast wie ihn bekommt. Er stellt sich vor, wie diesen Menschen

das Blut im Leib erstarrt ist, als er mit seiner Mütze, mit seinen verrückten Augen und was da sonst noch ist, auf einmal in der Tür gestanden hat. Wie sie ihn für einen Wahnsinnigen gehalten haben müssen, bevor sie sich vielleicht die Frage stellten, ob so die armen Juden in Galizien immer angezogen sind. Wie sie den Abend zu den unbegreiflichen Ereignissen in ihrem Leben zählen und trotzdem tun, als fänden sie ihn ganz alltäglich. Nein, meint der Onkel, das ist schon mehr als reine Höflichkeit, das ist bewundernswert.

Man müßte ihnen die Sache erklären, denkt er wenig später. Dann aber ist er stolz und denkt: Soll der erklären, der sie angerichtet hat. Als tief im Haus eine Uhr zu schlagen anfängt, steht Onkel Gideon auf. Er muß noch ins Konzert, das sagt er, Mendelssohn in der Albert-Hall, und vorher muß er ins Hotel, die Kleider wechseln. Das sehen beide ein, die Dame bedankt sich für den reizenden Besuch. Sie sieht dabei nicht aus wie jemand, der dieses sagt und jenes meint. Der Hausherr schüttelt kräftig Onkels Hand, der Hund ist nirgends mehr zu finden. Zum Abschied erinnert Onkel Gideon daran, daß seine Adresse auf dem Visitenkärtchen steht, nur für den Fall, daß seine Gastgeber irgendwann einmal über Lublin reisen sollten.

Dann steht er vor dem Haus und weiß nicht mehr, in welchem Busch sein wunderbarer grauer Filzhut liegt. Er atmet tief die kalte Luft und geht die dunkle Straße entlang zu einer helleren, während die Gesellschaft sich allmählich beruhigt nach dem Abenteuer. Die Ersten spüren langsam Hunger, es dringen die verrücktesten Gerüche durch die Küchentür ins Zimmer, und der Onkel streckt die Hand aus, um einen Wagen anzuhalten. Im

Taxi muß er nießen und sich die Nase putzen, davon bekommt sein Taschentuch weiße Flecken. Zum Andenken an London hat er die Schächtelchen mit schwarzer Schminke und mit weißer aufgehoben. Jetzt fällt ihm wieder ein, er hatte ja versprochen, sie diesmal mitzubringen. Man möge ihm verzeihen, er ist ein alter Mann, beim nächsten Mal wird er, mit Tante Lindas Hilfe, daran denken.

Mein Gott, ich bin fünf Jahre alt, wir Juden sind wieder ein stilles Glück. Der Nachbar heißt wieder Olmo und schreit den halben Tag mit seiner Frau, und wer nichts Besseres zu tun hat, der kann sich hinter die Tür stellen und jedes Wort hören. Und die Straße hat wieder ihre Häuser, in jedem ist etwas geschehen mit mir. Ich darf sie nicht verlassen, die Straße, streng hat es mir der Vater verboten. Oft glaube ich nicht, womit er das Verbot begründet, manchmal aber doch: daß es eine Grenze gibt, eine unsichtbare, hinter der die Kinder weggefangen werden. Niemand weiß, wo sie verläuft, das ist das Hinterhältige an ihr, sie ändert sich wohl ständig, und ehe du dich versiehst, hast du sie überschritten. Nur in der eigenen Straße, das weiß der Vater, sind Kinder einigermaßen sicher, am sichersten vorm eigenen Haus. Meine Freunde, mit denen ich die Ungeheuerlichkeit bespreche, sind geteilter Meinung. Die immer alles besser wissen, die lachen, manche aber haben auch schon von der Sache gehört.

Ich frage: »Was geschieht mir, wenn sie mich fangen?« Der Vater antwortet: »Es ist besser, du erfährst das nicht.« Ich sage: »Sag doch, was geschieht mir dann?« Er macht nur seine unbestimmte Handbewegung und will sich nicht mehr mit mir unterhalten. Einmal sage ich: »Wer ist es überhaupt, der die Kinder wegfängt?« Er fragt: »Wozu mußt du das auch noch wissen?« Ich sage: »Es sind die deutschen Soldaten.« Er fragt: »Die Deutschen, die eigene Polizei, was ist das für ein Unterschied, wenn sie dich fangen?« Ich sage: »Mit uns spielt aber

jeden Tag ein Junge, der wohnt viele Straßen weit.« Er fragt mich: »Lügt dein Vater?«
Ich bin fünf Jahre alt und kann nicht still sein. Die Worte springen mir aus dem Mund heraus, ich kann ihn nicht geschlossen halten, ich habe es versucht. Sie stoßen von innen gegen die Backen, sie vermehren sich rasend schnell und tun weh im Mund, bis ich den Käfig öffne. »Dieses Kind«, sagt meine Mutter, die kein Gesicht mehr hat, die nur noch eine Stimme hat, »hör sich einer nur dieses Kind an, dieses verrückte.«
Was geschehen ist, muß seltsam und unerhört gewesen sein, sonst lohnt es nicht, darüber zu berichten. Am Ende habe ich den Kaufmann Tenzer umgebracht, nie werde ich es wissen. Er wohnt in unserer Straße und hat ein schwarzes Mützchen auf dem Kopf und trägt ein weißes Bärtchen im Gesicht, er ist der kleinste Mann. Wenn es kalt ist oder regnet, kannst du zu ihm gehen, er weiß Geschichten. Die abgebrühtesten Kerle sitzen stumm vor ihm und schweigen und halten den Mund und sind ganz still, auch wenn sie später ihre Witze machen. Doch mehr als vier auf einmal läßt er nie herein. Von allen hat er mich am liebsten: es tut gut, das zu glauben. Als er mich einmal gegriffen und auf den Schrank gesetzt hat, war er sehr stark, wir alle haben uns gewundert.
Der Vater sagt: »Wer setzt denn ein Kind auf den Schrank? Und überhaupt: was hockst du immer bei dem alten Tenzer, der ist wahrscheinlich nicht ganz richtig im Kopf.« Ich sage: »Du bist nicht ganz richtig im Kopf.« Da holt er aus, ich aber laufe weg; und als ich später wiederkomme, hat er es vergessen. Der Vater holt oft aus, schlägt aber nie.
Einmal bin ich mit allen verstritten und gehe zu Tenzer,

noch nie war ich allein bei ihm. Als er mir öffnet und keinen außer mir vor seiner Tür findet, wundert er sich und sagt: »So ein bißchen Besuch nur heute?« Er hat zu tun, er ist beim Waschen, doch schickt er mich nicht fort. Ich darf ihm zusehen, er wäscht anders als meine Mutter, bei der es immer bis in jeden Winkel spritzt. Er faßt die Unterhosen und die Hemden sanft an, damit sie nicht noch mehr Löcher kriegen, und manchmal seufzt er über ein besonders großes Loch. Er hält ein Hemd hoch über die Schüssel, und während es abtropft, redet er: »Es ist schon dreißig Jahre alt. Weißt du, was dreißig Jahre für ein Hemd bedeuten?« Ich sehe mich im Zimmer um, es gibt nicht viel zu sehen, nur eine Sache gibt es, die ist mir neu: Hinter der hohen Rückwand des Betts, auf dem Boden neben dem Fenster, steht ein Topf. Eine Decke hängt davor, daß man nichts sieht. Die Entdeckung wäre mir nicht geglückt, wenn ich nicht auf dem Boden gelegen und nicht vor Langeweile genau in jene Richtung geschaut hätte. Ich mache einen kleinen Umweg zu dem Ding hin, ich schiebe die Decke, die einem doppelt so Großen wie mir die Sicht versperren würde, zur Seite. In dem Topf wächst eine grüne Pflanze, eine merkwürdige, die einen heftig sticht, kaum daß man sie berührt. »Was tust du da?« schreit der Kaufmann Tenzer, nachdem er meinen Schrei gehört hat. Ein Blutstropfen liegt auf meinem Zeigefinger, ich zeige ihm mein dickes Blut. Den Finger steck' ich in den Mund und sauge, da sehe ich Tränen in seinen Augen und bin noch mehr erschrocken. Ich frage: »Was hab' ich denn gemacht?« »Nichts«, sagt er, »gar nichts, es ist meine Schuld.« Er erklärt mir, wie die Pflanze funktioniert und von wie vielen Tieren sie aufgefressen worden wäre, wenn es nicht die Stacheln gäbe. Er sagt: »Du sprichst mit niemandem darüber.« Ich sage: »Natürlich spreche ich mit keinem.« Er sagt: »Du weißt, daß niemand eine Pflanze haben darf?« Ich sage: »Natürlich weiß ich das.« Er sagt: »Du weißt, was jedem blüht, der ein Verbot mißachtet?« Ich sage: »Natürlich.« Er fragt mich: »Na, was machen sie mit dem?« Ich antworte nicht und schaue ihn nur an, weil er es mir gleich sagen wird. Wir sehen uns ein bißchen in die Augen, dann greift sich Tenzer ein Stück Wäsche aus der Schüssel und wringt es gewaltig aus. Er sagt: »Das machen sie mit ihm.« Natürlich erzähle ich die Sache Millionen Leuten, den Eltern nicht, doch allen meinen Freunden.

Ich gehe wieder hin zum Kaufmann Tenzer, weil er mich seit jenem Tag mit seiner Pflanze spielen läßt, als wären wir Geschwister. Mir öffnet eine alte und fürchterlich häßliche Frau, daß jeder andere an meiner Stelle auch entsetzt gewesen wäre. Sie fragt mit ihrer gemeinen Stimme: »Was willst du hier?« Ich weiß, daß Tenzer immer allein gewesen ist, und eine solche hätte er schon gar nicht eingelassen; daß sie in seiner Wohnung ist, ist also noch erschreckender als ihr Aussehen. Ich laufe vor der Hexe weg und kümmere mich nicht um den Zauberspruch, den sie mir hinterherruft. Die Straße sieht mich kaum, so fliege ich, ich frage meine Mutter, wo Kaufmann Tenzer ist. Da weint sie, eben hat sie noch an ihrer Decke, zu der sie gehört, herumgestickt. Ich frage: »Wo ist er, sag es mir.« Doch erst der Vater sagt es, als er am Abend kommt: »Sie haben ihn geholt.« Ich bin inzwischen nicht mehr überrascht, Stunden sind vergangen seit meiner Frage, und oft schon haben sie einen geholt, der plötzlich nicht mehr da war. Ich frage: »Was hat er bloß getan?« Der Vater sagt: »Er war meschugge.« Ich frage:

»Was hat er wirklich getan?« Der Vater verdreht die Augen und sagt zur Mutter: »Sag du es ihm, wenn er es unbedingt wissen muß.« Und endlich sagt sie, wenn auch sehr leise: »Er hatte einen Blumentopf. Stell dir nur vor, sie haben einen Blumentopf bei ihm gefunden.« Es ist ein bißchen still, ich leide, weil ich nicht sagen darf, daß dieser Blumentopf und ich Bekannte sind. Meiner Mutter tropfen Tränen auf ihr Tuch, nie vorher hat Tenzer ein gutes Wort von ihr gekriegt. Sein Stück vom Brot nimmt sich der Vater wie jeden Abend nach der Arbeit, ich bin der eigentlich Betroffene hier, und keiner kümmert sich um mich. Der Vater sagt: »Was ich schon immer gesagt habe, er ist im Kopf nicht richtig. Für einen Blumentopf geholt zu werden, das ist der lächerlichste Grund.« Meine Mutter weint nicht mehr, sagt aber: »Vielleicht hat er diese Blume sehr geliebt. Vielleicht hat sie ihn an eine Person erinnert, was weiß man denn.« Der Vater mit dem Brot sagt laut: »Da stellt man sich doch keinen Blumentopf ins Zimmer. Wenn man schon unbedingt gefährlich leben will, dann pflanzt man sich Tomaten in den Topf. Erinnern an jemand kannst du dich tausendmal besser mit Tomaten.« Ich kann mich nicht länger beherrschen, ich habe meinen Vater nicht sehr gern in diesem Augenblick. Ich rufe: »Es war gar keine Blume, es war ein Kaktus!« Dann laufe ich hinaus und weiß nichts mehr.

Der Vater weckt mich mitten in der Nacht; der Vorhang, hinter dem mein Bett steht, ist aufgezogen. Er sagt: »Komm, komm, mein Lieber.« Er beugt sich über mich und streichelt mich, auch meine Mutter ist schon angezogen in dieser Nacht. Es ist Bewegung im Haus, es geht herum und klappert hinter den Wänden. Er hebt mich

aus dem Bett und stellt mich auf die Füße. Damit ich ihm nicht umfalle vor Müdigkeit, gibt er mir seine Hand als Rückenstütze. Es ist gut, daß er sich überhaupt nicht eilt. Meine Mutter kommt mit dem Hemd an, doch ich setze mich auf den Eimer, der unsere Toilette ist. Der Mond liegt auf dem Fensterkreuz, im Zimmer stehen plötzlich zwei dickgepackte Taschen. Wenn man lange genug dem Mond zusieht, hält er sein Gesicht nicht still, er blinkert dir zu. Dann stülpt meine Mutter mir das Hemd über den Kopf. »Komm, komm, mein Lieber«, sagt der Vater. Sie überlegen beide, was sie vergessen haben könnten; der Vater findet noch ein Kartenspiel und stopft es in die Tasche. Ich habe auch Gepäck zum Mitnehmen, zu den Taschen lege ich meinen Stoffball, den mir meine Mutter genäht hat; doch man sagt mir, es ist kein Platz. Dann gehen wir die finstere Treppe hinunter, über den tuschelnden Hof, auf die Straße.
Viele sind schon dort, doch meine Freunde nicht. »Wo sind die anderen?« frage ich den Vater. Er macht sich los von meiner Mutter und sagt: »Es ist nur unsere Straßenseite. Frag nicht, was dahintersteckt, es ist so angeordnet.« Das ist ein Unglück, denn meine Freunde wohnen alle auf der anderen Seite in dieser Nacht. Ich frage: »Wann kommen wir zurück?« Man streichelt wieder meinen Kopf, erklärt mir aber nichts. Dann trappeln wir los auf ein Kommando, das einer gibt, den ich nicht sehe. Es ist ein Weg, der mit jedem Schritt langweiliger wird; wahrscheinlich überschreiten wir zehnmal die unsichtbare Grenze, doch wenn du den Befehl kriegst, ist das Verbot natürlich aufgehoben.
Ein kleiner Teil des Gettos – und das hat mit Erinnerung nichts zu tun, es ist die Wahrheit – ein kleiner Teil

des Ghettos ist wie ein Lager. Um ein paar lange Steinbaracken herum, die ohne Ordnung beieinanderstehen, geht eine Mauer. Gewaltig hoch hat man sie nicht gebaut, von Tag zu Tag kommt mir ihre Höhe verschieden vor, jedenfalls könnte von zwei Männern, die aufeinanderstehen, der obere hinüberblicken. Und wer sich weit genug entfernt, sieht obenauf Glasscherben blinken. Wozu aber ein Lager mitten im Getto, das doch Lager genug ist, fragt man sich. Darauf kann ich antworten, obwohl es mir damals keiner erklärt hat: Es werden hier Leute gesammelt in dem Lager, bevor sie in ein anderes Lager kommen, oder an einen Ort, an dem sie nötiger gebraucht werden als im Getto. Mit einem Wort, man hat sich in dem Lager bereitzuhalten. Ist es ein gutes Zeichen, hier zu sein, ist es ein schlechtes, darüber wird in den langen Steinbaracken Tag und Nacht gesprochen. Ich kann es nicht mehr hören.

Wir drei bekommen ein Bett zugeteilt, ein hartes Ding aus Holz. Obwohl es ein Stück breiter ist als mein bisheriges, quälen wir uns vor Enge. Es sind auch leere Betten in der Baracke. Gleich nach der ersten Nacht lege ich mich in eins davon und kündige an, von nun an immer hier zu schlafen. Der Vater schüttelt den Kopf, ich schüttle den Kopf zurück und möchte Gründe hören, da holt er wieder aus. Ich habe nachzugeben, es ist ein Sieg der Unvernunft. Wir probieren verschiedene Positionen aus: ich mal links, mal rechts, dann mit dem Kopf zwischen den Füßen der Eltern. »So ist am meisten Platz«, sagt der Vater, doch meine Mutter fürchtet, einer der vier Füße könnte mir weh tun. »Manchmal wird gewaltig im Traum getreten. Du weißt nichts davon, aber du tust es.« Das kann der Vater nicht bestreiten. »Es ist

nur schade«, sagt er. Am Ende liege ich in der Mitte, ungefragt, und muß versprechen, mich wenig zu bewegen.
Jeden Morgen ist Appell, ich lerne das Wort als erstes in der fremden Sprache. Wir stellen uns vor der Baracke in einer langen Reihe auf, sehr schnell hat das zu gehen, denn es steht ein Deutscher da und wartet schon. Unsere Fußspitzen dürfen nicht zu weit vorn und nicht zu weit hinten sein, der Vater rückt mich ein bißchen zurecht. Der erste in der Reihe muß »eins!« rufen, dann wird durchgezählt bis zum Ende, die Zahlen kommen angerollt und gehen über meinen Kopf hinweg. Meine Mutter ruft ihre Zahl, dann der Vater nacheinander seine und meine, dann ist schon der nächste dran. Mich ärgert das, ich frage: »Warum darf ich meine Zahl nicht selber rufen?« Der Vater antwortet: »Weil du nicht zählen kannst.« »Dann flüsterst du mir meine Zahl eben zu«, sage ich, »und dann ruf ich sie laut.« Er sagt: »Dafür ist erstens nicht genügend Zeit, und zweitens darf nicht geflüstert werden.« Ich sage: »Warum stehen wir nicht jeden Morgen an derselben Stelle? Dann haben wir immer dieselbe Zahl, und ich kann sie lernen.« Er sagt: »Hör zu, mein Lieber, das ist kein Spiel.« Es stehen zwei in unserer Reihe, die nicht viel älter sind als ich, der eine ruft seine Zahl selbst, der andere wird von seinem Vater mitgezählt. Den einen frage ich: »Wie alt bist du?« Er spuckt an meinem Kopf vorbei und läßt mich stehen, er muß vom oberen Ende unserer Straße sein, wohin ich nur selten gekommen bin. Nach dem Zählen ruft der Deutsche: »Weggetreten!«, das ist ein Appell.
Schon am zweiten Tag plagt mich die Langeweile. Ein paar Kleinere sind da, doch als ich näherkomme, sagt der

Anführer zu mir: »Verschwinde, aber dalli.« Da sehen sie mich alle böse an, die Idioten, nur weil ihr Anführer sich wichtig tun will mit diesem Wort. Ich frage meine Mutter, was dalli heißt, sie weiß es nicht. Ich sage: »Es muß soviel bedeuten wie schnell.« Der Vater sagt: »Wichtigkeit.« Das Lager ist tot, und ich kriege es nicht zum Leben. Ich weine, ohne daß es hilft; in einer Lagerecke finde ich ein bißchen Gras. Ich soll nicht zu weit fortgehen, sagt meine Mutter, der Vater sagt: »Wo soll er hier schon hingehen.« Ich entdecke das Tor, dort ist die einzige Bewegung, manchmal kommt ein Deutscher, manchmal geht einer. Ein Soldat, der ein Posten ist, geht auf und ab, bis er mich stehen sieht. Da hebt er schnell sein Kinn, ich kann nicht sagen, warum ich so wenig Angst vor ihm habe; ich trete ein paar Schritte nach hinten, doch als er wieder auf und ab geht, nehme ich mir die Schritte zurück. Noch einmal bewegt er seine Kopf so, noch einmal tue ich ihm den Gefallen, dann läßt er mich in Ruhe.

Am Nachmittag steht ein anderer Soldat beim Tor. Er ruft mir etwas zu, das gefährlich klingt. Ich gehe in eine Baracke, die uns nicht gehört. Ich fürchte mich dabei, doch es ist das einzige, was ich noch tun kann. Die gleichen Betten stehen da, es herrscht ein Gestank, der zu nichts gehört, was ich kenne. Ich sehe eine Ratte laufen, sie entkommt mir, ich krieche auf den Knien und kann ihr Versteck nicht finden. Einer packt mich beim Genick. Er fragt mich: »Was tust du hier?«, er hat ein blindes Auge. Ich sage: »Ich tue gar nichts.« Er stellt sich so mit mir, daß uns die anderen sehen. Dann sagt er: »Sag die Wahrheit.« Ich sage noch einmal: »Ich tue gar nichts hier. Ich gucke nur.« Er aber sagt laut: »Er wollte klauen, der

Mistkerl, ich habe ihn erwischt.« Ich rufe: »Das ist überhaupt nicht wahr.« Er sagt: »Und wie es wahr ist. Ich beobachte ihn schon den halben Tag. Er wartet seit Stunden auf eine Gelegenheit.« Einer fragt: »Was willst du mit ihm machen?« Der Lügner sagt: »Soll ich ihn durchprügeln?« Einer sagt: »Es ist besser, du kochst ihn.« Ich schreie: »Ich wollte nicht klauen, wirklich nicht!« Ich komme nicht los von seiner Hand, und der Lügner drückt immer stärker. Zum Glück ruft einer: »Laß ihn laufen, er ist das Kind von einem, den ich kenne.« Er hält mich aber noch ein bißchen und sagt, ich soll mich nicht nochmal erwischen lassen. Dem Vater erzähl ich nichts, wahrscheinlich würde er den ekelhaften Kerl bestrafen; doch müßte ich in Zukunft wohl in unserer Baracke bleiben, das lohnt nicht.

Am nächsten Tag wird alles gut: am frühen Morgen zieht die andere Straßenseite ins Lager ein. Ich bin noch keine fünf Schritte draußen, da ruft mich einer, der wie Julian klingt und sich versteckt. Ich muß nicht lange suchen, er steht hinter der nächsten Ecke, drückt sich an die Wand und wartet, daß ich ihn finde, Julian ist mein guter Freund. Wir haben uns lange nicht gesehen, es könnte eine Woche sein. Sein Vater ist ein Doktor gewesen, darum geht er vornehm angezogen, jetzt schon wieder. Er sagt: »Verflucht nochmal.« Ich sage: »Julian.« Ich zeige ihm das Lager, es gibt nicht viel zu zeigen, von unserer Baracke ist seine am weitesten entfernt. Wir suchen einen Platz, der von nun an unser ständiger Platz sein soll; am Ende bestimmt er ihn, obwohl er erst ein paar Minuten hier ist und ich wahrscheinlich schon seit einer Woche.

Er fragt: »Weißt du, daß Itzek auch hier ist?« Er führt mich hin zu Itzeks Baracke, auch Itzek ist mein guter

Freund. Er sitzt auf dem Bett und muß bei seinen Eltern bleiben, so kann er sich über mich nicht freuen. Wir fragen seinen Vater: »Darf er nicht wenigstens ein bißchen raus mit uns?« Der sagt: »Er kennt sich noch nicht aus hier.« »Aber ich kenn' mich aus«, sage ich, »ich bin schon viele Tage hier. Ich bringe ihn bestimmt zurück.« Er sagt: »Kommt nicht in Frage.« Erst als Itzek zu weinen anfängt, erlaubt es ihm seine Mutter, die sonst immer streng ist. Wir zeigen Itzek unseren Platz, wir setzen uns auf die Steine. Das Wunderbare an Itzek ist seine Zwiebeluhr, ich sehe auf seine Hosentasche, in der sie immer tickt. Zweimal durfte ich sie bisher ans Ohr halten und einmal aufziehen, als Gewinner einer Wette. Sein Großvater hat sie ihm aus Liebe gegeben und hat zu ihm gesagt, er soll sie gut verstecken, sonst nimmt sie sich der nächste Dieb. Auch Julian hat etwas Wunderbares, eine wunderbar schöne Freundin. Es hat sie noch nie einer gesehen außer ihm, sie hat blonde Haare und grüne Augen und liebt ihn wie verrückt. Einmal hat er erzählt, daß sie sich hin und wieder küssen, das wollten wir ihm nicht glauben, da hat er uns gezeigt, wie sie den Mund beim Küssen hält. Nur ich besitze nichts Wunderbares. Der Vater hat eine Taschenlampe mit Dynamo, bei der du den Griff bewegen mußt, damit sie leuchtet. Doch wenn sie ihm einmal fehlt, dann kann sich jeder denken, wer zuerst verdächtigt wird.
Ich sage zu Itzek: »Zeig mir deine Uhr.« Doch seine verfluchten Eltern haben sie gefunden und gegen Kartoffeln eingetauscht. Julian hat seine Freundin noch. Itzek weint um die Uhr, ich mache mich nicht lustig über ihn; ich würde ihn ein wenig trösten, wenn ich die Scham nicht hätte. Julian sagt: »Hör auf zu heulen, Mensch.« Da läuft Itzek weg,

Julian sagt: »Laß ihn doch«, und die schöne Zwiebeluhr ist weggetauscht für Kartoffeln, wer soll das begreifen. Ich erzähle Julian, wie ein Tag in diesem Lager ist, damit er nicht zuviel erwartet. Er erzählt mir von seiner Freundin, sie heißt Marianka, bis Itzek wiederkommt.
Seit ich nicht mehr in unserer Straße wohne, ist wenig dort passiert, nur der Schuster Muntek hat sich das Leben genommen. Jedesmal ist er aus seinem schmutzigen Laden gekommen, wenn wir auf seinen Stufen gesessen haben, und hat mit den Füßen getreten, der ist jetzt tot. Es ist ein komisches Gefühl, weil er neulich erst gelebt hat. Ich frage: »Wie hat er es getan?« Julian sagt, daß er sich mit Glas die Handgelenke aufgeschnitten hat und ausgeblutet ist. Itzek dagegen, der drei Häuser näher als Julian beim Schuster gewohnt hat, weiß, daß Muntek sich sein Schustermesser ins Herz gestoßen und es dort dreimal umgedreht hat. Julian sagt: »So einen Unsinn hab' ich noch nie gehört.« Sie streiten sich eine Weile, bis ich sage: »Ist doch egal.« Aber die Geschichte hat noch ein trauriges Ende, denn Itzeks Mutter hatte ein Paar Schuhe zur Reparatur bei Muntek stehen. Als sie von seinem Tod gehört hat, ist sie hingerannt, doch die Schuhe waren weg, der Laden war schon leergestohlen.
Im Sitzen pinkelt Julian zwischen mir und Itzek hindurch, er kann das wie kein zweiter, in einem wunderschönen Bogen. Dann hat er einen Plan und macht ein wichtiges Gesicht, wir sollen eng zusammenrücken. Er flüstert: »Wir müssen zurück in unsere Straße, am besten in der Nacht.« So einen verrückten Vorschlag hat Julian noch nie gemacht. Itzek fragt ihn: »Warum?« Julian richtet seine Augen auf mich, damit ich es dem Dummkopf erkläre, doch ich versteh' ja selber nichts. Julian sagt:

»Die ganze Straße ist jetzt leer, stimmt das?« Wir antworten: »Ja.« Er fragt: »Und was ist mit den Häusern?« Wir antworten: »Die sind jetzt auch leer.« »Die Häuser sind jetzt überhaupt nicht leer«, sagt er und weiß auf einmal etwas, das wir nicht wissen. Wir fragen: »Wieso sind denn die Häuser nicht leer?« Er sagt: »Weil sie voll sind, Mensch.« Er verachtet uns ein Weilchen, dann muß er die Sache erklären, weil wir sonst gehen. Also: die Straße wurde Haus für Haus geräumt, die Leute aber durften nicht viel mitnehmen, das wissen wir selbst doch am besten, höchstens die Hälfte von ihrem Besitz. Die andere Hälfte steckt noch in den Häusern, nach Julians Schätzung liegen noch Berge von Zeug da. Er sagt uns, daß er zum Beispiel sein großes Blechauto nicht mitnehmen konnte, weil seine blöde Mutter es zertrampelt und ihm statt dessen einen Sack voll Wäsche zum Tragen gegeben hat. Mein grauer Stoffball fällt mir ein. Nur Itzek brauchte nichts zurückzulassen, er hatte nichts. »Über die Mauer kommt ihr nie«, sage ich. Julian wirft einen Stein gegen die Mauer, so dicht an meinem Kopf vorbei, daß ich den Wind spüre. Er fragt mich: »Über die da?« Ich sage: »Ja, über die.« Er fragt: »Warum nicht?« Ich sage: »Die Deutschen passen ungeheuer auf.« Julian sieht sich groß um und sagt dann: »Wo siehst du hier denn Deutsche? Außerdem schlafen sie nachts. Hast du nicht gehört, was ich gesagt habe? Daß wir es in der Nacht versuchen müssen?« Itzek sagt: »Er hat Schmalz in den Ohren.« Ich sage: »Außerdem ist die Mauer viel zu hoch.« Itzek sagt zu seinem Freund Julian: »Du merkst schon, was der für Angst hat.« Julian sagt nur: »Wir müssen uns eine gute Stelle suchen.« Julian sagt zu mir: »Feigling.«
Wir suchen die Stelle, und Julian hat natürlich recht, es

gibt sie. Streben aus Metall sind dort eingelassen wie Treppenstufen. »Was hab' ich euch gesagt«, sagt Julian. Mir schlägt das Herz, weil ich jetzt mitgehen oder ein Feigling sein muß. Noch einen zweiten Vorteil hat die Stelle: sie ist vom Lagereingang weit entfernt und damit auch vom Posten. Es ist zwar noch ein anderer Posten da, der herumläuft und irgendwann an jedem Ort vorbeikommt, doch meistens ist der in seinem kleinen deutschen Häuschen und sitzt und raucht oder liegt und schläft. Julian sagt: »Ich sage euch noch einmal, die Deutschen schlafen alle nachts.« Ich frage: »Woher weißt du denn das?« Er antwortet: »Das weiß jeder.« Und Itzek zeigt auf mich und sagt: »Nur er weiß es nicht.« »Gehen wir nächste Nacht?« fragt Julian und sieht mich an.

Ich denke, wie leicht es wäre, mit allem jetzt einverstanden zu sein und später einfach nicht zu kommen. Ich gucke zu den Streben und rüttle an der untersten, ich sage: »Die Deutschen müssen doch verrückt sein.« »Also was ist?« fragt Julian wieder mich. Ich sage: »Frag ihn doch auch.« Julian fragt Itzek: »Gehen wir in der nächsten Nacht?« Itzek schweigt ein bißchen, dann sagt er: »Lieber in der übernächsten.« »Warum erst in der übernächsten?« Itzek sagt: »Man soll nichts übereilen.« Diese Ansicht kennt man von seinem Vater, der von Beruf ein Advokat ist, was immer das bedeutet.

Meine Vorbereitungen beginnen an diesem Abend. Wenn es mir je gelingen soll, nachts unbemerkt aus dem Bett zu kommen, dann darf ich nicht zwischen den Eltern schlafen, dann muß ich an den Rand. Ich fange an zu husten, bis der Vater fragt, was mit mir los ist. Meine Mutter legt mir die Hand auf die Stirn, der Husten hört nicht auf, ich sehe, wie sie miteinander flüstern. Beim Hinlegen sage

ich: »In der Mitte krieg' ich keine Luft. Ich falle schon nicht raus.« Und ich huste so stark, daß ich wirklich keine Luft kriege, daß sie gar nicht anders können, als mir einen Seitenplatz zu geben. Jeden Abend schreit einer: »Bettruhe!«, dann geht das Licht aus, kurze Zeit wird noch geflüstert. Die Elfen fliegen im Dunkeln, sie sind ein Geheimnis, über das nicht gesprochen werden darf; als ich mit meiner Mutter einmal über Elfen sprechen wollte, hat sie nur den Finger auf den Mund gelegt, den Kopf geschüttelt und nichts gesagt. Das Dach der Barakke öffnet sich vor den Elfen, die Wände neigen sich bis zum Boden, man sieht es aber nicht, man spürt es nur am Hauch. Sie schweben ein und aus, wie sie es möchten, manchmal streift dich eine mit ihrem Schleier oder mit dem Wind. Manchmal sagt sie auch etwas zu dir, doch immer in der Elfensprache, die kein Mensch versteht; dazu kommt, Elfen sprechen unglaublich leise, alles ist zarter bei ihnen und sanfter als bei den Menschen. Sie kommen nicht in jeder Nacht, doch gar nicht selten, es ist dann eine verborgene und fröhliche Bewegung in der Luft, bis du einschläfst und wohl noch länger. Beim allerkleinsten Licht verschwinden sie.
Ich will in dieser Nacht das Aufstehen üben, ich habe mir gesagt: sollte es einmal glücken, aus dem Bett zu steigen, ohne sie zu wecken, dann wird es mir auch glücken, wenn es drauf ankommt. Sie müssen nur eingeschlafen sein.
Sonst schläft der Vater so schnell ein, daß er schon schnarcht, bevor die Elfen da sind. Manchmal stoße ich ihn absichtlich in die Seite, und es stört ihn nicht. Doch ausgerechnet heute tuscheln sie miteinander und halten sich umarmt wie Kinder und küssen sich, als hätten sie

nicht den ganzen Tag dafür Zeit gehabt. Ich kann nichts tun, sie haben sich noch niemals so geküßt in der Baracke. Ich höre den Vater flüstern: »Warum weinst du?« Dann bin ich müde, ich glaube, die ersten Elfen sind schon da. Ich rolle mit den Augen, damit die Müdigkeit vergeht. Ich höre meine Mutter flüstern: »Er hustet nicht mehr, hörst du?« Dann weckt sie mich und sagt: »Komm, komm, der Appell wartet nicht auf dich.«
Meine Mutter sagt zum Vater: »Laß ihn in Ruhe, er hat nicht ausgeschlafen.« Solch ein Unglück wird mir nicht nochmal passieren, das schwöre ich, und wenn ich mir Hölzchen in die Augen stecke. In der nächsten Nacht muß ich nun das Bett und die Baracke ohne Probe verlassen; das Gute aber ist, daß ich jetzt weiß, wie leicht man gegen seinen eigenen Willen einschläft. Der Vater stößt mich in der Reihe an, ich sehe hoch und hör' ihn leise sagen: »Fünfundzwanzig!« Obwohl ich schon bei der nächsten Nacht bin in Gedanken, schlägt mir das Herz, jetzt hab' ich die Gelegenheit zu zeigen, was ich kann. Die Zahlen kommen angestürmt, die Augen des Deutschen vor uns bleiben immer auf der Zahl. Ich habe Angst; der Vater kann nicht wissen, was für einen Moment er sich ausgesucht hat. Ich muß die Lippen aufeinanderpressen, um nicht zu früh zu rufen, dann schrei' ich: »Fünfundzwanzig!« Es muß genau der richtige Augenblick gewesen sein, nach der Frau vor mir und vor dem Vater, die Zahlen laufen wie am Schnürchen von mir fort, es ist ein gutes Gefühl. Nach dem Appell sagt der Vater: »Das hast du großartig gemacht. Nur mußt du nicht so schreien beim nächstenmal.« Ich verspreche es ihm, er hebt mich auf den Arm, das ist nicht angenehm vor allen Leuten.
Wir treffen uns, Julian, ich und Itzek, und warten auf die

nächste Nacht. Julian hat gesehen, daß an unserer Stelle kein Glas auf der Mauer liegt, es ist ein Glück. Itzek sagt, er hat das auch gesehen. Julian sagt: »In unser Zimmer brauch' ich gar nicht erst zu gehen, ich gehe gleich woanders hin. Geht ihr in eure Zimmer?« Ich überlege, ob unser Zimmer sich lohnt: der Stoffball liegt noch dort, vielleicht die Taschenlampe, im Lager ist sie bisher nicht aufgetaucht. Itzek fragt: »Ehrlich, wer hat Angst?« »Ich nicht«, sagt Julian, »ich auch nicht«, sagt Itzek, »ich auch nicht«, sage ich. Ich frage Julian, ob er nicht seine Freundin besuchen möchte, wenn wir draußen sind. Er antwortet: »Doch nicht in der Nacht.«
Ein kalter Regen vertreibt uns, nur Julian weiß wohin. Er kennt eine unbewohnte Baracke, dorthin laufen wir. Auch wenn ich es nicht gern gestehe: Julian ist von uns der Führer. Die Tür fehlt, wir treten in den dunklen Raum, in dem nichts ist; nur doppelstöckige Betten stehen zusammengerückt an den Wänden, wie ich sie nie zuvor gesehen habe. Itzek klettert herum und springt von einem aufs andere, wie eine Katze, und Julian macht mir Augen, als ob ihm alles hier gehört. Da sagt uns einer: »Haut ab hier, aber Tempo.« Vor Schreck fällt Itzek runter von einem Bett und rappelt sich auf und rennt hinaus. Julian ist schon verschwunden, nur ich steh' mitten in dem Raum. Die Stimme, die gleichzeitig müde klingt und so, als ob sie einem Starken gehört, sagt: »Was ist mit dir?« Ich stehe noch vor Neugier, und außerdem soll Julian sehen, wer hier ein Feigling ist. Ich sage: »Mit mir?« Da bewegt sich etwas Weißes langsam aus einem Bett heraus, tief hinten im Bettenberg, ich hab' genug gesehen. Ich stürze raus ins Freie, wo Julian und Itzek in sicherer Entfernung stehen und warten und vielleicht

froh sind, vielleicht enttäuscht, daß ich mit heiler Haut aus der Gefahr gekommen bin. Ich sage: »Mensch, das ist ein Ding!« Aber sie wollen meinen Bericht nicht hören, es regnet kaum noch.
An unserem Versammlungsort wollen wir uns nachts treffen und dann gemeinsam zur Mauer gehen. Julian fragt, warum wir uns nicht gleich an der Mauer treffen, und ich weiß einen Grund: Wenn einer nicht pünktlich ist, dann wäre es nicht gut, an der Mauer auf ihn zu warten. Nachdem wir uns geeinigt haben, sagt Julian: »Wir treffen uns doch lieber an der Mauer.« Ich frage, ohne mir viel zu denken: »Wann treffen wir uns überhaupt?« Ein bißchen überlegen wir, dann sieht mich Julian böse an, als hätte ich mit meiner Frage erst das Problem geschaffen. Er braucht immer einen Schuldigen und sagt zu Itzek: »Wenn du nicht so dämlich wärst und deine Uhr noch hättest, dann wäre alles gut.« Wir wissen alle drei kein Zeichen in der Nacht, nach dem man sich richten könnte. Bis Itzek sagt: »Bettruhe ist doch überall zur selben Zeit?« Das ist der beste Einfall, selbst Julian kann das nicht bestreiten, die Bettruhe könnte solch ein Zeichen sein, wie wir es brauchen. »Wenn die Bettruhe anfängt«, sagt Itzek, »dann noch eine Stunde, dann schlafen alle, dann können wir uns treffen.« »Und wie lang ist eine Stunde?« fragt Julian, doch einen besseren Vorschlag weiß er nicht. Wir einigen uns über die Länge einer Stunde: es ist die Zeit, die auch der Letzte in der Baracke braucht, um einzuschlafen, und noch ein bißchen länger. Wir legen unsere Hände aufeinander und sind verschworen und trennen uns bis zur Nacht. Dann bin ich bei den Eltern auf dem Bett. Meine Mutter steht vom Nähen auf und sagt, daß ich ganz naß bin, sie zieht mein Hemd aus

und trocknet mir den Kopf. Viele gehen herum in der Baracke, die Hände auf dem Rücken, einer von ihnen ist der Vater. Jemand singt ein Lied von Kirschen, die eine Hübsche immer ißt, von bunten Kleidern, die sie immer trägt und von dem Liedchen, das sie immer singt.
Zum erstenmal in meinem Leben kann ich eine Nacht kaum erwarten. Die Angst ist weg, das heißt, da ist sie schon noch, doch über ihr ist die Erwartung. Wenn ich nur nicht verschlafe, denke ich, wenn ich nur nicht wieder verschlafe, verschlafen darf ich nicht. Ich sag zu meiner Mutter: »Ich bin müde.« Es ist noch Nachmittag, sie legt die Hand auf meine Stirn, dann ruft sie den Vater. »Stell dir vor, er ist müde und will schlafen.« Der Vater sagt: »Was ist dabei, wenn einer, der den ganzen Tag herumläuft, müde ist?« Meine Mutter sieht ihn unzufrieden an. Er sagt: »Laß ihn sich hinlegen und schlafen, wenn er will und kann«, dann geht er wieder herum. Ich lege mich hin, meine Mutter deckt mich zu. Sie fragt, ob mir am Ende etwas wehtut, sie drückt auf ein paar Stellen. Ich sage ungeduldig: »Mir tut nichts weh.« Sie sagt: »Sei nicht so frech.« Ihre Hand läßt sie unter der Decke auf mir liegen, dagegen hab' ich nichts, es ist ganz angenehm. Ich werde wirklich müde mit der Zeit, wie der Regen auf das Dach schlägt, wie sie spazieren in langen Runden, und wie sie meinen Bauch hält. Ich überlege, was ich finden möchte in den leeren Häusern in der Nacht, es darf nicht allzu schwer sein wegen des Transports und auch nicht allzu groß; ich lege mich nicht fest, nur geht mir immer wieder das Wort *prächtig* durch den Sinn. Ich werde wohl etwas finden, daß viele ihre Augen aufreißen und fragen werden: Mein Gott, wo hast du das denn her? Dann werde ich lächeln und mein Geheimnis

schön für mich behalten, und alle werden sich den Kopf zermartern und neidisch sein. Ich spüre, daß ich bald schlafen werde, in den Ohren ist jedesmal vor dem Schlaf ein Summen. Verschlafen kann ich gar nicht, denke ich, auch wenn ich noch so müde wäre: am Abend wird immer *Bettruhe!* gebrüllt, davon wacht ein Bär auf. Ich bin ziemlich klug.
Ich schlafe, dann bin ich wieder wach, es ist fast Zeit, sich hinzulegen. Ich bekomme mein Stück Brot und eine halbe Zwiebel. Es wundert mich ein wenig, daß keiner zu bemerken scheint, was für besondere Dinge vor sich gehen. Nur meine Mutter bleibt dabei, daß etwas nicht in Ordnung ist mit mir; ihre Hand tanzt dauernd auf meiner Stirn herum, und sie erinnert den Vater daran, wie ich gehustet habe. Ich will schon aufspringen und ihr zeigen, wie gesund ich bin, doch fällt mir früh genug ein, wie falsch das wäre. Ich darf noch nicht gesund sein, ich muß noch weiterhusten, sonst stecken sie mich wieder in ihre Mitte für die Nacht. »Da hast du es«, sagt meine Mutter. Sie will Herrn Engländer holen, den berühmten Arzt aus der Nebenbaracke, doch der Vater sagt: »Bitte, geh und hol ihn. Er kommt und untersucht, und wenn es beim nächstenmal etwas wirklich Ernstes ist, dann kommt er nicht mehr.«
Es ruft der Eine: »Bettruhe!« Noch eine Stunde, denke ich erschrocken. Itzek liegt jetzt da, Julian liegt jetzt da, denke ich, für jeden noch eine Stunde. Ich fürchte, die Eltern könnten mein inneres Zittern spüren, aber sie fangen schon wieder an zu küssen und zu tuscheln. Noch niemals hab' ich mich so wach gefühlt. Über die Störung neben mir hinweg bemerke ich einfach alles, was in der Baracke vor sich geht: das Geflüster im Nachbarbett, das

erste Schnarchen, ein Stöhnen, das nicht aus dem Schlaf kommt, sondern aus dem Unglück, das zweite Schnarchen, das Schnarchkonzert, durch eine Fuge in der Wand ein Licht vom Himmel. Ich bemerke das Ende des Regens, es tropft noch irgendwo auf den Boden herab, doch nicht mehr aufs Dach. Zwei Betten weiter liegt eine sehr alte Frau, die im Schlaf spricht. Manchmal bin ich aufgewacht davon, ich warte, daß sie wieder anfängt, der Vater sagt, man kann im Schlaf ein anderer Mensch sein. Sie schweigt, dafür weint jemand, das ist nicht schlimm, vom Weinen wird man müde und schläft bald ein. Dann höre ich ein Schnarchen, das mich entzückt, weil es das Schnarchen meiner Mutter ist. Ganz leise und unregelmäßig klingt es, mit kleinen Stockungen, als ob es ein Hindernis auf seinem Weg gibt. Noch hat sich keine von den Elfen blicken lassen, vielleicht hält der Regen sie heute auf. Ein gutes Stück der Stunde ist vorbei, ich möchte nicht der Erste am Treffpunkt sein. Die Stunde ist vorüber, beschließe ich, wenn auch der Vater schläft. Ich setze mich hin und lasse meine Beine hängen. Wenn er mich fragt, was los ist, dann schläft er nicht. Er fragt mich aber nicht. Itzek sitzt auch in seinem Bett, das hilft mir, Julian hat jetzt auch Herzklopfen. Das Weinen hat aufgehört, und lange schon hört man kein Getuschel mehr. So ist meine Stunde um.

Ich stehe neben dem Bett und nichts geschieht. Am Vormittag bin ich den Weg zur Tür zweimal mit geschlossenen Augen abgeschritten, als Ersatz für die ausgefallene Probe in der Nacht, und bin nicht angestoßen. Nur einem Großvater bin ich auf den Fuß getreten, der stand mir im Weg, er hat geschimpft. Ich hebe meine Schuhe auf, die Stunde ist um. Ich gehe einen Schritt, und

noch einen, der Fußboden knarrt ein wenig, am Tage hörst du das nicht. Die Finsternis ist so schwarz, daß es keinen Unterschied zwischen offenen und geschlossenen Augen macht. Die Schritte werden munter, plötzlich aber bleibt alles stehen, fast falle ich um vor Schreck, weil jemand schreit. Es ist die furchtbar alte Frau. Ich stehe, bis sie wieder schweigt; was wird geschehen, wenn sie die Eltern weckt und dann: Wo ist das Kind? Doch sie bleiben im Schlaf, weil das Geschrei der Frau zur Nacht gehört. Meine Beine finden von selbst die Ecke, dann sehe ich einen grauen Schimmer von der Tür, das Nachtlicht. Die letzten Schritte sind unvorsichtig schnell, weil ich auf einmal denke: Wenn nachts die Türen zugeschlossen sind! Die Tür geht wunderbar leicht auf und schließt sich schnell, ach, bin ich draußen in dem Lager. Ich setze mich, zieh' die Schuhe an und verfluche mich, ich habe meine Hose vergessen. Zum Schlafen behalte ich immer das Hemd an, ich ziehe nur die Hose aus, das hat die Mutter hier so eingeführt; die Hose liegt als Kopfkissen gefaltet auf dem Bett, damit sie keiner stiehlt. Jetzt muß ich in Hemd und Unterhose über die Mauer, Itzek und Julian werden Witze machen.
Ich kann den Mond nicht finden. Gestern habe ich Julian gefragt: »Was werden sie mit uns machen, wenn sie uns erwischen?« Er hat geantwortet: »Sie erwischen uns nicht«, das hat mich sehr beruhigt. Auf dem Boden sind Pfützen, in einer davon finde ich den Mond. Natürlich halte ich vor jeder Ecke an und bin nicht unvorsichtig. Ich denke: selbst wenn der Vater jetzt aufwacht, nützt es ihm nichts mehr.
Hinter der letzten Ecke hockt Julian an der Mauer. Er lacht natürlich und zeigt mit seinem Finger auf mich. Ich

setze mich neben ihn auf den Boden. Er amüsiert sich immer noch, ich frage: »Ist Itzek noch nicht da?« Er sagt: »Wo soll er denn sein, Mensch.« Die unterste Strebe ist so niedrig, daß ich sie im Sitzen greifen kann, sie wackelt ein wenig. »Vielleicht ist er eingeschlafen«, sage ich. Julian sagt nichts, er kommt mir sehr ernst vor, seitdem er mit dem Lachen fertig ist. Noch nie habe ich so wie jetzt seine Überlegenheit gespürt. Ich frage: »Wie lange warten wir?« Er sagt: »Halt den Mund.« Ich stelle mir Itzeks Entsetzen vor, wenn er am Morgen aufwacht, und alles ist vorbei. Doch jetzt ist keine Zeit für Mitleid, ich warte auf Julians Befehle und fange an, mich vor der Mauer zu fürchten. Sie ist viel höher als am Tag, sie wächst mit jedem Augenblick. Als über uns ein Rabe krächzt, steht Julian auf; vielleicht war der Vogelschrei das Zeichen, auf das er gewartet hat. Er sagt: »Dein Itzek ist ein Feigling.«
Später, wenn wir mit unserer Beute wieder zurück sein werden, dann bin ich ein genau so großer Held wie er, da spielt es keine Rolle, wer jetzt Befehle gibt und wer gehorcht. Doch Julian schweigt so lange, daß ich fürchte, etwas könnte nicht in Ordnung sein. Ich frage: »Willst du es verschieben?« Er sagt: »Quatsch.« Ich gebe zu, daß auch ein wenig Hoffnung in meiner Frage war, jetzt aber weiß ich, daß wir das Lager in dieser Nacht verlassen werden. »Worauf warten wir?« Er sagt: »Auf gar nichts.« Er schiebt mich zur Seite, weil ich im Weg stehe, er prüft die erste Strebe, die zweite und die dritte, die vierte kann er vom Boden aus nicht erreichen. Er steigt auf die erste Strebe und ist jetzt hoch genug, die vierte zu berühren, dann springt er wieder auf die Erde. Er sagt: »Geh du zuerst.« Ich frage: »Warum ich?« Er sagt: »Weil ich es

sage«, und ich spüre, wie recht er hat. Trotzdem frage ich: »Können wir nicht losen?« »Nein«, sagt er ungeduldig, »geh endlich, sonst gehe ich alleine.« Das ist der höchste Beweis, daß Julian nicht Angst hat wie ich; er gibt mir einen kleinen Stoß, er hilft mir, mich zu überwinden. Mir fallen wohl noch ein paar Fragen ein, die ich ihm stellen könnte; wenn Julian aber ernst macht und ohne mich geht, dann stehe ich nachher da. Ich trete an die Mauer heran, er sagt: »Du mußt die dritte greifen und auf die erste steigen.« Er schiebt von unten, damit es aussieht, als hätte ich es ohne seine Hilfe nicht geschafft. Ich stehe auf der untersten Strebe und habe keine Angst mehr vor der Mauer, nur noch vor der Höhe. Der Gedanke hilft, daß ich die Mauer überwunden haben werde, wenn Julian sie noch vor sich hat. Wie auf einer Leiter für Riesen muß ein großer Schritt getan und eine höhere Strebe muß gegriffen werden, das strengt kaum an. Rechts neben mir ist die kühle Mauer, links unten bleibt Julian immer tiefer zurück, sein Gesicht hat er zum Himmel gerichtet und sieht mir zu. Er fragt mich: »Wie geht es?« Zum ersten Mal im Leben verachte ich ihn, und ich sage aus meiner Höhe: »Sei nicht so laut.« Ich werde ihm nicht verraten, wie leicht es geht, er hat mich nur aus Angst vorausgeschickt. Auf einmal ist vor meinen Augen der Mauerrand.
Ich sehe eine Straße. Dunkle Häuser sehe ich, die feuchten Steine auf dem Platz, es rührt sich nichts, die Deutschen schlafen wirklich. Leise ruft er: »Was siehst du?« Ich rufe aufgeregt zurück: »Ganz hinten fährt ein Wagen mit Pferden. Ich glaube, sie sind weiß.» Er ruft verwundert: »Das lügst du.« Ich sage: »Jetzt ist er um eine Ecke gebogen.« Ich stütze meine Arme auf den Mauerrand, ein

bißchen Glas liegt dort. Es sind kleine Stücke, man sieht nicht jedes, ich taste mit den Händen die Mauer ab. Das größte Stück läßt sich herausbrechen, damit schabe ich über die anderen Splitter. »Was tust du?« fragt von unten Julian. Vorsichtig wische ich das Glas mit dem Ärmel weg und puste. Dann wälze ich mich auf die Mauer, die Angst geht wieder los, am meisten fürchte ich mich vor der Angst. Ich muß die Knie unter den Bauch kriegen, das ist die schwerste Arbeit. Für einen Augenblick setze ich mein Knie auf Glas. Ich darf ja nicht schreien, ich finde einen besseren Platz fürs Knie, es muß nun bluten; und Julian, der Idiot, der ruft: »Warum geht es nicht weiter?«

Ich muß mich drehen, ich fürchte schrecklich, das Gleichgewicht zu verlieren. Julian wird nichts mehr sagen, oder ich spuck' ihm auf den Kopf. Dann, nach dem Drehen, sehe ich ihn stehen und weiß erst jetzt, wie hoch ich bin. Wieder lege ich mich auf den Bauch, die Beine sind schon draußen, um einzelne Schmerzen kann ich mich nicht kümmern. Ich lasse mich hinab, soweit die Arme reichen, die Füße finden keinen Halt, weil es hier keine Streben gibt. Ich hänge und komme auch nicht wieder hoch, ich höre Julian rufen: »Was ist los? Sag doch ein Wort.« Ich schließe die Augen und sehe mir die Mauer von unten an, wie klein sie wirkt, wenn man herumspaziert im Lager. Was soll schon passieren, ich werde hinfallen und mir ein bißchen wehtun, tausendmal bin ich hingefallen. Ich werde aufstehen und mir die Hände sauberwischen, während Julian die Überquerung noch vor sich haben wird. Was ist, wenn er nicht kommt? Kalt wird mir bei diesem Gedanken, ich hänge hier, und Julian verschwindet und legt sich schlafen. Ich kann doch nicht allein in die

Häuser gehen, es ist von Anfang an Julians Einfall gewesen. Ich rufe: »Julian, bist du noch da?« Dann fliege ich, obwohl noch nichts entschieden ist, der Maurrand hat sich von meinen Händen losgemacht. Der Boden kommt erst nach langer Zeit, ich falle langsam, zuletzt auch auf den Kopf, die Mauer schrappt den ganzen steilen Weg an meinem Bauch entlang. Bequem liege ich auf dem Rükken, die Augen lasse ich noch ein wenig zu, bevor ich mir den Himmel, der genau über mir ist, in aller Ruhe ansehe. Dann sehe ich Julians Gesicht oben auf der Mauer, er ist ein guter Kerl, und mutig ist er auch. Er ruft: »Wo bist du denn?« Da muß ich mich bewegen, zwei Schmerzen machen mir zu schaffen, an der rechten Hüfte der eine, der andere im Kopf. Ich sage: »Hier, Julian.« Mir ist auch schwindlig, ich muß zur Seite gehen, damit er mir nicht noch auf den Kopf springt, ich denke: Aber ich hab' es überstanden. Julians Methode ist eine andere, er setzt sich auf die Mauer. Er rutscht nach vorn, er scheint sich zu beeilen, er stützt sich links und rechts, die Arme sehen ihm bald aus wie Flügel. Nein, ein Feigling ist er nicht, er fliegt zum Boden, neben mir fällt er auf den Rücken, er steht viel schneller auf als ich. Weil ich hinter ihm bin, gehe ich herum um ihn, er dreht sich aber, damit ich sein Gesicht nicht sehe, er geht auch ein paar Schritte weg. Ich möchte ihn sehen und fasse seine Schulter an, da stößt er mich zurück, weil er weint. Trotzdem ist er mutig, mein Kopfschmerz ist mal klein, mal groß, die Hüfte tut weh bei jedem Schritt. Ich frage: »Bluten deine Hände auch?« Als käme ihm diese Möglichkeit jetzt erst in den Sinn, sieht Julian seine Hände an, dreht sie zum Mond, sie bluten nicht. Um ihn zu trösten, zeige ich ihm meine, er sagt: »Was hast du denn gemacht, du Esel?« Ich sage:

»Das Glas.« Er sagt: »Das faßt man doch nicht an.«
Ich friere, wie viele Jacken braucht ein Räuber in der Nacht? Wir sind jetzt Leute aus einer der Geschichten, Julian vornweg; er fragt: »Bist du noch da?« Das heißt, er hört mich nicht, ich schleiche wie ein Meister. An die Hüfte gewöhne ich mich mit den Schritten, dafür nimmt der Kopfschmerz zu. Alles ist gut, solange ich den Kopf nicht drehe. Irgendwo bellt ein Hund, es ist sehr weit und hat nichts mit uns zu tun. Ich sage: »Gehen wir doch in dieses Haus.« Wir gehen in das nächste Haus, die Haustür aber ist abgeschlossen. Wir lassen keine Tür mehr aus, bei allen ist es dasselbe. Ich weine ein bißchen, auch vor Kopfschmerz und Kälte, Julian lacht nicht. Er zieht mich am Ärmel und sagt: »Komm«, da wird mir leichter. Er sagt: »Weißt du, was ich glaube?« Und als ich den Kopf schüttle und mir so neuen Schmerz bereite, sagt er: »Ich glaube, hier wohnen die Leute noch. Deswegen sind die Häuser zugeschlossen. Leer ist nur unsere Straße.« Ich bleibe vor einem Fenster stehen und möchte wissen, wie recht Julian hat. Ich stelle mich auf die Zehenspitzen, ob in dem Zimmer Leute schlafen. Da sieht mich ein Teufelsgesicht an, nur die Scheibe ist zwischen uns. Ich laufe weg mit meiner Hüfte, daß Julian mich erst an der nächsten Straßenecke einholt. Ich sage: »Hinter dem Fenster war ein Teufel.« Julian sagt: »Dort wohnen welche, du Idiot.«
Er findet unsere Straße, ich erkenne sie kaum bei Nacht. Wir gehen vorbei an einem Zaun, dessen zwei lockere Latten mir bekannt sind. Ich tippe eine davon an und habe recht, in meiner Straße könnte ich viele Kunststücke zeigen. Ich frage Julian, warum er nicht einfach das nächste Haus nimmt; dabei weiß ich, daß er Angst hat, es

könnte wieder zugeschlossen sein. Er sagt: »Ich weiß schon, was ich tue.«
Dann geht es mir gut, weil mein Kopf sich besser fühlt. Längst wären wir in einem Haus, wenn Julian so frieren würde wie ich. Ich denke: hoffentlich ist ihm nicht mehr lange warm. Irgendwann einmal werde ich der Führer sein, dann ziehe ich mir warme Kleider an. Er fragt: »Bist du noch da?« Wir gehen an meinem Haus vorbei, er hat nur sein eigenes im Kopf; ohne ihn könnte ich eintreten, wenn ich wollte. Ich denke an des Vaters Taschenlampe, wahrscheinlich bin ich müde. Zur Werkstatt von dem toten Schuster Muntek verlieren wir kein Wort, in meiner Zeit hier hat er jedenfalls gelebt und uns gejagt. Noch nie war mir so kalt in unserer Straße, der Wind weht auf meine nackten Beine, doch Julian niest als erster. Er steht bei seinem Haus und kommt nicht durch die Tür. Er rüttelt ein bißchen und tritt ein bißchen, die Tür bleibt aber zu. Ich sage: »Mach nicht solchen Krach.« Er antwortet: »Halt deine Schnauze.« Weil es zu meinem Haus weit ist, gehe ich nur zum nächsten, und das ist offen. Ich rufe Julian, wir sind unserem Glück sehr nahe. Das Haus hat drei Etagen, wir fangen oben an, weil Julian es so will. Auf dem Treppenabsatz ist es schwarz, eine Tür tut sich auf, ein dunkelgraues Loch. Mir schlägt das Herz, weil ich nicht weiß, ob Julian die Tür geöffnet hat oder ein Fremder, bis Julian sagt: »Komm endlich.« Im Zimmer ist eine Unordnung aus gar nichts, umgeworfene Stühle, ein Tisch, ein offener Schrank, in dem unsere Hände nichts finden. Ich frage: »Was stinkt hier so?« Julian sagt: »Du stinkst.« Ich setze mich auf ein zerbrochenes Bett. Julian geht zum Fenster und macht es auf. Es wird heller, er lehnt sich weit hinaus und fragt: »Weißt du, wo unser

Lager ist?« Ich stelle mich neben ihn und sage: »Nein.« Er macht das Fenster wieder zu und sagt: »Ich weiß es«, so ist Julian. Auf dem Weg zurück zur Tür stoßen wir gegen einen Eimer, aus dem der Gestank kommt.
Die Zimmer in dem Haus sind alle auf ähnliche Weise leer. In einem steht ein Apparat, der viel zu schwer ist, um ihn mitzunehmen. Julian sagt: »Das ist eine Nähmaschine.« In einem finden wir eine Kiste halb voll Kohlen, was sollen wir mit Kohlen in dem Lager? In einem fällt die Klinke von der Tür ab, ich hebe sie auf und beschließe, sie vorläufig mitzunehmen. Julian nimmt mir die Klinke weg und setzt sie wieder ein. Im nächsten Haus, gleich im ersten Zimmer, findet Julian etwas. Er untersucht es und ruft bald: »Mensch, das ist ein Fernglas!« Ich habe dieses Wort noch nie gehört, er sagt: »Komm her und sieh durch.« Ich trete zu ihm ans Fenster, er hält mir den Fund vors Gesicht, tatsächlich sieht man darin Dinge, die niemand mit gewöhnlichen Augen sehen kann, selbst in der Nacht. Julian zeigt mir, wie ich an dem Rädchen drehen muß, damit die Bilder verschwimmen oder deutlich werden, ich aber kann sowieso nichts sehen, weil plötzlich Tränen in meinen Augen sind. Ich gebe ihm sein Fernglas zurück, es ist ein schrecklicher Zufall, daß er es war, der das Glas gefunden hat. Im nächsten Zimmer kommt Julian zu mir und sagt: »Wir müssen zurück.« Ich sage: »Ich geh nicht, bevor ich nicht auch was finde.« Er sagt noch einmal, daß ich mich beeilen soll, als wäre es eine Frage von Tüchtigkeit, ob ich was finde oder nicht. Er bleibt mit mir in jedem Zimmer, solange ich will, er öffnet jedes Fenster und sieht sich alles durch sein verfluchtes Fernglas an.
Ich spüre, daß ich mit immer weniger zufrieden wäre,

doch nichts ist da. Julian sagt: »Wir müssen gehen. Oder willst du, daß alles rauskommt?« Ich sage, in eine einzige Wohnung möchte ich noch gehen, dort liegt der Stoffball unterm Bett, dann laufen wir zurück zum Lager. »Gut«, sagt Julian, seit dem Fernglas ist er ein großzügiger Freund. Während wir die Straße hinuntergehen, weiß ich keine Antwort auf die Frage, was geschehen soll, wenn ausgerechnet mein Haus zugeschlossen ist. Julian sieht es lange vor mir durch sein Ding und sagt: »Die Tür steht offen.« Unter dem Bett liegt kein Ball, ich krieche in jede Ecke. Als wir das Zimmer verlassen haben, ist er hier gewesen, daran besteht kein Zweifel, also ist später jemand gekommen und hat den Ball gestohlen, jetzt hat sich alles nicht gelohnt.
Julian fragt: »Was hast du?«, weil ich auf dem Bett sitze und weine. Seine Hand legt er mir auf die Schulter, obwohl er grinsen könnte, er ist ein ziemlich guter Freund. Jetzt müßte er mich fragen, ob ich sein Fernglas will; natürlich würd ich es nicht nehmen, doch vieles wäre gut. Dann denke ich an die Taschenlampe des Vaters. Im Lager ist sie nicht aufgetaucht bisher, vielleicht taucht sie hier auf, sofern der Stoffballdieb sie nicht gefunden hat. Wo der Vater sie versteckt hielt, weiß ich nicht, ich glaube, sie hatte keinen festen Platz, mal hat sie auf dem Tisch gelegen, mal woanders. Ich stehe auf und frage Julian: »Wenn du eine Lampe hättest, so groß wie deine Hand, wo würdest du sie hier verstecken?« Er sieht sich dreimal um, dann fragt er: »Bist du sicher, daß sie hier ist?« Ich sage: »Sie muß hier sein.« Julian legt sein Fernglas auf unseren Tisch und fängt zu suchen an, das gefällt mir und gefällt mir auch wieder nicht. Ich suche eilig los, ich muß die Lampe vor ihm finden. Ein paar

Stellen weiß ich, die weiß er nicht, ein Loch im Fußboden, unterm Fensterbrett eine kleine Höhle, ein loses Brett im Dach vom Kleiderschrank. Mein Wissen bringt mir nichts, ich krieche auf dem Bauch durchs Zimmer, ich steige auf den Stuhl, die Taschenlampe taucht nicht auf. Wenn Julian wieder sagt, wir müssen gehen, dann müssen wir gehen. Zum letztenmal lege ich mich unters Bett, da höre ich ihn sagen: »Meinst du die hier?« Er ist ganz ruhig, er hat die Lampe auf den Tisch gelegt und wartet nicht auf Dankbarkeit. Ich frage: »Wo hast du sie gefunden?« Er sagt: »In der Schublade.« Er sagt es wie jemand, der nicht begreifen kann, daß ich wegen einer so lächerlichen Lampe fast den Verstand verliere. Er nimmt sein wichtiges Fernglas und geht zur Tür. Auf die Schublade wäre ich vielleicht nie gekommen, man braucht nicht auf dem Bauch zu ihr zu kriechen, man braucht nicht auf den Stuhl zu steigen; auch der Balldieb hatte nicht genug Verstand.
Im Lager werde ich das Licht leuchten lassen, jetzt ist Julian ungeduldig. Ich laufe hinter ihm zur Treppe, dabei bin ich es, der jeden Tritt hier kennt. »Danke, Julian«, sage ich oder denke es, auf einmal tut mir Itzek leid. Julian verbietet mir, meine Lampe auf der Straße auszuprobieren. Ich richte mich nach ihm, ich kümmere mich nicht um den Weg und folge ihm, noch ist mir nicht kalt. Die Lampe muß ich in der Hand behalten, weil ich ja auch die Hosentaschen vergessen habe. Ich frage: »Weißt du noch den Weg?« »Kannst ja alleine gehen«, sagt Julian, das heißt, er weiß den Weg. Ich habe keine Ahnung, warum er böse ist, ich möchte freundlich zu ihm sein. Ich sage: »Wenn du die Lampe brauchst, kannst du sie immer borgen.« Er sagt: »Ich brauche deine Lampe

nicht.« Ich glaube, er möchte genauso gern wie ich wieder zu Hause sein, das macht ihm schlechte Laune; er grault sich so wie ich, gleich wieder vor der Mauer zu stehen und hochzuklettern und in die Tiefe springen zu müssen. Ich sage: »Wenn die Deutschen alle schlafen, brauchen wir doch nicht zu klettern. Warum gehen wir nicht einfach durch das Tor?« »Weil das zugeschlossen ist, du Idiot«, sagt Julian.
Der Weg wird kälter. Natürlich findet Julian das Lager und weil ich nie daran gezweifelt habe, bin ich nicht erleichtert. Er findet auch unsere Stelle. Er flüstert: »Mensch, weißt du, was los ist?« Ich flüstere: »Was soll sein?« »Die Eisenstäbe«, flüstert er, »auf dieser Seite sind doch keine.« Ich möchte auch einen Einfall haben und flüstere: »Wir müssen ums Lager herumgehen, irgendwo werden solche Dinger sein.« »Überall auf der Mauer liegt doch Glas, nur an der einen Stelle nicht«, flüstert Julian. Ich sehe mir meine Hände an, die ich vergessen hatte, mein Knie. Ich flüstere: »Wenn wir woanders eine Stelle finden, dann nehmen wir einen Stein und zerschlagen zuerst das Glas.« Ich merke, wie gut mein Einfall ist, denn Julian sagt jetzt nichts und sieht sich um nach einem Stein. Er steckt den Stein in seine Hosentasche und geht als Führer los; wenn wir auf dieser Mauerseite Streben finden sollten, werde ich es gewesen sein, der uns gerettet hat. Julian sagt im Vorausgehen: »Hör auf mit deiner blöden Lampe, sonst nehm' ich sie dir weg.« Er spielt sich immer dann am meisten auf, wenn er recht hat; ich wäre ein besserer Führer als er, wenn ich der Führer wäre. Wir müssen einen Bogen gehen, einen großen Bogen fort von der Mauer und vorbei am Lagereingang, an dem kein Mensch zu sehen ist, Julian will es so. Er nimmt mir

meine Lampe weg, obwohl ich nichts damit getan habe, es geschieht zur Sicherheit, ich wehre mich nicht; ein Führer muß an alles denken und braucht nicht alles zu erklären. Wir schleichen über die Straße, die genau auf das Lagertor zuführt, immer noch ist dort niemand, der uns beobachten könnte. Wir kommen zurück an die Mauer, Julian gibt mir meine Lampe wieder, ich habe es nicht anders erwartet. Wir gehen und gehen und finden keine Streben. Ich sage: »Julian, es kommen keine.« »Das weiß ich selber«, sagt er, geht aber immer weiter. Dann frage ich: »Wie lange wollen wir noch gehen?« Er antwortet, indem er stehenbleibt, er setzt sich hin und lehnt sich mit dem Rücken an die Wand. Ich setz' mich auch und frage nichts, ich sehe Julian an und sehe etwas Fürchterliches: er weint. Jetzt erst sind wir ohne Hilfe, er weint vor Ratlosigkeit. Sein Weinen vorhin, als er von der Mauer gesprungen und hingefallen ist, war nichts dagegen. Wir rücken zusammen, wahrscheinlich ist ihm nicht weniger kalt als mir. Wahrscheinlich ist er ein paar Monate älter. Ich frage: »Wollen wir in ein leeres Haus gehen und uns hinlegen?« Er sagt: »Bist du verrückt?« Ein paarmal fallen mir die Augen zu. Ich denke, wie schade es ist, daß nicht Julian es war, der den Einfall mit dem leeren Haus gehabt hat. Meine Lampe macht kaum mehr einen Lichtkreis auf den Boden, so hell ist es inzwischen. Ich denke an den Vater, der uns holen müßte, erst mich, dann Julian, oder beide zusammen, unter jedem Arm einen, er müßte mich ins Bett legen und warm zudecken, Menschenskind, wär' das gut. Er müßte meine Mutter bei der Hand halten, beide müßten sie am Bett stehen und auf mich runterschauen und lächeln, bis ich aufgewacht bin.

Dann tut mir etwas weh. Vor uns steht ein riesiger Deutscher, er hat mich angestoßen mit dem Fuß, er tut es noch einmal, doch nicht wie jemand, der treten will. Aus seinen glühenden Augen sagt er ein paar Worte, die unverständlich sind; ich habe solche Angst, daß ich nicht aufstehen will. Das Unglück wird erst richtig losgehen, wenn ich stehe, ich bleibe sitzen. Neben mir aber steht Julian und wird am Kragen hochgehalten. Der Riese sagt in komischem Polnisch: »Was macht ihr hier?« Ich sehe zu meinem Freund, der Riesige schüttelt ihn ein bißchen. Julian zeigt auf die Mauer und sagt: »Wir sind aus dem Lager.« Dafür bewundere ich ihn noch lange, wie ruhig er das sagt; der Riese fragt: »Und wie seid ihr herausgekommen?« Julian erzählt ihm die Wahrheit, ich sehe mir inzwischen den Helm an und das Gewehr, das über die Riesenschulter ragt, den Riesenschuh auf meinem Bauch, der mich gefangenhält. Ich habe keinen Zweifel, daß wir bald erschossen werden, das war uns klar von Anfang an. Der Riese fragt, warum zum Donnerwetter wir nicht in unser Lager zurückgegangen sind. Auch das erklärt ihm Julian, der noch nie so ein Held gewesen ist wie jetzt. Der Riese sieht an der Mauer hoch und scheint die Sache zu verstehen. Er nimmt den Fuß von meinem Bauch, das ist wie ein Befehl aufzustehen, er packt mich, kaum stehe ich, am Kragen. Die Taschenlampe liegt noch auf der Erde, ich muß sie irgendwie erwischen, bevor es losgeht.

Der Riese läßt uns beide los und sagt: »Kommt mit zur Wache.« Er steht aber und geht nicht, wir stehen natürlich auch, er muß den Anfang machen. »Los, geht schon«, sagt er und gibt uns einen Schubs. Ich drehe mich zur Mauer und hebe meine Taschenlampe auf, es ist die

letzte Möglichkeit. Der Riese fragt: »Was hast du da?« und greift sich meine Hände, die hinterm Rücken sind. Er sieht die Lampe, er nimmt sie und probiert sie aus und steckt sie weg in seine Tasche, als ob ihm alles hier gehört. Jede Schlechtigkeit, die ich über die Deutschen je gehört habe, ist plötzlich wahr, ich hasse ihn wie die Pest. Einen anderen hätte ich zu überreden versucht, mir die Lampe zurückzugeben, auf einen Streit hätte ich es ankommen lassen, sogar beim Vater, bei diesem Riesendeutschen hat alles keinen Sinn. Ich sehe Julian das Hemd tief in die Hose stopfen, außer uns beiden weiß niemand, was er unter seinem Hemd versteckt. Ich wünsche ihm, daß er das Fernglas durchbringt, ich gönne dem Riesen das Fernglas nicht. Er sagt: »Geht ihr wohl endlich.« Wieder schubst er uns, wir gehen vor ihm her, ich bemerke, wie Julian seine Beute vom Rücken auf den Bauch verschiebt. Wenn wir erschossen werden, denke ich, nützt ihm sein Fernglas auch nicht viel. Der Riese sagt, wir sollen stehenbleiben.

Er dreht uns mit seinen Riesenhänden herum zu sich. Er sieht uns lange an wie einer, den irgendwas beschäftigt, die allerschlimmsten Sorgen wünsch' ich ihm. Er sagt: »Wißt ihr, was mir passiert, wenn ich euch nicht zur Wache bringe?« Als ob das unsere Sache ist, er ist nicht nur ein Dieb, er ist auch ein Idiot. Ich denke: Gar nicht schlimm genug kann es sein, was dir passiert. Julian sagt: »Ich weiß es nicht.« Ich möchte antworten, daß es mich nicht interessiert, das wäre eine gute Antwort; doch ich sehe seine Pranken baumeln, ich möchte für mein Leben gern ein Riese sein. Plötzlich packt er uns im Genick und wirft sich nieder, daß wir mit ihm zu Boden fallen müssen. Er hält mich immer noch beim Genick, als wäre es aus Holz. Er sagt: »Kein Wort.« Ich sehe ein Licht weit hinten an der Mauer, ein Motorrad. Bald hört man das Geräusch dazu, ich bilde mir ein, ich höre auch das Herz des Riesen schlagen; inzwischen übertönt sein Herz sogar das Motorradgeräusch. Er sagt: »Kein Wort«, und dabei redet niemand außer ihm. Ein Dieb ist er, ein Dummkopf, ein Feigling, ich habe keine Angst vor so einem. Julian kann ich nicht sehen, weil zwischen uns der Riesenkörper liegt. Das Motorrad biegt, ein ganzes Stück von uns entfernt, um eine Ecke, wir müssen aber noch ein Weilchen liegen.

»Steht auf«, sagt dann der Riese. Er läßt uns los und klopft sich die Soldatenkleider ab. Ich sehe mir meine Unterhose an und weiß, es wird nicht wenig Ärger mit meiner Mutter geben, falls ich das hier überstehe. Der Riese setzt seinen Helm ab und wischt sich über die Stirn, wie alle Deutschen hat er blondes Haar. Er läßt sich Zeit, als gäbe es die Kälte nur für mich und nicht für ihn. Sein Helm sitzt wieder auf dem Kopf, da nimmt er sein Gewehr; jetzt ist es wohl soweit, wegnehmen und erschießen, das können sie. Julian fragt: »Erschießen Sie uns jetzt?«

Der Riese sagt nichts, er hält die Frage Julians wohl nicht für wichtig. Er schaut die Straße rauf und runter, es soll wohl niemand sehen, was er gleich machen wird mit uns. Er sagt zu Julian: »Versuch bloß nicht wegzulaufen« und droht mit dem Finger. Wozu hat er sein Gewehr in die Hand genommen, wenn nicht zum Erschießen, er stellt es aber an die Mauer. Er weiß wohl selbst nicht, was er will, die Taschenlampe ist eine kleine Beule unter seiner Jacke, ich hätte sie einfach an der Mauer liegenlassen sollen, dann hätte irgendein Glücklicher sie irgendwann gefunden. Er zeigt auf mich und sagt nur: »Du«, da muß ich zu ihm gehen. Er sagt: »Ich werde euch auf die Mauer heben. Springt aber schnell und lauft, so schnell ihr könnt, in eure Baracken, es darf nicht lange dauern. Verstanden?« Darum also geht es, ich weiß nicht, ob ich jetzt erleichtert bin, gleich muß ich wieder springen. »Wir haben eine Stelle«, sagt Julian, »auf der kein Glas liegt. Es ist nicht weit von hier.« Der Riese sagt: »Hier ist nirgends Glas« und hebt mich hoch wie nichts. Ich habe keine Zeit zum Überlegen, es tut weh, weil er mich an den Hüften hält. Er sagt: »Stell dich auf meine Schultern.« Ich lehne mich gegen die Mauer und tue, was er befiehlt, ich kann den Rand noch nicht erreichen. Er sagt: »Jetzt steig auf meinen Kopf.« Er hält mich an den Fußgelenken, ich zahle ihm ein Stückchen von der Lampe heim: ich mache mich schwer und bin mit seinem Kopf nicht vorsichtig. Der Helm ist sein Glück, ohne Helm würde er sich ganz schön wundern. Er sagt: »Beeil dich.« Ich stehe auf einem Bein, mehr Platz ist auf dem Helm nicht, ich kann den Mauerrand jetzt greifen. Er fragt: »Kannst du dich halten?« Ich hebe vorsichtig den Fuß von seinem Kopf, da geht er weg unter mir. Ich hänge und werde niemals auf die Mauer kommen; genau so habe ich vorhin gehangen, nur daß ich da zur Erde und nicht nach oben wollte. Ich sehe über die Schulter nach unten und sehe, er nimmt sein Gewehr.

Das ist der größte Schreck, das kann sich keiner vorstellen: hoch in der Luft zu hängen, damit er nun doch schießt nach all den schönen Reden. Es hält mich nichts mehr an der Mauer, ich stürze ab. Der Sturz wird in den Jahren immer länger, so hoch kann keine Mauer sein, dann werd' ich von dem Riesen aufgefangen. Es ist, als ob ich nie gefallen wäre. Der Riese legt die Hand auf meinen Mund, bevor ich schreien kann. Er sagt: »Was machst denn du?« Er stellt mich auf die Füße, hebt sein Gewehr vom Boden auf und lehnt es wieder an die Mauer. Dann sagt er: »Gleich noch einmal, los.« Wieder nimmt er mich, ich kenne mich schon ein bißchen auf den Schultern aus, ich lasse diesmal seinen Kopf in Ruhe. Als ich Julian unten stehen sehe, bin ich neidisch: Ich muß auf Leben und Tod kämpfen, ich stürze ab und werde erschossen oder nicht erschossen, und er steht da und sieht sich alles seelenruhig an. Und darf sogar sein Fernglas behalten, darüber wird bei Gelegenheit noch zu sprechen sein.

Von neuem fasse ich den Mauerrand. Der Riese läßt eins meiner Fußgelenke los, das andere bleibt in seiner Hand. Er sagt zu Julian: »Gib mir das Gewehr.« Den Gewehrkolben stemmt er gegen meinen Hintern und schiebt mich in die Höhe, fast kann ich darauf sitzen, ich komme ohne Mühe auf den Mauerrand. Ich liege auf dem Bauch und sehe, wie recht er hat, ich finde nicht das kleinste Stückchen Glas, das Glas ist ein Geheimnis. Ich kann in unser Lager schauen, in dem es noch still und leer ist wie bei Nacht, doch hell schon wie am Tag. Von unten ruft der Riese: »Runter mit dir.«

Ich dreh' mich auf der Mauer und häng' mich an die andere Seite und falle, bis es nicht weitergeht. Ich liege da und weine, ich bin zurück und habe nichts als Schmerzen mitgebracht. Kein Julian interessiert mich mehr, für seine Einfälle wird er sich in Zukunft andere suchen müssen. Ich stehe auf, die Eltern kommen näher. Der Vater muß sich freuen, daß ich überhaupt noch lebe, meine Mutter wird weinen, wenn sie mich sieht, und dann die vielen

Wunden sauberwaschen; die Wahrheit kann ich ihnen nicht erzählen. Die Hände bluten wieder, die Knie bluten, mein Ellbogen ist wie in Schmutz und Blut getaucht. Ein Trost ist, daß sie mich wahrscheinlich vor Mitleid streicheln werden. Ich gehe los, morgen werde ich zu Julian sagen: »Von wegen alle Deutschen schlafen in der Nacht.«

Als ich mich umdrehe, springt er von der Mauer auf seine Art. Er fällt nicht schlecht, aber er bleibt liegen. Ich gehe zurück zu ihm, weil er mein Freund ist, wie er so auf dem Bauch liegt. Er weint, er weint und weint, wie ich noch niemals einen habe weinen sehen. Ich war schon fertig mit dem Weinen und fange selber wieder an. Ich frage: »Hat er dir das Fernglas weggenommen?« Es dauert ein bißchen, bis er meine Hand zurückstößt und aufsteht. Ich sehe das Fernglas unter seinem Hemd. Er humpelt fort und hört nicht auf zu weinen, ich laufe hinter ihm her und bin nun endlich besser dran. Ich frage: »Sehen wir uns morgen?« Ich kann nichts Böses an dieser Frage finden, doch was tut Julian? Er haut mir auf den Kopf. Er sieht mich an, als hätte er noch mehr Schläge für mich in seinen Fäusten, dann humpelt er weiter. Ich bleibe stehen und hör' ihn weiterweinen; soviel Mitleid brauche ich nicht zu haben, daß ich ihm jetzt noch nachlaufe. Ich freue mich auf die Baracke, in der ich nicht mehr frieren muß.

Hinter der Tür ist es dunkel. Ich schließe sie so leise, daß ich nichts höre; wer nicht schon vorher wach war, der schläft auch jetzt noch. Die Eltern sitzen auf dem Bett und sehen mir entgegen mit großen Augen. Jemand flüstert: »Du lieber Himmel, was haben sie mit dir gemacht?« Nichts tut mehr weh in diesem Augenblick, und

trotzdem ist mir, als ob das Schlimmste erst noch kommt. Meine Mutter hält beide Hände vor den Mund, der Vater rührt sich nicht, ich bleibe zwischen seinen Knien stehen. Er legt mir eine Hand auf den Kopf und dreht mich einmal rundherum. Dann hält er mich an beiden Schultern fest und fragt: »Wo bist du gewesen?« Ich sage: »Ich war draußen und bin hingefallen.« Der Vater sagt: »So fällt kein Mensch hin.« Meine Mutter ist aufgestanden und sucht in unserer braunen Tasche. Der Vater schüttelt mich so heftig, daß mein Kopf, der schon lange ruhig war, wieder anfängt wehzutun. Ich sage: »Wir haben uns draußen getroffen und uns gestritten und geschlagen. Das ist wahr.« Er fragt: »Wer ist das, wir?« Ich sage: »Du kennst ihn nicht«, ich kann auf einmal lügen wie lange nicht mehr. Meine Mutter hält ein Handtuch bereit, von dem es tropft, sie nimmt mich dem Vater weg und führt mich zum Licht ans Fenster. Der Vater folgt uns und sieht zu. »Geh zu Professor Engländer und frag, ob er ihn sich ansehen kann«, sagt meine Mutter. Der Vater fragt: »Können wir damit nicht warten, bis der Appell vorbei ist?« »Nein«, sagt sie böse, »oder ist dir der Weg zu gefährlich?« Da geht er auf Zehenspitzen los, und endlich streichelt mich meine Mutter. Sie sagt: »Du mußt verstehen, daß er so aufgeregt ist.«
Sie legt mich auf das Bett, meinen Kopf nimmt sie auf den Schoß. Ich denke, daß ich ihr später vielleicht die Wahrheit erzählen werde, nur ihr. Sie sagt: »Du bist so müde, mein Kleiner.« Es ist ein Glück, bei ihr zu liegen, obwohl sie mich mit ihrem Finger nicht schlafen läßt. Sie spricht mit irgend jemandem, ein paarmal fällt das Wort *wahrscheinlich.* Ich öffne die Augen, da lächelt sie auf mich herunter, als wäre ich etwas Komisches.

Der Vater hält ein dunkles Fläschchen in der Hand. »Engländer hat mir Jod gegeben«, sagt er. Ich frage: »Wird es wehtun?« Meine Mutter sagt: »Ja, aber es geht nicht anders.« Da stehe ich auf und trete ein paar Schritte zurück, weil ich finde, daß es genug wehgetan hat in dieser Nacht. Der Vater sagt: »Hör nicht auf sie, es tut nicht weh. Es reinigt nur die Wunde.« Das klingt schon besser. Er sagt: »Ich kann es dir beweisen.« Ich passe sehr genau auf, schließlich geht es um meinen Schmerz, ich sehe auf seinen ausgestreckten Arm. Er träufelt ein paar Tropfen aus dem Fläschchen auf den Arm, sie bilden einen kleinen schwarzen See und laufen langsam auseinander. Dann sagt er: »Das soll wehtun? Denkst du, ich würde das Zeug freiwillig auf meinen Arm gießen, wenn es wehtun würde?« Ich sehe mir seine Augen aus der Nähe an und finde nicht die kleinste Spur von Schmerz. Ein weiterer Beweis ist, daß meine Mutter von uns weggeht; sie hat sich geirrt und will es nicht zugeben, da geht sie einfach weg. Der Vater sagt: »Komm her jetzt.« Ich halte ihm den Ellbogen hin, er dreht meinen Arm ein bißchen, damit die Tropfen genau die Wunde treffen.

Das Bild

Als er beschloß, den Drachen zu töten, war die Nacht windig und kühl. Er stand am Fenster, weil er nicht schlafen konnte, und sah hinaus auf die wenigen Lichter, die noch nicht ausgegangen waren. Seit ein paar Wochen schon schlief er schlecht, aber so ans Fenster gestellt hatte er sich bisher nie. Er hätte auch lesen können wie in den letzten Nächten, das Zimmer lag voll von verbotenen Büchern, die er noch nicht kannte. Doch er spürte in dieser Nacht einen starken Widerwillen gegen Bücher und gegen alles Aufgeschriebene, den er sich bis heute nicht erklären kann. Er steckte ein paar Kohlen in den Ofen.

Bald konnte er die Einzelheiten vor seinem Fenster fast so gut erkennen, als schiene die Sonne über allem. Er weiß noch, daß es ihn wunderte, mit wie wenig Licht seine Augen auskommen konnten (er dachte: die Augen des Menschen), und daß er sich die Frage stellte, ob das viele Licht tagsüber nicht Verschwendung sei. Auf dem gegenüberliegenden Hügel sah er dann hellen, flackernden Rauch aufsteigen. Jemand mußte ein Feuer gegen die Kälte angezündet haben, es war seit langem der kälteste November. Dann aber schien es ihm wieder, als bewege sich die Rauchsäule, auch als nehme der Rauch in Schüben zu und ließe wieder nach, wie der Atem eines Wesens. Als er herausfand, daß er sich geirrt hatte, daß nur der Wind hinter den eigenartigen Bewegungen des Rauches steckte, war es aber schon zu spät, er dachte an den Drachen. Nach Möglichkeit versuchte er, seine Gedanken von dem Drachen fernzuhalten, denn es gab nichts,

woran er mit mehr Unbehagen hätte denken können; er mochte sich selbst nach solchen Gedanken nicht leiden. Sie waren immer einem Seufzen ähnlich und nie dem Nachdenken über eine Aufgabe, die noch zu lösen war. Immer kam er sich dann ohnmächtig und feige vor und irgendwie auch wehleidig. Daß auf alle, die er kannte, dasselbe zutraf, half ihm da gar nichts, und es half ihm auch nichts, daß manche unter ihnen waren, die er trotzdem achtete oder sogar bewunderte. Doch in dieser Nacht spürte er einen seltsamen Zorn, und er zitterte vor Erwartung, etwas zu unternehmen.
Der einzige ihm bekannte Mensch, der es je gewagt hatte, gegen den Drachen etwas zu unternehmen, war ein alter Mann, der nicht weit wohnte. Er hatte furchtbare Narben von seinem Kampf zurückbehalten, manchmal traf man ihn auf der Straße. Sein Gesicht war so entstellt, daß er das Haus nur mit einer dunklen Brille verließ, den Hut tief in die Stirn gezogen. Die meisten Leute mieden ihn, und auch er, so dachte er hinter dem Fenster, konnte nicht von sich behaupten, daß er des alten Mannes Nähe suchte. Dabei hatte er keine Angst, der Drache könnte ihn mit dem Mann zusammen sehen und sie für Freunde halten. Das hätte ihm nichts ausgemacht, und auch mit der Häßlichkeit des Mannes wäre er schon fertiggeworden. Doch kaum erblickte er den Alten, wurde er daran erinnert, daß es einen gab, der gewagt hatte, gegen den Drachen anzutreten, daß er selbst aber tatenlos dahinlebte und daß von seiner heimlichen Empörung niemand einen Nutzen hatte. Wie hätte ihm das gefallen können, und so ging er dem Mann aus dem Weg. Einmal hörte er, wie zwei sich über ihn unterhielten. Der eine sagte, der Mann brauche sich gar nicht darüber zu wundern, daß

alle ihn meiden; der Grund dafür seien seine Verunstaltungen, und die habe der Mann sich schließlich selber zuzuschreiben. Der andere nickte nach diesen Worten, und er hatte nichts dazu gesagt und war nur weggegangen.

Als er noch sehr jung war und sich noch bei dem Gedanken beruhigen konnte, er würde später einmal gegen den Drachen kämpfen, fragte er den Mann einmal, was für ihn den Ausschlag gegeben habe, so tapfer zu sein. Der sagte: Ich wollte die Belohnung haben. Welche Belohnung? fragte er da. Der Mann sagte: Die Prinzessin natürlich. Weißt du denn nicht, daß der König die Prinzessin demjenigen zur Frau versprochen hat, der den Drachen besiegt? Er schüttelte den Kopf, er hatte davon kein Sterbenswort bisher gehört. Da führte der Mann ihn zu sich nach Hause und nahm ein Bild der Prinzessin aus seiner Schublade und zeigte es ihm. Seit jenem Augenblick liebte er die Prinzessin.

Lange Zeit sehnte er sich nach ihr, wie sich nur ein junger Mann sehnen kann. Doch immer, wenn er an sie dachte, fühlte er auch Trauer; denn er war sicher, daß ein Stärkerer und Würdigerer als er sie erobern würde. Und in seine Verzweiflung darüber, daß der Drache noch nicht besiegt war, mischte sich hin und wieder eine schlimme Freude. Er dachte sich dann zum Trost, wenigstens bliebe ihm so die Aussicht erhalten, den Drachen später einmal selbst herauszufordern. Er schämte sich dafür, konnte es aber nicht ändern.

Einmal fragte er den Mann, ob der ihm für ein paar Tage das Bild der Prinzessin leihen könne, denn er wollte sich eine Kopie des Bildes anfertigen lassen. Der Mann schenkte es ihm, obwohl er kein zweites Bild von der

Prinzessin besaß. Er wollte es nicht annehmen, doch der Mann, der damals schon ziemlich alt war, sagte, er solle sich nicht so zieren. Er sagte, er brauche aus verschiedenen Gründen das Bild nicht mehr: Erstens seien seine Augen zum Bilderbetrachten inzwischen viel zu schlecht, zweitens füllten sie sich, sobald er ihnen das Bild zeige, mit Tränen, und drittens kenne er es längst auswendig. Da nahm er das Geschenk an. Er hängte das Bild an seine Wand und sah es jeden Tag eine Weile an, so wie er sich jeden Tag die Zähne putzte oder Frühstück aß. Er fühlte sich der Prinzessin nun näher als zu der Zeit, da er noch kein Bild von ihr besessen hatte. Doch mit den Jahren wurde dieses Gefühl schwächer und immer schwächer, bis jene Nacht heran war.

Nachdem er alles gesehen hatte, was draußen war, wendete er sich ab vom Fenster und setzte sich an den Tisch. Er ließ das Zimmer dunkel, er kam sich so ohne Glück vor, daß er meinte, dieses Gefühl werde entweder bald vergehen, oder er müsse daran sterben. Er saß bewegungslos da, als wartete er auf ein Ereignis, das alles veränderte. Gleichzeitig wußte er natürlich, daß ein solches Ereignis nicht bevorstand, und er wußte, daß der Drache irgendwo draußen zufrieden schlief, gesättigt von dem täglichen Menschenopfer. Er wußte es und saß da wie jemand, der sich abgefunden hat; wie jemand, für den es nur noch durch die Kraft anderer Rettung gibt.

Auf einmal war ihm, als hätte er eine flüsternde Stimme gehört. Er war zu traurig um zu erschrecken, doch hob er den Kopf, lauschte und fragte nach einer kleinen Weile, ob jemand zu ihm gesprochen habe. Als alles ruhig blieb, machte er das Licht an und sah sich im Zimmer um. Es schien unverändert, dann streifte sein Blick zufällig

das Bild der Prinzessin an der Wand, und das Herz krampfte sich ihm zusammen. Das Bild zeigte nicht mehr das schöne junge Mädchen, in das er sich vor langer Zeit so verliebt hatte, sondern eine alte Frau mit eingefallenen Wangen, mit Furchen auf der Stirn und mit verzweifelten Augen. Er machte sofort das Licht wieder aus, denn er konnte den Anblick nicht ertragen.
Er setzte sich an den Tisch zurück, zitternd und schweißnaß, er dachte, der Schrecken hätte nicht größer sein können, wenn statt des furchtbaren Bildes der Drache in seinem Zimmer gewesen wäre. Viele Male wiederholte er sich die Frage, was um Gottes willen mit dem Bild geschehen sei; doch war er zu verstört, um ernsthaft nachzudenken, er sprach nur immer wieder die Frage vor sich hin. Schließlich überwand er sich und machte von neuem das Licht an. Er stellte sich vor das Bild, hielt aber die Augen geschlossen, als müßte er sich zuerst auf den grausigen Anblick vorbereiten. Dann öffnete er die Augen, zuerst zu schmalen Schlitzen, dann ganz: das Bild sah jetzt aus wie immer.
Wenn ihm das steinalte Gesicht nicht noch so nahe gewesen wäre, hätte er an seinem Verstand zweifeln können. Er hätte sich für einen halten können, der Halluzinationen hat, für einen, den das Unglück und die Nacht verwirrten. Und wenn das auch kein Grund gewesen wäre, um wieder froh zu sein, es wäre immerhin eine Antwort auf die Frage gewesen, wie er ein Bild hatte sehen können, das überhaupt nicht da war. Doch daran, daß er es tatsächlich erblickt hatte und daß es keine Sinnestäuschung war, bestand für ihn kein Zweifel. Er brauchte nur die Augen zu schließen, schon hatte er das steinalte Gesicht wieder vor sich. Er fand alle Einzelheiten

darin wieder, er fand sogar die Ähnlichkeit zu seiner jungen Prinzessin. Er mußte sich damit abfinden, daß etwas geschehen war, das er nicht verstand.
An Schlaf war nun gar nicht mehr zu denken. Er zog seinen Pullover an, löschte das Feuer im Ofen und ging auf die Straße hinaus, obwohl das Ausgehverbot noch lange nicht vorüber war. Er hatte es noch nie übertreten, spürte aber keine Angst. Ja, ihm war, während er spazierte, nicht einmal bewußt, daß er ein Gesetz verletzte; und wenn er doch einmal für Sekunden daran dachte, dann nur auf eine merkwürdig nebensächliche Art und Weise. Als er um eine Ecke bog, begegnete er einem Polizisten, ohne daß sein Herz schneller schlug. Der Polizist beachtete ihn nicht, wohl weil er sich nicht vorstellen konnte, daß um diese Zeit jemand ohne Sondergenehmigung unterwegs war.
Nach einigem Umhergehen erkannte er, daß er sich ein falsches Bild von seiner Unruhe gemacht hatte. Er hatte sich ja eingebildet, sie komme von dem Geheimnisvollen in seinem Zimmer her, von diesem Vorfall, der wie Spuk oder Hexerei war. Auf dem Spaziergang durch die Nachtluft aber, zwischen den kalten Häusern, fand er den wahren Grund: Er wußte jetzt, daß die Prinzessin längst kein junges Mädchen mehr war. Zugleich kam es ihm unbegreiflich vor, wie er so lange die Augen vor etwas hatte schließen können, das so gewiß und selbstverständlich war. Er dachte: Natürlich! sie wird älter und älter, das Bild an meiner Wand ist vor wer weiß wie vielen Jahren gemacht worden. Er dachte auch: Mein Gott, ich tue so, als stehe die Zeit für die Prinzessin still, als spiele es keine Rolle für sie, ob der Drache in diesem Jahr besiegt wird oder im nächsten oder in irgendeinem

späteren. Und er dachte: Mein Gott, wenn ich mich nicht sofort entscheide, dann hat ja alles keinen Sinn mehr. Und da beschloß er, den Drachen zu töten.
Seine Augen begannen zu weinen, als er sich ausmalte, wie es in der Prinzessin jetzt aussah. Er konnte sich gut vorstellen, wie stolz ihr zumute gewesen sein muß, als der König sie zur Belohnung für den Drachentöter bestimmte. Und wie sie dann gewartet hatte, am Anfang vielleicht bange, daß es ein falscher sein könnte, ein Unansehnlicher oder ein Dummer, der den Drachen besiegt. Und er stellte sich vor, wie sie ungeduldig wurde später, und wie ihr dann vielleicht jeder recht gewesen wäre. Und wie sie später die Angst gespürt haben muß, daß sich keiner findet, nicht ein einziger, und noch später die Verzweiflung. Er wischte seine Tränen fort und sagte sich, er habe den Drachen selbst dann zu töten, wenn die Prinzessin zu alt für seine Umarmungen geworden war. Solange er zurückdenken konnte, hatte er sich immer nach ihr gesehnt, dafür war er ihr viel schuldig. Als er wieder einem Polizisten begegnete, schlug sein Herz wie verrückt, denn plötzlich stand alles auf dem Spiel.

PERSONEN, die sich fortwährend verraten. Die so ungeschickt sind, daß sie nie verheimlichen können, woran du mit ihnen bist. Die zwar versuchen, es zu verheimlichen, weil sie nicht für dumm gehalten werden wollen, doch immer ohne Erfolg.
Die ankündigen, daß sie das und das tun werden, und die es dann tatsächlich tun. Du kannst dich in aller Ruhe darauf vorbereiten, du kannst ihnen eine Falle stellen, und sie tappen mit Sicherheit hinein. Und während sie sich aufrappeln oder daliegen und gefangen sind, ziehst du deinen eigenen Nutzen.
Personen, die nicht selten im Streit unterliegen, weil sie sich in eine Meinung vertiefen, ohne nach links und rechts zu sehen. Die sich dann plötzlich an die Nase greifen und verlegen sind und nicht mehr weiterwissen. Denen du nicht einmal etwas entgegenzuhalten brauchst: du mußt sie nur reden lassen, und sie kommen oft selbst an diesen Punkt.
Die dich zwar nie verraten, auf die eigentlich aber auch kein Verlaß ist. Weil sie nicht einsehen, daß kein Verlaß auf jemanden ist, auf dessen Zustimmung kein Verlaß ist. Solche, die unfähig sind zu der Erkenntnis, daß ihnen aus einem bestimmten Verhalten Vorteile und aus einem anderen Nachteile entstehen.
Die dir ein schlechtes Gewissen bereiten: weil du selbst nicht so einfältig sein möchtest, wie sie es sind, doch immer meinst, du müßtest dich vor ihnen rechtfertigen. Die dir zwar keine Vorwürfe machen, deren entgegengesetztes Verhalten dir aber wie der größte Vorwurf vorkommt.
Die nichts dabei zu finden scheinen, das eine Mal recht zu haben und das andere Mal unrecht. Die sich einbilden,

das Eingeständnis eines Fehlers sei richtiger als die Verteidigung einer Position. Und die dich dann, wenn du sie auf diesen Irrtum aufmerksam machst, ansehen, als wüßten sie nicht, wovon du zu ihnen sprichst.
Die den jeweiligen Augenblick so wichtig nehmen, daß sie ganz und gar untauglich scheinen, ein weit entferntes Ziel zu verfolgen. Weil sie so tun, als entscheide sich alles im jeweiligen Augenblick. Die keine Reserven zurückbehalten: die sich völlig verausgaben und dann dastehen und angewiesen sind auf Freunde, derer sie sich vorher nicht versichert haben.

Die Strafe

Wie durch ein Vergrößerungsglas siehst du die erhobene Hand des Polizisten. Du weißt sofort, was du falsch gemacht hast. Du fährst an den Straßenrand und steigst aus, du hast Strafe verdient.

Der Polizist verlangt, nachdem er korrekt gegrüßt hat, den Führerschein, den Ausweis und die Zulassung für dein Auto. Du hast alles bei der Hand und gibst es ihm. Er blättert darin. Du kannst nicht erkennen, ob er gut oder schlecht gelaunt ist. Während du ihm zusiehst, spürst du auf einmal dein Herz schlagen. Er betrachtet jede Seite so genau, als suche er eine bestimmte Spur. Du weißt, daß deine Papiere in Ordnung sind, was wird er finden? Er vergleicht das Geburtsdatum in deinem Führerschein mit dem Geburtsdatum in deinem Ausweis. Es ist dasselbe. Dann zeigt er auf ein Wort im Ausweis, das er nicht entziffern kann. Er fragt, was das heißen soll. Du antwortest: Wilhelm-Blos-Straße. Er blickt noch einmal genauer hin und sagt dann: Komisch. Er blättert weiter. Du siehst ein Auto vorüberfahren, viel schneller, als du gefahren bist.

Der Polizist vergleicht das Nummernschild mit der Eintragung in den Wagenpapieren. Dann vergleicht er das vordere Nummernschild mit dem hinteren Nummernschild. Er findet keinen Fehler. Er klappt Führerschein, Ausweis und Zulassung zu, gibt sie dir aber nicht zurück. Er fragt, ob du weißt, warum du angehalten worden bist. Du antwortest: Ja. Er fragt dich: Warum? Wegen zu schnellen Fahrens, sagst du. Er sagt: Richtig. Darauf weißt du nichts zu entgegnen. Er fragt, wie schnell du hier fahren darfst. Du antwortest: Dreißig. Er fragt: Und wie schnell sind Sie gefahren? Du sagst: Sechs-, siebenunddreißig vielleicht. Er sagt, daß du mindestens fünfzig gefahren bist. Du schüttelst den Kopf, aber du kommst dir nicht überzeugend vor. Gegen deinen Willen sagt es aus dir heraus: Höchstens vierzig. Dabei weißt du genau, wie recht er hat, du bist fünfzig gefahren. Du siehst ihn auf den Zehenspitzen wippen. Du siehst, wie er mit deinen Papieren, die er in der rechten Hand hält, immer wieder auf seine linke Handfläche schlägt. Du siehst in seinem Blick die Frage, für wie dumm du ihn hältst, und auch die Warnung, seine Gutmütigkeit nicht zu strapazieren. Er fragt, ob du die Straßenverkehrsordnung kennst. Du sagst: Ja. Er nennt eine Zahl und fragt dich, ob du den entsprechenden Paragraphen kennst. Du antwortest, daß du die Nummern der einzelnen Paragraphen nicht auswendig weißt. Er sagt, es ist der Paragraph, der von Geschwindigkeitsbegrenzung handelt. Du sagst, ja, der ist dir bekannt. Er fragt: Wenn Sie ihn kennen, warum richten Sie sich nicht danach? Wieder bist du um eine Antwort verlegen. Er läßt dir etwas Zeit, dann fragt er dich noch einmal, warum du zu schnell gefahren bist. Du sagst: Wohl aus Gedankenlosigkeit. Du hast das Gefühl, daß ihm diese Antwort gefällt. Er erklärt dir, wohin es führen würde, wenn jeder Verkehrsteilnehmer die aufgestellten Schilder mißachtete, wie du es getan hast: ins Chaos. Dann nennt er ein paar Zahlen, die Höhe des Schadens beziffernd, den solche wie du allein im Laufe des letzten Jahres angerichtet haben. Du raffst deinen Mut zusammen und sagst ihm, daß du in Eile bist. Daß deine Eile, sagst du, wohl auch der eigentliche Grund für dein zu schnelles Fahren war. Er antwortet

ruhig: Das hätten Sie sich vorher überlegen müssen. Er schildert dir den schrecklichen Unfall, der sich vor drei Monaten an genau dieser Stelle ereignet hat. Und warum? Wegen zu schnellen Fahrens.
Er geht mit den Papieren in der Hand zu einem Funkwagen auf der anderen Straßenseite, den du jetzt erst bemerkst. Er setzt sich hinein, in dem Wagen befindet sich ein zweiter Polizist. Sie unterhalten sich. Sie blicken während ihres Gesprächs nie zu dir, so daß du nicht weißt, ob über dich gesprochen wird. Die Entfernung ist so groß, daß du die Mienen nicht erkennen und keine Schlüsse ziehen kannst. Du setzt dich in deinen Wagen und läßt den Motor anspringen, nur so, zum Spaß. Du machst den Motor wieder aus. Du hast Sehnsucht nach dem Augenblick, da man dir das Ausmaß der Strafe mitteilt, die du verdient hast.

Romeo

Die meisten Schwierigkeiten macht mir die Sprache. Deutsch ist wie der Wald des Feindes, wenn du der einen Falle glücklich ausgewichen bist, liegst du schon in der nächsten. Wenn die verfluchte Sprache nicht wäre, dann wäre auch die Verachtung nicht. Ich sehe aus wie einer, der von überall her sein könnte, und nach jedem Essen mit Knoblauch reinige ich mir minutenlang den Mund. Ich würde manchem von ihnen die Zähne einschlagen, wenn ich einen anderen Weg wüßte, das Geld zu verdienen. In fünf Jahren werde ich genug haben, wenn nicht vorher ein Unglück geschieht. Der Mann am Bankschalter behandelt mich, als hätte ich ihm das Geld gestohlen, das ich einzahle. Dreimal tippt er mit dem Finger auf die Stelle, wo ich zu unterschreiben habe, und sieht mich ungeduldig dabei an. Hoffentlich ist es in fünf Jahren noch derselbe Mann, wenn ich alles abhebe. Ich werde die große Summe in die Tasche stecken und ihm dann sagen, er soll mich nicht so ansehen, als ob es sein Geld wäre. Er wird verächtlich mit den Schultern zucken und mir mit seinem Blick sagen, daß ich ein Dreck bin. Ich werde dann sagen, daß er seine häßlichen Augen von mir nehmen soll. Ich werde vielleicht sagen, daß er so seine Frau ansehen kann, wenn sie es sich gefallen läßt, aber nicht mich. Darauf wird er fragen, ob ich verrückt geworden bin. Irgendwie wird er mich beleidigen, meine Zeugen werden es hören, und dann kann er was erleben.

Diese Stadt habe ich mir nicht ausgesucht, jedenfalls nicht in dem Sinne, daß ich Vorteile und Nachteile gegeneinander abgewogen hätte. Als ich in dem Büro endlich an die Reihe kam, hat man mir die Wahl gelassen zwischen dieser und einer anderen Stadt, von der ich nie zuvor gehört hatte. Da habe ich mich für Berlin entschieden, aber wichtig war es mir nicht. Erst seitdem ich hier lebe, ist mir klar geworden, wie günstig dieser Ort für einen ist, der Geld sparen muß. Nicht gleich am Anfang begriff ich das, sondern nach und nach, und seltsam spät. Im ersten Monat war der einzige Wechselkurs auf der Bank, für den ich mich interessierte, der zwischen meiner eigenen Währung und dem Geld, das ich hier verdiene. Nach Ostberlin zu fahren, das hatte ich mir für später gegen Langeweile vorgenommen, für irgendeinen warmen Sonntag, auch weil man sich für die Sehenswürdigkeiten der Stadt interessieren soll, in der man lebt. Dann erst erfuhr ich von einem griechischen Kollegen, daß man das eine Geld sehr günstig gegen das andere tauschen kann. Er wunderte sich, daß ich es noch nicht wußte. Er erklärte mir, welche Dinge hier teuer sind und welche dort. Bald verstand ich, daß man seinen Lohn, wenn man es nur geschickt genug anstellt, kräftig aufbessern kann. Er sagte zwar, daß im anderen Berlin die Tauscherei verboten ist und daß sie dich ziemlich hart bestrafen, wenn sie ihr Geld bei dir finden. Er sagte aber auch, daß nur Millionäre es sich leisten können, darauf Rücksicht zu nehmen.

Da fing ich an, mich auch bei anderen zu informieren, vor allem bei Leuten aus meiner Heimat. Ich wollte die Erfahrungen vieler hören, um mir aus allen das Beste zu nehmen und Anfängerfehler zu vermeiden. Am vernünftigsten kam mir vor, das zu tun, was die meisten gern getan hätten, wozu aber nur wenige den Mut aufbringen:

im anderen Berlin zu wohnen und eigentlich zu leben, und in diesem hier nur zu arbeiten für das bessere Geld. Ich rechnete mir aus, daß ich meine fünf Jahre in der Fremde auf dreieinhalb verkürzen kann, wenn ich das wage. Zumindest auf vier, und wo sonst kriegst du ein Jahr geschenkt?
Meine wenige Erfahrung mit der Grenze war, daß die Posten sehr unfreundlich kontrollieren, doch selten besonders gründlich. Ich traf einen herzensguten Landsmann, der auf solche Weise schon lange lebte und mir ohne Vorbehalte Auskunft gab. Er sagte, man muß ein Mädchen mit einem großen Zimmer kennenlernen, weil man ein eigenes Zimmer ja nicht haben darf. Jemand mit zwei Zimmern zu finden, sagte er, wäre ein riesengroßes Glück, zwei Zimmer hat fast keine. Ein gutes Mädchen aber zu finden ist nicht so schwer, sagte er, jedenfalls viel leichter als hier, denn man kann tausend Sachen mitbringen, die es dort nicht zu kaufen gibt. Unangenehm ist, daß man nachts um zwölf wieder hinaus muß aus dem anderen Berlin, das ist Gesetz. Doch man kann gleich hinter der Grenze umdrehen und wieder zurückgehen. Auf diese Weise überquert man jeden Tag viermal die Grenze: einmal am frühen Morgen zur Arbeit, das zweitemal nach der Arbeit, dann kurz vor zwölf wegen der verfluchten Bestimmung und ein letztes Mal nach zwölf, zurück zu dem Mädchen. Außer an den Wochenenden natürlich, da gibt es keinen Arbeitsweg. Eine andere Möglichkeit wäre, sagte er, daß man sich nach der Arbeit bis Mitternacht herumtreibt und dann erst zu dem Mädchen ins Bett fährt. Es hängt davon ab, ob das Mädchen mitmacht und ob man es selbst aushält, rein körperlich. Jedenfalls kann man so elf Mark und fünfzig Pfennig am

Tag sparen, das sind die Kosten für eine Einreise. Er sagte, daß er auf diese Weise seiner Frau zweihundert Mark mehr im Monat schicken kann.
Als wenig später die teure Miete für mein Zimmer noch um eine gewaltige Summe erhöht wurde, war ich soweit. Ich fuhr den Sonnabend darauf über die Grenze und setzte mich in ein Lokal, das man mir für meine Angelegenheit empfohlen hatte. Ich war sofort enttäuscht, weil ich nirgends entdecken konnte, was ich suchte. Dafür unterhielten sich die Männer am Nachbartisch in meiner Sprache. Fünf Minuten später saßen wir zusammen und erzählten von unseren Dörfern. Der eine war aus einem Ort hinter den Bergen, von dem ich schon gehört hatte. Nach ein paar Gläsern kamen zwei Frauen, die mit den Männern verabredet waren. Sie gingen alle zusammen weg, doch die eine Frau kam noch einmal zurück und fragte mich, ob sie am nächsten Sonnabend ihre Freundin mitbringen sollte. Weil ich so unvorbereitet und verlegen war, benahm ich mich wie ein Idiot und sagte, daß ich doch ihre Freundin überhaupt nicht kenne. Zu meiner Erleichterung war sie aber nicht beleidigt, sondern sie sagte: Das habe ich mir schon gedacht, deswegen will ich sie ja mitbringen. Und sie sagte noch: Angucken kostet nichts. Wir verabredeten uns für den nächsten Sonnabend. Einer meiner Landsleute zwinkerte mir von der Tür her zu, als ob er hinter der Sache steckte. Eigentlich freute ich mich, daß ich den ersten Schritt hinter mir hatte, ohne große Mühe.
Mein Kopf drehte sich ein bißchen von den drei oder vier Gläsern Wein. Wenn ich an das Verhältnis der beiden Währungen dachte, war Essen und Trinken hier unbegreiflich billig. Ich hätte mir viel mehr Wein leisten

können, auch Schnaps, aber es war noch früh am Tag. Zum Zurückfahren hatte ich keine Lust, nichts wartete auf mich. Ich wollte mir einen Film ansehen, das konnte ich hier so gut tun wie in Westberlin, nur viel billiger. Ich mußte lange auf den Kellner warten, da setzte sich eine Frau zu mir an den Tisch. Ich sah, daß alle anderen Tische besetzt waren. Zuerst sah ich ihre Fingernägel, die eine Farbe hatten wie bei uns im Garten die unreifen Pflaumen. Sie nahm sich eine sehr lange Zigarette aus einer neuen Packung, und ich gab ihr Feuer. Sie hatte eine Art, dich anzusehen, die mir ein bißchen frech vorkam. Als der Kellner endlich da war, zahlte ich nicht, sondern bestellte Kaffee, das hätte ich vielleicht auch ohne die Frau getan. Sie fragte mich, woher ich komme, und ich erzählte es ihr. Während ich sprach, sah ich, daß sie älter war, als ich zuerst gedacht hatte. Wahrscheinlich war sie sogar vierzig. Sie sagte, daß ich überhaupt nicht wie ein Ausländer aussehe. Es war klar, daß sie mir schmeicheln wollte, das gefiel mir. Zum erstenmal im Leben fühlte ich mich wie ein wohlhabender Mann. Ich meine nicht, daß ich mir vorkam wie jemand, der sich viel leisten kann, sondern eher wie jemand, der Ansehen genießt. Sie aß Kuchen mit Sahne und erzählte, daß sie an den Wochenenden meistens mit dem Paddelboot herumfährt auf den Flüssen, und daß in der Stadt nichts los ist. Dann sprach sie über eine Fernsehserie, die ich nicht kannte, ich besitze keinen Apparat. Sie hatte einen Schuh ausgezogen, er lag neben ihrem Stuhl, fast schon auf dem Gang.

Etwas später überlegte ich, ob ich sie ins Kino einladen sollte. Sie wäre mitgekommen, dafür habe ich einen Blick, aber irgend etwas hielt mich zurück. Es war nicht

ihr Alter, es war eher ihre Art, ich kann es mit Worten nicht richtig erklären. Ich suchte doch jemanden mit einem Zimmer, und mit ihr wollte ich nicht zusammenwohnen. Wenn ich keine andere Möglichkeit gesehen hätte, dann wäre ich vielleicht nicht so wählerisch gewesen. Aber ich hatte ja den nächsten Sonnabend in Aussicht, und ich konnte hoffen, daß die Freundin jener anderen Frau mir besser gefallen würde. Also hörte ich noch ein paar Minuten ihrem Mund zu, der nicht zu reden aufhörte, dann sagte ich, daß ich eine Verabredung habe und nun gehen muß. Die Augen der Frau blieben freundlich, wie sie die ganze Zeit gewesen waren, doch hörte sie sofort zu sprechen auf. Sie tat mir irgendwie leid, aber ich sagte mir, ich sollte mein Mitleid lieber für mich selbst aufheben. Bis ich beim Kellner bezahlt hatte, machte sie ein Gesicht wie jemand, der über ein kompliziertes Problem nachdenkt. Dann verabschiedete ich mich, sie gab mir sogar die Hand und sagte: Viel Spaß. Ich ging hinaus und wünschte, ich hätte ein hübsches Auto, mit dem ich jetzt herumfahren könnte.
Am nächsten Sonnabend fand ich keinen Platz in dem Restaurant. Weil das Wetter so schlecht war, wollten sie alle drinnen sitzen und Kaffee trinken, ich mußte an der Tür warten. Ein Kellner sagte mir, ich sollte nicht im Gang stehen. Wenn ich hinausgetreten wäre, hätte ich aber den ganzen Regen abbekommen. Er sagte es immer wieder, bis ich den Kragen hochschlug und mich vor die Tür stellte. Bei uns zu Hause hätte er das nicht wagen dürfen, ich bin ziemlich stark. Durch das Glas in der Tür sah ich, daß er aber auch zu seinen eigenen Deutschen so unhöflich war, und ich verstand nicht, warum die sich das gefallenließen.

Nach einer Weile kamen die beiden Frauen, viel zu spät. Ich erkannte die eine gleich, weil sie dieselbe grüne Jacke trug wie vor einer Woche. Die andere, auf die ich wartete, war weder hübsch noch häßlich. Sie hatte überhaupt nichts Auffälliges, so konnte ich nichts anderes an ihr feststellen, als daß sie eine junge Frau oder ein Mädchen war. Sie schien ein bißchen verlegen zu sein, das gefiel mir. Die in der grünen Jacke gab ihr einen kleinen Stoß mit dem Ellbogen, dann stellte sie mir ihre Freundin vor: Klara. Dann sah sie auf die Uhr, tat so, als ob es schon sehr spät für sie wäre und ging gleich. Ich war froh, daß sie es nicht war, auf die ich gewartet hatte. Mir fiel ihr Satz ein: Angucken kostet nichts.
Ich sagte zu Klara, daß in dem Restaurant kein freier Tisch ist, und fragte, ob sie nicht irgendeinen Vorschlag hätte. Sie zuckte mit den Schultern. Weil es nicht zu regnen aufhörte, konnten wir aber nicht auf der Straße bleiben. So fragte ich sie wieder nach einem trockenen Platz in der Nähe. Ich hoffte natürlich, daß sie eine eigene Wohnung hatte und mich dorthin einlud. Sie überlegte ein paar Sekunden, nannte dann den Namen eines anderen Lokals und sagte, dort müßte eigentlich etwas zu kriegen sein. Während wir gingen, war ich irgendwie erleichtert, daß sie mich nicht in ihre Wohnung führte. Wenn etwas zwischen uns werden sollte, dachte ich, dann war es wohl besser so. Ich hoffte nur, daß sie nicht deshalb mit mir nicht nach Hause ging, weil sie kein eigenes Zimmer hatte.
In dem Lokal waren wir fast die einzigen Gäste. Als wir uns die Karte ansahen, sagte ich, daß sie auf die Preise nicht zu achten brauchte. Sie bestellte Schokoladeneis mit Eierlikör, und ich trank Wein. Sie war Krankenschwester

wie ihre Freundin. Es dauerte ziemlich lange, bevor sie aufhörte, sich beim Sprechen zu schämen. Bis dahin mußte ich jedes Wort einzeln aus ihr herausholen, dabei hatte ich mit meinen eigenen Hemmungen zu tun. Ich fragte mich, ob es ihr eigener Wunsch war, sich heute mit einem wie mir zu treffen, oder ob ihre Freundin es für sie beschlossen hatte. Die Freundin paßte gar nicht zu ihr. Auf einmal fand ich ihren Mund schön, und ich hatte Lust, sie zu küssen. Ich stellte mir vor, daß unsere Bekanntschaft nichts mit dem einen und dem anderen Berlin zu tun hatte und nichts mit dem verschiedenen Geld. Ich stellte mir vor, daß ich einfach ein junger Mann war und sie das Mädchen dazu. Ich erzählte ihr einen unanständigen Witz, und sie lächelte ein bißchen.
Als es zu regnen aufhörte, spazierten wir herum. Die Straßen waren ganz leer, sie sagte, daß bei uns hinter der Grenze bestimmt viel mehr los ist um diese Zeit. Ich antwortete, daß ihre Vermutung richtig ist, daß ich die Ruhe hier aber gar nicht so schlecht finde. Sie sagte: Komisch. An einer Litfaßsäule fanden wir keinen Film, den sie gern gesehen hätte. Sie kam mir lustlos vor, bei allem was sie tat oder sagte. Sie erinnerte mich an meinen kleinen Bruder, wie er in der Suppe herumstocherte, nicht weil die Suppe ihm nicht schmeckte, sondern weil er überhaupt nichts gerne aß. Dünn wie ein Strich ist er davon geworden. Aber ich kannte sie ja noch nicht, und es konnte sein, daß sie gerade heute in einer besonderen Stimmung war.
Der rechte Fuß tat mir weh, weil vor zwei Tagen ein Elektrokarren drübergefahren war, in der Werkhalle. Nicht nur der Fahrer hatte Schuld gehabt, auch ich war unvorsichtig gewesen. Ich konnte nicht den ganzen Tag

herumspazieren, außerdem war ich dazu nicht hergekommen. Ich fragte, was sie sonst mit ihrer freien Zeit anfängt, besonders an den Wochenenden. Sie erzählte mir das ganze langweilige Zeug, das überall zu den Wochenenden gehört: Saubermachen, sich mit Freundinnen treffen, Fernsehen, die Eltern besuchen. Ich fragte, ob sie denn keinen Freund hat. Ich sagte: Ein so hübsches Mädchen wie du wird doch bestimmt einen Freund haben. Da wurde sie wieder verlegen und schwieg einen Häuserblock lang. Dann sagte sie, daß sie schon ein paar Freunde gehabt hat, aber nur zwei richtige. Der erste hatte plötzlich Schluß mit ihr gemacht, warum wußte sie bis heute nicht, und den zweiten hatte sie selbst weggeschickt, weil er sie nicht gut genug behandelte. Sie sagte: Und außerdem bin ich gar nicht hübsch. Ich überlegte, ob ich lieber an eine geraten wäre, die mehr wie eine Hure war, wie zum Beispiel diese Freundin. Ich sah auf beiden Seiten ein paar Nachteile und ein paar Vorteile. Dann sagte ich mir aber, daß solches Vergleichen von Frauen eine dumme Beschäftigung ist, weil es immer noch etwas Besseres gibt.
Auf einmal sagte sie: Wenn du willst, können wir auch zu mir fahren. Es hörte sich an, als wäre es gar nicht ihr eigener Vorschlag, sondern als ob ihr plötzlich ein Rat eingefallen war, den jemand ihr gegeben hatte. Ich war ziemlich überrascht und sagte: Warum nicht. Sie sagte, daß sie zu Hause aber außer Tomatensaft nichts hätte, falls ich Wein trinken wollte oder Schnaps. Ich legte im Gehen den Arm um ihre Schulter, denn sie sollte nicht den Eindruck haben, daß ihr Angebot mir gleichgültig war. Ich sagte, daß es nicht schaden könnte, etwas Wein zu kaufen, und daß ihre Idee mir sehr gut gefiel. Sie sagte,

daß ich für einen, der erst so kurze Zeit hier ist, schon sehr gut deutsch spreche.
Sie führte mich zu dem einzigen Laden, der am Sonnabend um diese Zeit geöffnet hatte. Im Gegensatz zu den Straßen draußen war er voll. Wir kauften zwei Flaschen Wein und weiße Schokolade, doch konnte ich nicht von dem Geld bezahlen, das ich umgetauscht in meiner Tasche trug. Ich hatte schon davon gehört, daß sie hier nur das andere Geld annehmen, das war sehr schade. Klara sah sich Blusen in einem Schaukasten an. Als ich fragte, ob sie eine haben möchte, schüttelte sie den Kopf und ging vor mir hinaus. Bis zu ihrer Wohnung war es weit. Wir mußten mit der Untergrundbahn fahren und dann unzählige Stationen mit dem Bus. Sie hakte sich bei mir ein, als wir im Bus nebeneinandersaßen. Ich überlegte, ob die große Entfernung zum Grenzübergang die ganze Sache nichts sinnlos macht. Dafür stand das Haus aber in einer grünen Vorstadtstraße.
Sie mußte lange ihren Schlüssel suchen, auf einem Fensterbrett neben der Haustür saß ein roter Hund und gähnte. Die Wohnung war groß genug für zwei, das fand ich nach wenigen Minuten heraus. Sie hatte ein großes Zimmer, eine Toilette und eine Küche, in der man sich gut waschen konnte. Über dem Herd hingen ein paar Strümpfe und Schlüpfer auf der Leine, die nahm sie schnell ab und versteckte sie wie eine Schande. Die beiden Weinflaschen stellte sie in den Ausguß und ließ kaltes Wasser darüberlaufen.
Sofort nachdem wir uns auf das Sofa gesetzt hatten, umarmte und küßte ich sie. Ich wußte, daß ich schüchtern werden würde, wenn ich erst lange wartete, ich kannte das von früher. Im ersten Moment hielt sie nur

still, aber dann öffnete sie den Mund und küßte auch, und ich dachte, das wäre erst mal geklärt. Ich konnte sie anfassen, wo ich wollte, ohne daß sie sich wehrte. Soviel Zeit hatten wir gar nicht, denn es war längst sieben vorbei, um zwölf mußte ich an der Grenze sein, und die vielen Stationen lagen dazwischen. Ich ging in die Küche, trocknete eine Weinflasche ab und suchte Gläser. Es freute mich, daß sie nicht hinter mir herkam. Es war wie eine Aufforderung, mich in ihrer Wohnung frei zu bewegen. Als ich mit Wein und Gläsern ins Zimmer zurückkam, hatte sie das Fenster zugezogen und den Fernsehapparat eingeschaltet. Sie sagte, daß am Sonnabend immer ein gutes Programm ist.
Wir tranken und aßen dazu die weiße Schokolade. Sie war so vertieft in die Fernsehbilder, daß man nicht mit ihr reden konnte, dabei wurde meistens gesungen. Ich konnte nur einzelne Wörter verstehen, für Lieder ist mein Deutsch nicht gut genug, außerdem wurde viel englisch gesungen. Sie fragte mich nach einer Weile, ob ich ihr eine bestimmte Schallplatte mitbringen könnte. Das war der erste Hinweis darauf, daß auch sie mit mir Pläne hatte. Ich ließ mir den Titel auf einen Zettel schreiben, sie machte dazu für einen Augenblick das Licht an. Ich trank viel mehr Wein als sie. Es ärgerte mich, wie wichtig ihr das Fernsehen war, aber ich wollte ihr nicht schon am ersten Abend Vorschriften machen und mich wie der Herr aufführen. Ich legte mich hinter sie aufs Sofa, an der Decke tanzten die Schatten der Figuren aus dem Fernsehen. Klaras Finger lagen dicht vor meinen Augen und bewegten sich ohne Pause mit der Musik. Nur wenn gesprochen wurde, lagen sie still.
Ich nahm das umgetauschte Geld aus meiner Hosenta-

sche und legte es auf den Tisch, es war noch im Umschlag von der Bank. Ich wollte es nicht zurück über die Grenze und beim nächstenmal wieder hierher bringen, bei der Kontrolle brannte es in der Tasche. Natürlich konnte ich keine Quittung von Klara verlangen, aber gut genug für das Geld kannten wir uns längst noch nicht. Ich nahm mir vor, den Rest des Abends abzuwarten und dann erst zu entscheiden, ob ich den Umschlag hierlassen konnte oder nicht. Ich sagte mir: Wenn sie die ganze Zeit fernsieht, bin ich hinterher aber auch nicht klüger.

Ich zog sie an den Haaren zu mir herunter. Sie wehrte sich nicht und sagte: Du hast ja recht. Wir küßten uns, plötzlich hatte ich gar nicht mehr das Gefühl, daß sie schüchtern war. Aber nicht etwa, weil sie so leidenschaftlich gewesen wäre oder raffiniert, sondern weil sie mich irgendwie unbeteiligt küßte, fast wie eine Selbstverständlichkeit. Ich überlegte, warum sie vorhin in dem Laden die Bluse nicht haben wollte. Gern hätte ich den Fernseher ausgemacht, er stört dich, weil du immerzu ein paar Worte verstehen willst oder weil du überlegst, an wen dich die Sängerin erinnert. Als ich meine Hand nach dem Schalter ausstreckte, zog Klara sie aber zurück. Ich hatte noch nie beim Fernsehen Liebe gemacht, schon deshalb nicht, weil ich keinen Apparat besitze. Sie sagte: Laß doch, ist doch gut so. Ich hatte mal mit einer etwas gehabt, die zog mitten beim Bumsen ihre Armbanduhr auf. Ich habe mich gerächt an ihr, aber ich möchte nicht sagen wie.

Wir küßten uns wieder ein bißchen, dann zogen wir uns aus, zuerst ich sie und dann sie mich. Ich versuchte, sie so zu halten, daß sie den Fernseher nicht sehen konnte. Wir fingen mit der Liebe an, doch ich wußte schon vorher,

daß es nicht besonders werden würde. Ihre Augen waren geschlossen, sie hielt mich die ganze Zeit bewegungslos umarmt, als handelte es sich dabei um eine Vorschrift. Weil sie Krankenschwester war, brauchte ich sie nichts zu fragen. Ich habe es gern, wenn die Mädchen sich bewegen und laut sind, wenn sie dir zeigen, daß bei ihnen etwas los ist und du dich nicht alleine amüsierst. Sie lag unwahrscheinlich still, und nur an ihrem Mund, wenn wir küßten oder wenn ihre Zunge über die Lippen fuhr, konnte ich merken, daß sie nicht eingeschlafen war. Ich tat alles Mögliche, ich suchte ihren Körper, der mir plötzlich winzig klein vorkam, nach Stellen ab, an denen sie empfindlich war. Ich hatte einmal in einem Aufklärungsfilm gehört, daß jeder normale Mensch solche Stellen hat, du mußt sie nur finden. Aber ich fand sie nicht.
Im Fernsehen begann etwas Neues, vielleicht hörte sie aufmerksam zu und dachte gar nicht an uns. Ich dachte, daß ich es wohl riskieren könnte mit dem Geld, sie würde mich schon nicht betrügen. Dann konnte ich nicht länger warten und mußte mit der Liebe zum Ende kommen. Ich fragte sie ins Ohr, ob sie auch fertiggeworden war. Sie sagte: Schon längst. Ich nahm mir vor, diese Sache zu ändern, falls wir länger zusammenbleiben sollten. Ich sagte ihr: Wenn du deinen Spaß mehr zeigst, dann hast du auch mehr Spaß. Sie reagierte aber nicht darauf. Sie trank ein bißchen Wein, dann sagte sie, daß sie in jeder dritten Woche zur Nachtschicht muß. Es war das zweite deutliche Zeichen, daß sie mit mir etwas vorhatte. Ich hätte mir ein besseres Zeichen gewünscht, aber das Geld konnte ich jetzt mit gutem Gewissen hierlassen. Es kam mir zu früh vor, an diesem ersten Abend schon über meine Wohnungsangelegenheit zu sprechen.

Ich schlief ein und träumte von zu Hause, wie ich es fast in jeder Nacht tue. Als ich wieder aufwachte, erschrak ich sehr, doch Klara sagte sofort, daß noch viel Zeit ist. Sie wunderte sich über das Geld auf ihrem Tisch, das sie inzwischen entdeckt hatte, und ich erklärte es ihr. Ich sagte, ich wollte es hierlassen bis zum nächstenmal, weil es doch dumm wäre, verbotenes Geld hin und her über die Grenze zu schleppen. Ich tat so, als hätten wir uns längst über die nächste Verabredung geeinigt, und sie fand nichts dabei. Sie stand auf, nahm die Tüte mit dem Geld und legte sie in eine Schublade mit Wäsche. Sie fragte mich, ob ich genau wüßte, wieviel es ist. Ich sagte ja, weil ich es natürlich genau wußte, es war eine dumme Frage von ihr. Sie kam zurück auf das Sofa und streichelte meine Brust, daß ich mich wunderte, wir machten noch einmal Liebe. Sie war nicht wiederzuerkennen, als hätte sie beim ersten Mal nur geübt und machte jetzt erst richtig ernst. Ich dachte, wie geheimnisvoll Liebe ist. Sie sah mich jetzt an und bewegte ihre Arme und gebrauchte die Hände und gefiel mir hundertmal besser. Ich fragte, was auf einmal los ist, und sie sagte: Was soll los sein? Als ob sie gar nicht verstand, wovon ich redete.

Später ging sie in die Küche, um ein paar Brote zu machen. Ich freute mich, weil es ganz gut mit ihr war, ich hätte ja auch an eine andere geraten können. Natürlich, irgendeine andere hätte ich nicht zu nehmen brauchen, weiß ich selbst. Aber wenn du unbedingt Geld sparen willst, darfst du nicht zu wählerisch sein und vor allem nicht zu lange warten. Ich rief nach draußen, ob es etwas zu helfen gab. Sie lachte ein bißchen und rief zurück, ich sollte nur liegenbleiben und mich schön ausruhen. Das gefiel mir auch.

Beim Anziehen sah ich im Fernseher ein paar Zahlen, er lief die ganze Zeit. Sie sahen aus wie Lottozahlen, und als Klara zurückkam mit den Broten, fragte ich sie, ob es hier in Ostberlin ein Lotto gibt. Sie sagte: Klar gibt es hier Lotto. Die Brote schmeckten mir, die Wurst war sehr dick geschnitten. Sie hatte ihren Tomatensaft mitgebracht, aber ich trank lieber noch etwas Wein. Ich erzählte ihr, daß ich regelmäßig im Lotto spiele, jede Woche für vier Mark in Westberlin. Ich tippe immer dieselben Zahlen und habe gleich in der ersten Woche fünf Mark gewonnen, seitdem aber nichts mehr. Sie rechnete im Kopf etwas aus, dann sagte sie, vier Mark in jeder Woche, das sind über zweihundert Westmark im Jahr. Sie fragte mich, ob man mit so viel Geld nicht etwas Klügeres anfangen könnte.

Ich erklärte ihr, daß es für vier Mark in der Woche nichts Klügeres gibt. Niemand braucht mir zu sagen, daß die Aussichten sehr klein sind, auf diese Weise ein reicher Mann zu werden. Aber wenn ich nicht spiele, sind die Aussichten, ein reicher Mann zu werden, noch viel kleiner, und vier Mark in der Woche ist mir die Hoffnung wert. Ich erzählte Klara von meiner Mutter, die sich ähnlich verhält wie ich, nur daß sie nicht im Lotto spielt. Sie gibt genausoviel Geld im Monat für die Kirche aus, nicht nur für ein glückliches Jenseits, das weiß ich, sondern weil sie sich irgendein Wunder verspricht in diesem Leben. Sie hat mich ein paarmal aufgefordert, dasselbe zu tun, doch ich halte ihre Methode für sinnlos. Denn wenn man Gott mit vier Mark in der Woche bestechen könnte, dann würde er nichts taugen. Im Lotto aber kann ich für dasselbe Geld Millionär werden.

Klara fand, daß ich Unsinn rede. Sie sagte: Es ist ja dein

Geld, das du aus dem Fenster wirfst. Es war nicht mehr viel Zeit, ich wollte nicht gleich beim erstenmal zu spät an der Grenze sein und auffallen. Ich fragte, ob ich ihr etwas Bestimmtes mitbringen sollte außer der Schallplatte. Sie sagte, daß sie nichts weiß, und daß sie es sich ja bis zum nächstenmal überlegen kann. Sie fragte, ob ich am nächsten Sonnabend wiederkommen wollte, und ich antwortete, ja, am nächsten Sonnabend. Es gibt bei uns ein Sprichwort, das heißt: Wenn du willst, daß der Ochse deinen Pflug noch ein Weilchen zieht, dann mußt du auf sein Leder noch ein Weilchen warten.

Sie sagte, daß sie am übernächsten Wochenende Dienst hat. Ich sagte: Das ist noch weit. Sie saß im Unterrock neben mir, ich hätte sofort noch einmal Liebe mit ihr machen können, aber ich küßte sie nicht mal. Sie wußte die Abfahrtszeiten der Autobusse aus dem Kopf. Sie sagte, daß ich sicherheitshalber nicht bis zuletzt warten sollte, weil manchmal ein Bus ausfällt. Als sie sich für den Weg zur Haltestelle anzog, hatte ich eine sehr gute Idee. Ich ließ mir einen Zettel geben und schrieb darauf alle Zahlen, die ich in dem anderen Lotto tippte. Ich sagte ihr, daß sie dieselben Zahlen auf einem Tippschein ankreuzen und für mich abgeben soll, von nun an jede Woche. Ich wußte nicht, wieviel ein Schein hier kostete, Klara meinte fünfzig Pfennig, wußte es aber auch nicht genau. Auf jeden Fall war der Preis ein winzig kleiner bei diesem Wechselkurs, ich freute mich über meinen Einfall. Derselbe Kurs gilt zwar auch für den Gewinn, dachte ich dann, aber ein Viertel vom großen Gewinn ist immer noch ein großer Gewinn. Ich sagte ihr, daß sie unbedingt jede Woche daran denken soll, falls ich es einmal zu erwähnen vergaß. Sie konnte die Sache ruhig für verrückt halten, wenn sie nur nicht vergaß, die Scheine abzugeben. Ich war über die neue Aussicht so froh, daß ich den letzten Wein aus der Flasche trank. Im Fernsehen wurde inzwischen Fußball gespielt, ich hätte es gern gesehen, doch wir mußten gehen.

An der Haltestelle warteten einige Leute, weil der vorige Bus ausgefallen war. Klara sagte, daß das ein gutes Zeichen ist, denn es kommt so gut wie nie vor, daß zwei Busse hintereinander ausfallen. Wir gingen ein paar Schritte von der Haltestelle weg, damit wir uns besser unterhalten konnten. Sie erklärte mir noch einmal genau den Weg zur Grenze. Dann sagte sie, daß ihr doch noch etwas eingefallen ist, was ich mitbringen könnte. Sie wollte ein bestimmtes Haarspray haben, und ich versprach es ihr. Sie sagte, das Haarspray, das man hier bekommt, klebt so schrecklich und riecht auch nicht besonders. Ich sagte, daß sie es mir nicht zu erklären braucht, und wenn sie etwas haben möchte, dann bringe ich es eben. Dann spazierten wir noch ein bißchen hin und her, weil es zu kühl war, um lange auf der Stelle zu stehen. Als der Bus um die Ecke kam, erinnerte ich sie noch einmal an die Lottoscheine. Sie umarmte mich und fragte leise, ob ich sie wirklich gern habe. Ich sagte: Ja.

Ich sage dem Richter: »Ich sage Ihnen zum hundertstenmal: ich habe nichts gestohlen. Herr Kreuzer hat mir den Ring und all das andere geschenkt. Wenn Sie ihn endlich holen ließen, wäre das Mißverständnis im Handumdrehen aufgeklärt.«
Ich sehe die Protokollantin gequält das Gesicht verziehen. Die Stimmung unter den wenigen Zuhörern ist gegen mich, das spüre ich deutlich. Ich wünschte, ich könnte jedesmal mit einer neuen Erklärung dafür aufwarten, wie der Ring und all das andere in meinen Besitz gelangt sind. Denn meine ewigen Wiederholungen fangen an, mich selbst zu langweilen. Mir geht durch den Sinn, um wieviel unterhaltsamer es wäre, wenn ich meine Schuld gestehen würde. Aber Kreuzer hat mir den Ring und all das andere tatsächlich geschenkt.
Der Staatsanwalt sagt: »Wenn es zur Gewohnheit wird, daß Gesetzesverletzter die Anklage ein Mißverständnis nennen, dann werden wir uns eine Menge neuer Bezeichnungen einfallen lassen müssen.«
Ich antworte ihm: »Wenn es zur Gewohnheit wird, daß ein Unschuldiger vor Gericht Gesetzesverletzer genannt werden darf, dann . . .«
Ich unterbreche mich und habe das Gefühl, endlich für eine kleine Spannung beim Publikum gesorgt zu haben.
Der Staatsanwalt fragt: »Was ist dann?«
Ich antworte: »Nichts. Ich möchte erst einmal dieses eine Verfahren hinter mich bringen.«
Doch niemand lacht. Der Richter ist mir von allen Anwesenden der angenehmste. Von Beginn der Verhandlung

an habe ich das Gefühl, daß es ihm nur darum geht, hinter meine Schuld zu kommen, auf eine Weise, für die mir kein besseres Wort einfällt als: beteiligt. Er scheint unter der Verantwortung, die er für mich trägt, zu leiden. Manchmal sehe ich ihn in Gedanken versunken. Die Regeln, auf deren Einhaltung in Gerichtssälen sonst streng geachtet wird, wie ich aus der Kunst weiß, bedeuten ihm nichts: als sage er sich, daß Regeln nur dann vernünftig sind, wenn sie die Wahrheitsfindung nicht behindern.
Zum Beispiel ist er nie eingeschritten, wenn ich dem Staatsanwalt ins Wort fiel, oder einem Zeugen. Oder ein Zeuge oder der Staatsanwalt mir. Er hat, wenn der jeweils Unterbrochene ihn schutzsuchend ansah, nur beschwichtigende Handbewegungen gemacht, als befänden wir uns gerade in solchen Augenblicken des Regelverstoßes der Wahrheit ganz nah.
Der Staatsanwalt hatte Mühe, sich daran zu gewöhnen. Vermutlich hat er diese Nachsicht des Richters für eine Großzügigkeit zu meinen Gunsten gehalten. Kaum hatte ich ihn zum erstenmal unterbrochen, blickte er lächelnd zum Richter hinauf und wollte in Schutz genommen werden. Aber der Richter sah ihn gar nicht, er achtete nur auf mich und meinen Einwand. Da fragte der Staatsanwalt laut: »Sollte sich am Ende derjenige durchsetzen, der die lauteste Stimme hat?« Der Richter wartete ein wenig mit der Antwort, wie um sich zu vergewissern, daß ich auch zu Ende gesprochen hatte, zumindest war das mein Eindruck. Dann sagte er: »Wir wollen nicht so kleinlich sein, wenn uns nur das Resultat zufriedenstellt.«
Allein mein Anwalt achtet noch akkurat auf die vorgeschriebenen Formen. Er merkt nicht, in welch prekäre

Lage er mich damit bringt. Leider finde ich nicht die Argumente, die ihm zur Mißachtung der Strafprozeßordnung Mut machen könnten, obwohl ihm jeder hier ein Beispiel gibt. Nie und nimmer hätte ich ihn als meinen Anwalt akzeptieren dürfen. Heute muß ich mich fragen, wo ich meinen Verstand hatte, als er in meine Zelle kam und, bevor er überhaupt mit meinem Fall vertraut war, siegessicher sagte, ich solle mir nur keine grauen Haare wachsen lassen.

Ich flüstere ihm zu, daß wir unbedingt darauf bestehen müssen, Kreuzer in den Zeugenstand zu holen. Er flüstert, fast unhörbar, zurück, dieser Antrag sei bereits gestern von ihm gestellt worden; außerdem habe er das dunkle Gefühl, Kreuzer würde uns nicht viel nützen. Ich antworte ihm: »Ich habe Anspruch auf einen Verteidiger ohne dunkle Gefühle.«

Der Staatsanwalt gibt mir einen Rat: Wenn ich mit ungeteilter Aufmerksamkeit der Verhandlung folgen würde, könnte das einen guten Eindruck aufs Gericht machen. Unsere Abneigung ist längst kein Geheimnis mehr.

Dann fragt der Staatsanwalt mich: »Ist denn nach Ihrer Meinung ein Geschenk wie das, das Sie erhalten haben wollen, üblich?«

Ich verneine, obwohl ich Lust auf eine ellenlange Antwort spüre.

Er fragt: »Haben Sie selbst schon jemandem ein solches Geschenk gemacht?«

Ich sage: »Nein.«

Er fragt: »Aus welchem vernünftigem Grund sollte Herr Kreuzer Ihnen den Ring und all das andere überlassen haben?«

Ich sage: »Ich darf mich wohl nicht auf die Antwort beschränken, daß das allein Herrn Kreuzers Sache ist?«
Er sagt: »Doch, das dürfen Sie.«
Ich sage trotzdem: »Herr Kreuzer und ich waren befreundet. Wir sind es heute noch. Den Ring und all das andere hat er mir aus Zuneigung geschenkt. Ich habe ihn um nichts gebeten, um so größer war meine Freude. Auch ich habe Herrn Kreuzer hin und wieder Geschenke gemacht. Verstehen Sie das aber bitte nicht als Aufrechnung. Freundschaft ist ein vernünftiger Schenkungsgrund, um wieder auf Ihre Frage zurückzukommen.«
Die Wahrheit ist: ich habe Kreuzer seit zehn oder zwölf Jahren nicht gesehen. Ich entsinne mich kaum noch, wie es zu unserer Trennung kam. Streit hat es nie gegeben, das weiß ich. Da klaffte nicht etwa ein Graben plötzlich zwischen ihm und mir, zu breit zum Drüberspringen. Das Meer von Pflichten, in dem jeder von uns damals ertrank, muß uns auseinandergebracht haben. Vielleicht, denke ich, nimmt er mir das übel: daß meine täglichen Angelegenheiten mir keine Zeit ließen, ihm nachzulaufen. Zu Selbstgefälligkeit hat er mitunter schon geneigt, das kann ich sagen, doch war es auszuhalten.
Mein Verteidiger sagt: »Für die gerichtliche Wertung eines Sachverhalts spielt seine Wahrscheinlichkeit keine Rolle. Es ist ohne Belang, ob eine Schenkung wie die hier strittige üblichem Verhalten entspricht. Denn ob sie stattgefunden hat oder nicht, ist schließlich keine Frage der Statistik.«
Ich sehe, wie zwei der Zuhörer, ein kleines altes Ehepaar, den Saal verlassen. Jetzt sitzen, außer uns Beteiligten, noch vier Personen da. Trotzdem gefallen mir die Worte meines Anwalts. Ich wünschte ihnen zwar ein wenig

mehr Lebendigkeit, doch klingen sie mir endlich wie ein Widerstand, wie das Aufflackern einer Kampfeslust.
Mein Anwalt sagt: »Zu einem anderen Thema kurz: Fest steht, der Ring und all das andere waren einmal im Besitz Herrn Kreuzers, jetzt hat sie mein Mandant. Unser Streit geht allein darum, wie der Besitzerwechsel sich vollzogen hat. Wenn wir nun unterstellen, es habe, ganz wie der Herr Staatsanwalt es wünscht, ein Diebstahl vorgelegen, so ist doch automatisch etwas Zweites in Betracht zu ziehen: daß Diebstahl schließlich irgendwann verjährt.«
Der Staatsanwalt sagt: »Aha.«
Ich sage: »Ich möchte meinem Verteidiger gewiß keinen Knüppel zwischen die Beine werfen. Doch hätte ich es lieber, in den Genuß einer möglichen Verjährung erst dann zu kommen, wenn mir die Tat auch nachgewiesen ist.«
Der Staatsanwalt sagt: »Diese Sorge sollten Sie sich nicht auch noch machen, mein Lieber.«
Die vier Leute belachen seinen Witz, der Richter aber blickt sorgenvoll. Ich habe nach wie vor den Eindruck, daß er mich mag. Doch regt es mich allmählich auf, daß alles, was in diesem Raum geschieht, ihn immer sorgenvoller macht. Mein Verteidiger setzt sich wieder, gekränkt für jeden sichtbar. Ich schreibe auf einen Zettel, wie leid es mir tut, ihn ausgerechnet in seinem ersten starken Augenblick desavouiert zu haben. Daß mir aber, da ich nun einmal unschuldig bin, keine andere Wahl geblieben ist. Er liest, dann richtet er einen Blick auf mich, der rufen will: Mensch, wenn ich nicht dein Anwalt wäre!
Der Staatsanwalt sagt, der Gedanke an Verjährung sei wahrlich an den Haaren herbeigezogen. Vorerst habe

man sich mit der Metamorphose zu befassen, die aus einem Dieb einen Beschenkten entstehen lasse. Ob der Zeitpunkt der angeblichen Schenkung identisch sei mit dem des tatsächlichen Diebstahls, das stehe auf einem anderen Blatt. Man werde darauf zurückkommen, alles hübsch der Reihe nach. Wenn er auch gut verstehen könne, sagt er, daß die Gegenseite sich schon jetzt nach einem Platz umsehe, auf den sie möglichst weich falle.

Am Abend sagt mein Zellengenosse zu mir: »Was ich Sie schon lange fragen wollte: wie kommt es, daß man sie wegen eine so kleinen Delikts so gründlich in Haft hält? Bei mir verstehe ich das zur Not, denn wenn alles gegen mich läuft, bin ich am Ende ein Raubmörder. Wie aber verträgt sich eine so strenge Prozedur mit einfachem Diebstahl, um den es doch bei Ihnen geht?«
Ich antworte ihm, daß auch ich das gern wüßte. Aber nach dem Abendessen, das mein Zellengenosse verdrossener als sonst zu sich nimmt, versuche ich, ihm zu erklären, was ich selbst nicht einsehen kann: daß in meinem Fall ein öffentliches Interesse vorliegt. Daß, wie behauptet wird, begründete Gefahr besteht, ich könnte den Ring, der wie ein Ausweis ist, und all das andere zum Nachteil einer Gruppe von Personen verwenden, die der Staatsanwalt *die Allgemeinheit* nennt. Ich sage, so sei das mit mir und meiner Haft, und mein Zellengenosse legt sich auf seine Pritsche und überlegt.

Der dritte Verhandlungstag beginnt mit einer unverständlichen Frage des Richters: »Ja, haben Sie denn keine anderen Zeugen als den Herrn Kreuzer, von denen Sie sich irgendeine Hilfe erhoffen?«

Mein Verteidiger sieht mich ratlos an. Ich fühle mich, obwohl die Frage an ihn gerichtet war, gedrängt, ihm beizuspringen. Da der Ring und all das andere, sage ich, ein Geschenk sind, wie wohl schon hundertmal erklärt, und da es zwischen Freunden nicht üblich ist, sich Geschenke unter Zeugen zu machen, sei Herr Kreuzer der einzige Mensch auf Erden, der die Dinge entwirren und meine Pein beenden könne. Natürlich gäbe es Personen, sage ich, die den Ring und all das andere bei mir gesehen hätten. Nur nützten die uns nichts, weil sie nur etwas bezeugen könnten, das gar nicht strittig ist. Ich sage: »Herrn Kreuzer zu hören wäre für alle die von Nutzen, die die Wahrheit wissen wollen. Rufen Sie ihn doch bitte in den Zeugenstand.«
Als sei es die nebensächlichste Sache von der Welt, sagt der Richter: »Das wird zur gegebenen Zeit geschehen.«
Da tut mein Herz einen Sprung, und ich meine, jetzt kann mir nicht mehr allzuviel passieren. Mein Verteidiger strahlt mich an und schließt die Augen, wie nach einer Mühe, die sich gelohnt hat. Warum aber lächelt der Staatsanwalt? Weil er mir die Vorfreude nicht gönnt?
Die Zuhörerbänke, sehe ich jetzt erst, sind heute bis auf den letzten Platz leer; es stört mich aber nicht, da die Gerechtigkeit schon vor der Tür steht und wartet. Zweifellos ist der Fall einer der langweiligsten. Ich würde auch woanders sitzen, denke ich, wenn dieser Fall nicht ausgerechnet meiner wäre.
Ein Name, der mir nichts sagt, wird gerufen. Ein gelbhaariger, korpulenter Mann kommt herein und stellt sich hin. Von Beruf, gibt er an, sei er Goldschmied und Juwelier. Der Staatsanwalt fragt ihn, ob er mir schon begegnet sei, und zeigt dabei mit beiden Zeigefingern auf

mich. Der Mann sieht lange zu mir her, seine Augen werden Schlitze, und der Mund geht ihm auf und zu. Dann kommt Erkennen auf sein Gesicht, er nickt. Ich kann mich beim besten Willen nicht an ihn erinnern, warte aber lieber.

Der Mann, vom Staatsanwalt weiter befragt, erzählt, ich sei vor längerer Zeit in sein Geschäft gekommen und hätte ihm einen Ring zum Kauf angeboten, einen Goldring mit drei Opalen und einem Bergkristall. Er habe, da es immerhin ein größeres Objekt gewesen sei, den Ring für einen Tag zur Prüfung dabehalten, gegen Quittung. Am nächsten sei ich wiedergekommen, und wir hätten den Kauf perfekt gemacht.

Der Staatsanwalt fragt mich: »Stimmt das?«

Ich sage: »Ja.«

Mein Verteidiger hat keine Fragen an den Zeugen, stattdessen sieht er mich entsetzt an. Er flüstert, wie ich ihm das nur verschweigen konnte, und ich flüstere, ich hätte ihm ja auch verschwiegen, daß ich einmal als kleiner Junge fast überfahren worden wäre.

Vor ungefähr acht Jahren brauchte ich dringend Geld, ich zog gerade um. Ich durchstöberte meinen Besitz nach etwas Verkäuflichem, fand nichts als eben diesen Ring, ein Erbstück, und versilberte ihn auf die beschriebene Art. Ich kann nicht sehen, wo da ein Nutzen für die Sache des Staatsanwalts liegen sollte. Aber auf einmal ist mir unwohl: Welch verrückte Mühe muß aufgewendet worden sein, um diesen Mann zu finden! Wozu? Für wen halten die mich denn, frage ich mich auf einmal, daß sich solcher Aufwand lohnt?

Der Richter fragt, ob ich Anmerkungen zum eben Gehörten machen möchte, in einem Ton, als halte er das für

dringend geboten. Ich stehe auf und sage: »Den Ring, von dem soeben die Rede war, hat mir mein Vater hinterlassen. Er hat nicht das Geringste mit Kreuzers Ring zu tun. Wer will mir aus dem Verkauf von etwas, das mir gehört, einen Strick drehen?«
Der Richter sagt bekümmert: »Niemand.«
Ich sage: »Am Ende wird hier noch bewiesen werden, wie oft ich in der Badeanstalt gewesen bin, wie oft ich mir die Fingernägel schneide, wie oft ich mich verliebe. Wen geht das etwas an? Zu gern würde ich wissen, ob im Vorgehen des Herrn Staatsanwalts ein Sinn steckt, den auch ein anderer als nur er erkennt.«
Der Staatsanwalt sagt: »Das wird sich spätestens bei der Urteilsverkündung herausstellen.«
Mein Verteidiger sagt: »Ich bitte für meinen Mandanten um Entschuldigung. Die Aufregung ist es, sonst nichts.«
Der Staatsanwalt sagt: »Aber es macht mir nichts aus, mich zu erklären, bitte: Nie habe ich behauptet, der goldene Ring mit den Opalen und dem Bergkristall sei derselbe wie der von Kreuzer. Wo der Ring von Kreuzer doch in Ihrer Wohnung gefunden wurde«, sagt der Staatsanwalt zu mir, »im hintersten Winkel Ihres Schreibtischs. Ich wollte, um es klar zu sagen, nur auf die Gewohnheit des Angeklagten deuten, hin und wieder Ringe zu verkaufen.«
Ich schreie: »Was heißt hier hin und wieder? Was heißt hier Ringe? Wie kommen Sie zu diesem Plural?«
Der Richter sagt: »Na, na.«
Mein Verteidiger flüstert: »Um Himmels willen, nehmen Sie sich zusammen, Mann. Sie werden uns noch alles verderben.«

Der Staatsanwalt sagt: »Ich erkläre hiermit, daß mir kein anderer Ringverkauf des Angeklagten bekannt ist, als dieser eine.«
Mein Verteidiger sieht ihn überwältigt an, und der Staatsanwalt sonnt sich ein wenig in seiner Versöhnlichkeit. Auf die Frage des Richters hin, ob er weitere Zeugen zu vernehmen wünsche, blättert er in seinen Papieren. Jeder mögliche Zeuge ist eine Seite, so scheint es. Er überlegt kurz, blättert weiter, als brauche er all die Zeugen gar nicht mehr für seine schon gewonnene Sache. Mein Verteidiger hört nicht auf, ihn anzuhimmeln. Ich sage leise: »Sie hätten wohl lieber ihn zum Mandanten als mich.«
Mein Verteidiger seufzt und antwortet: »Wie recht Sie haben.«
Da packt mich eine große Wut, und ich wehre mich nicht dagegen. Denn ich erkenne, daß dieser Kerl mir überhaupt nichts nützt, daß er schlecht und lieblos die Rolle meines Verteidigers spielt, während er von einer besseren träumt. Ich stehe auf und sage laut: »Mein Verteidiger hat mir soeben erklärt, er würde viel lieber als meine Sache die des Herrn Staatsanwalts vertreten.«
Da herrscht verblüffte Stille. Der Blick der Protokollantin, die sich in ihrer Arbeit auf das Hörbare zu beschränken hat, wandert von einem Gesicht zum nächsten. Der Staatsanwalt ist nicht nur erfreut. Ich sehe meinen Verteidiger, er tut mir auch ein wenig leid. Er erhebt sich unglücklich, schließlich ist er der Betroffene. Er steht, als warte er auf irgendeine Hilfe. Als die Peinlichkeit schon groß ist, sagt er, er bitte um Verständnis dafür, daß er sich unter diesen Umständen außerstande sehe. Der Richter nickt und unterbricht die Verhandlung für eine Stunde. Ich habe keinen Verteidiger mehr.

In dem kleinen Raum, in dem ich während der Verhandlungspausen mit meinem Anwalt sonst ungestört sein durfte, spaziere ich auf und ab. Auf dem Tischchen steht Tee, den ich Kaffee vorziehe. Ich suche nach klaren Gedanken und kann nur einen einzigen finden: Kreuzer wird kommen, dann ist es überstanden.
Es klopft, der Richter kommt herein. Er sagt, eigentlich sei es nicht in Ordnung von ihm, mich in der Pause unter vier Augen aufzusuchen. Dann setzt er sich und fragt, ob ich mir einen neuen Anwalt zu suchen wünschte, bevor es weitergehe. Ich sage: Nein. Ob ich wenigstens, fragt er dann, eine Korrektur an meiner starren Haltung nicht doch für ratsam hielte, irgendeine. Ich verstehe nicht, was er meint, doch da es nichts für mich zu korrigieren gibt, frage ich ihn nicht danach. Ich sage: Nein.
Er sagt, daß ich mich ungeschickt verhalte. Ich sage, daß für das Urteil hoffentlich nicht so sehr der Grad meiner Geschicklichkeit von Bedeutung sei wie die Größe meiner Schuld. Er steht auf. Er sagt, ich dürfe nicht vergessen, daß es Menschen seien, die das Urteil zu fällen hätten, in unserem Falle er. Dann geht er, ich trinke Tee und denke wieder an das nahe Ende.
Nach der Pause diktiert der Richter ins Protokoll, daß ich den Fortgang der Verhandlung ausdrücklich so wünschte. Dem Staatsanwalt unterläuft eine Geste der Ungeduld – er trommelt während des Diktats hörbar auf den Tisch. Der Richter muß ihn ansehen, bis er ruhig sitzt, allerdings wie jemand, dem eine Sache viel zu lange dauert.
Dann sagt der Richter: »Der Zeuge Kreuzer bitte.«
Es kommt ein Mann herein, den ich noch nie gesehen habe. Er sieht mich, wobei er zu seinem Platz geht,

aufmerksam an, nur mich. An der kleinen Barriere bleibt er stehen und muß den Blick von mir losreißen. Auf die Frage nach seinem Namen antwortet er: »Kreuzer.«
Ich sage: »Aber dieser Mann ist nicht Kreuzer.«
Der Staatsanwalt sagt: »Das wird ja immer schöner.«
Der Richter sagt: »Aber Angeklagter.«
Der Mann erzählt, wie Kreuzer und ich uns kennengelernt haben, und er erzählt es richtig. Während er spricht, versuche ich, mich an Kreuzers Stimme zu erinnern. Als wäre es ein Beweis, wenn ich sagen könnte: Kreuzers Stimme hat anders geklungen. Doch ich kann sie nicht finden. Ich sehe ihm ins Gesicht, er steht nicht ungünstig, etwa sechs Meter von mir entfernt. Immerhin, denke ich, habe ich ihn zehn oder zwölf Jahre nicht gesehen. Dann denke ich: Unsinn, ich habe Kreuzer zehn oder zwölf Jahre nicht gesehen, nicht den hier. Das Alter könnte stimmen, die Größe auch, fast alle Männer sind mittelgroß. Aber die Nase war doch anders, denke ich, die Nase.
Der Mann schildert den Verlauf meiner Bekanntschaft mit Kreuzer, die er unsere Bekanntschaft nennt. Er erwähnt, daß Kreuzer mir einmal das Leben gerettet hat, als mir mitten auf einem See schwindlig wurde. Ich weiß den Tag noch genau, nicht weit von uns flogen Wasservögel von meinem Hilfegeschrei auf. Am Strand saß eine Frau in grünem Badeanzug, vor der ich mich für meine Schwäche schämte. Kreuzer zwang mich, flach zu liegen und tief zu atmen, und lächelte ihr zu. Dann erzählt der Mann vom Ende unserer Beziehung, das er herbeigeführt habe, aus Gründen, die, seiner Meinung nach, nicht hierhergehörten.
Der Mann sagt, er habe den Verlust des Ringes und all

des anderen bis heute zwar nicht verschmerzt, doch nie in einen Zusammenhang mit mir gebracht. Er beschreibt seine Empfindungen, als man ihn holte, um die Gegenstände zu identifizieren; wie er glücklich vor seinem Eigentum gestanden habe, berichtet er, und dann, als mein Name genannt worden sei, starr vor Entsetzen.
Ich denke: Für wen lügt er so. Und wo ist Kreuzer. Oder, denke ich, wenn er am Ende wirklich Kreuzer ist nach all den Jahren – kann er sich wirklich nicht erinnern, wie es war. Oder hat er mir gar, so frage ich mich plötzlich, den Ring und all das andere nur geschenkt, um es heute bestreiten zu können. Oder bin ich verrückt?
Ich beteilige mich nicht mehr. Ich nehme mir vor, bis zum Urteilsspruch nicht mehr zuzuhören. Das ist nicht leicht, wie ich gleich merke. Sie sprechen und fragen sich und antworten sich, und ich versuche die Methode, innerlich zu singen. Das geht, ich höre nur noch einzelne Worte, die keinen Zusammenhang ergeben. Dann sehe ich den Mann hinausgehen. Ich werde etwas gefragt und schüttle, auf gut Glück, den Kopf. Der Staatsanwalt beginnt zu sprechen. vielleicht hält er sein Plädoyer. Ich singe innerlich das Lied *Ännchen von Tharau.* Wenn der Staatsanwalt, der immer noch spricht, fertig ist, wird sich der Richter vielleicht zur Urteilsfindung zurückziehen. Ich werde dann hoffen, daß er dahinterkommt, was sich tatsächlich zugetragen hat.

New Yorker Woche

1. Tag

New York fängt gut an, das Flugzeug muß 50 Minuten über dem Kennedy-Airport kreisen, weil nach dem Schneesturm keine Landebahn für uns frei ist. Ich schaue aus dem Fenster und möchte gern ergriffen sein bei dem Gedanken: Das da unten also ist New York.
Es ist Abend und wolkig, ich weiß sofort, daß ich nie zuvor so viele Lampen auf einmal habe brennen sehen. Zu einem besonders hellen Strich denke ich mir das Wort *Broadway*. Nach zwanzig Minuten Kreisen ist das Licht aber nur noch das Licht. Nicht einmal mehr die Kinder schauen aus den Fenstern.
Mein Visum verrät mich als einen, der nicht zur Einwanderung berechtigt ist. Der Paßbeamte studiert es lange. Dann fragt er mich, ob ich wirklich nicht hierzubleiben vorhabe. In seiner Stimme klingt unüberhörbar mit: Na los, sag schon, wir sind unter uns. Ich bin froh, weil ich den Sinn seiner Worte sofort verstehe. Ich lächle und schüttle den Kopf, er kann beruhigt sein. Denke aber im nächsten Augenblick: Woher will ich das jetzt schon wissen?
Der Zollbeamte fragt mich, welche Schriften ich mit mir führe. Ich unterdrücke die Antwort, daß ihn das einen Dreck angeht, wie ich es seit vielen Jahren von zu Hause her gewohnt bin. Ich sehe ihm deutlich an, daß er meinen Koffer untersuchen wird, was immer ich sage. Ich zeige ihm freiwillig meine Manuskripte und eine Taschenbuchausgabe des Talmud, die ich mir als Lektüre für Amerika

vorgenommen habe. Sein Blick wird wohlwollend, als hätte er einem wie mir das gar nicht zugetraut, vielleicht ist er Jude.

2. Tag

Von Amerika-Kennern ist mir dringend geraten worden, nie mehr als zwanzig Dollar bei mir zu tragen, und sie jedem Räuber auf Verlangen sofort zu geben. Kühn halte ich aber 45 Dollar in der Tasche sowie den Schlüssel zum Hotelsafe. Dort liegt der Rest des Geldes, dazu mein DDR-Paß, ja auch ein Wertstück.

Das erste Problem, als ich am Morgen auf die Straße trete: ich kenne die Umrechnungsformel von Fahrenheit auf Celsius nicht. Es ist kalt, doch ich weiß nicht wie kalt. Ich weiß nicht, wie sehr ich zu frieren habe, das soll kein Witz sein. Ich vermute, daß man in gleichem Maße nach dem Thermometer friert, wie man etwa nach der Uhr hungrig wird; eine Art Opportunismus der Empfindungen.

Ein zweiter Rat ist, in New York soll ich laufen, laufen. Ich laufe also los und komme mir schon an der ersten Kreuzung wohlberaten vor. Ich erkundige mich nicht nach der Richtung, weil ich in jede gehen möchte.

Die Verwahrlosung der Stadt trifft mich nicht unvorbereitet. Dennoch habe ich das Gefühl, einen Rekord zu sehen: das Äußerste, was sich an Verwahrlosung rausholen läßt. Ich frage mich, was erst in jenen Vierteln los ist, vor denen man mich gewarnt hat. Ich stecke Münzen in eine Sammelbüchse, die mir den Weg versperrt. Eine junge Frau lächelt so unwiderstehlich, wie ich noch nie auf offener Straße angelächelt worden bin. Ich habe keine Ahnung, für welchen Zweck sie sammelt; ich kann mich nicht entschließen, mein Wörterbuch hervorzuholen und mir den Satz, der um ihren Hut herumgeschrieben ist, ins Deutsche zu übersetzen. Zehn Minuten lang beobachte ich aus sicherer Entfernung, wer noch Geld spendet: nicht einer.

In einer stillen Nebenstraße drehe ich mich ein paarmal um, doch niemand folgt mir. Die Feuerleitern an den Hausfassaden sind alte Bekannte, ich kenne sie, seit ich ins Kino gehe. Auf einmal wird mir der Spaziergang schwer: ich habe die Wahl, mir entweder zwischen einer Unzahl von Mülltonnen und Abfallsäcken den Weg zu bahnen oder die Straßenseite zu wechseln. Dazu müßte ich aber eine meterhohe Barriere aus dunkelgrauem Schnee überwinden, also kehre ich um. Ich komme zurück auf den Broadway und kaufe mir einen Stadtplan. Ich finde darauf die Stelle, an der ich mit dem Stadtplan stehe.

Nach dem Mittag spaziere ich weiter, doch mit Augen, die nur noch eine Art Notdienst leisten; als sei im Depot für erste Eindrücke kein Platz mehr. Spät abends geht im Fernsehen das Zeitalter von Muhammad Ali zu Ende, der neue Mann heißt Spinks. Ich denke, daß doch nicht ein neues Zeitalter begründen kann, wem alle Schneidezähne fehlen.

Im Bett weiß ich noch lange nicht, was New York zu bedeuten hat. Ich sage mir: Ist ja normal, du bist hier nicht in Jena. Ich finde es selbst ein wenig lächerlich, mir so verloren vorzukommen.

3. Tag

Beim Frühstück eine Show im Fernsehen, in der dreimal gebetet wird: einmal für George Foreman, einen untergegangenen Boxer, einmal für ein gelähmtes Mädchen, das blankgeputzt in seinem Rollstuhl vor der Kamera sitzt, einmal für ganz Amerika. Ich schalte aus und wieder ein, ich will das bis zum Ende sehen. Hämische Urteile gehen mir im Kopf herum. Das in Mitteleuropa, denke ich, und dann ein Kritiker sein. Dann die Frage: Aber haben die nicht alles durchgerechnet? Brauchen die denn nicht einen bestimmten Standard, um den Preis für die Werbesekunde hochzuhalten? Am Ende steht schon lange fest, daß so die wahre Show geht, nur bis zu uns da drüben hat es sich noch nicht herumgesprochen?

Mir fällt auf, wie oft ich plötzlich EUROPA denke, ein Wort, das mir zuvor kaum in den Sinn gekommen ist. Bis hierher gab ich mir immer viel detailliertere Namen: ich war Berliner, ich war Köpenicker. DDR-Bürger. Ein Deutscher – das kam mir schon exotisch vor. Und auf einmal bin ich Europäer, nicht weniger.

Vor allem laufen. Wenn ich etwas kaufen möchte und viel Zeit mit meinem Englisch brauche, hat man Geduld mit mir. Es ist keine Schande hier, nicht gut englisch zu können. Im Reisebüro vor mir zum Beispiel ein steinalter Mann und seine Frau, die nach Las Vegas möchten. Das Englisch der beiden ist verwegen, das höre sogar ich, es ist schlechter noch als meins. Dabei kein Zweifel, daß sie Amerikaner sind, man sieht es schon an ihren Jacken. Ich überlege, warum der Angestellte nicht auch mich für einen Amerikaner halten wird.

Oben auf dem Empire-State-Building stecke ich ein paar-

mal zehn Cents in das Fernrohr und suche im Dunst nach den weltberühmten Sehenswürdigkeiten. Auf der Balustrade finde ich ein Herz, gemalt mit dickem blauem Filzstift. Ich denke sofort an zu Hause, an Baumrinden, an Kiefern im Wäldchen hinter der Brücke, an ein bestimmtes Mädchen. Als liege meine Erinnerung nur so auf der Lauer, als sei ihr kein Anstoß zu gering. Später lese ich die Inschrift in dem blauen Herz: 2. Februar 78, Harry & Henry.
Laufen. Auf der Straße nach dem Mittag spricht mich eine Schwarze an, in meinem Ledermantel, mit meinem Pelzkragen. Sie lädt mich zu sich ein, sie wohnt nicht weit. Sie nennt mir einen Preis, der wie ein Geschenk ist, gemessen an dem Preis für das Hotelzimmer. Sie ist hübsch. Ich habe noch nie eine schwarze Frau gehalten, nur manchmal habe ich daran gedacht, zuletzt auf dem Herflug. Zweimal drehe ich mich um nach ihr, sie hat mich aber schon vergessen.

4. Tag

Ein Bekannter führt mich durch das UN-Gebäude. An einer Wand im Erfrischungsraum hängt ein riesiger Teppich, ein farbiges Geschenk der Volksrepublik China. Es stellt ein Stück Chinesische Mauer dar, die zieht sich über sanfte Berge. An irgendeiner Stelle, gerade noch erkennbar, drei parkende Autos. Wie kommen die da hin, mitten ins Gebirge? Weil der Teppich aus China ist, vermutet man eine besondere Bewandtnis, hat sie bisher aber nicht finden können.
Auch die DDR hat den Vereinten Nationen ein Ge-

schenk gemacht, die Plastik *Der Aufsteigende* von Fritz Cremer. Ich erkundige mich natürlich nach dem Standort. Da draußen, sagt mein Führer und zeigt in Richtung des East River. Durch das Fenster sehe ich nichts als Schnee.

Man sagt mir, daß in der 47. Straße die orthodoxen Juden ihre Diamantenläden haben. Die Straße finde ich, die Läden finde ich, die orthodoxen Juden nicht. Die Namen über den Geschäften: Katz, Finkelstein, Geländer, Breslauer. Ein koscheres Restaurant, vor dem ich nach viel Fragerei stehe, sieht aus, als sei es seit Jahren geschlossen. Ich wollte gern zum erstenmal im Leben so essen, wie mein Vater es mir erzählt hat.

In einem Café esse ich statt dessen Apple-Pie, die ich bisher nur von Schallplatten kannte. Beim zweiten Glas Tee habe ich das Gefühl, schon einmal hiergewesen zu sein. Es beginnt bei der ältlichen Bedienung hinter der Theke, die mich anlächelt wie jeden Kunden, aber doch etwas Vertrautes im Blick hat, sie muß auf mich gewartet haben. Ich würde wetten, daß sie tüchtig ist, rechtschaffen und grundehrlich, der Satz in meiner Vorstellung lautet: Sie hat es nicht leicht im Leben. Links von mir an der runden Theke sitzt die hübsche Junge, die sich vom Einkauf ausruht. Ihr kleines Gebirge aus Paketchen. Ich schließe die Augen und überlege, was ich sehen werde, wenn ich den Kopf wende. Den Spielautomaten. Ich finde ihn tief hinten im Raum, auch die zwei Burschen davor. Aber das Klavier ist nicht da, somit auch nicht der Mann am Klavier. Und nicht die Zigarette in seinem Mund. Und wo ist der Fremdling, der hier nichts zu suchen hat?

Die Junge geht nach vorne, auf spindeldürren Beinen,

und zahlt beim Kassierer. Dann kommt sie zurück, legt Trinkgeld auf die Theke, zieht ihren Mantel an, behängt sich mit den Päckchen. Sie ruft: Bye, bye, Millie. Natürlich! schießt es mir durch den Kopf, Millie, das ist der Name. Ich ärgere mich, daß ich nicht vorher draufgekommen bin. Millie wünscht der Jungen ein hübsches Wochenende. Wie lange ich Millie schon kenne. Millie holt das Trinkgeld ein. Sie wischt den Platz der Jungen sauber und legt ein frisches Gedeck auf. Sie lächelt neuen Gästen zu. Ein Opa und sein Enkel kommen herein, der Opa ein klein wenig wie Spencer Tracy. Deutlicher aber der Enkel wie dieser kleine Bursche aus der Serie *Flipper*, nur daß er abstehende Ohren hat.
Ich will nicht glauben, daß all die Filme, die plötzlich durcheinander da sind, auf so wunderbare Weise realistisch gewesen sein sollen. Wahrscheinlicher kommt mir vor: Ich erlebe Beweise für die Wirkung von Kunst.

5. Tag

Im Madison Square Garden spielen die *Harlem Globetrotters*, ich bin da. Als Vierzehnjähriger habe ich sie ihre Späße mit dem Basketball treiben sehen, und ein halbes Jahr lang träumte ich davon, ein *Globetrotter* zu werden. Schon vor der Vorstellung weiß ich, daß sie keinem Vergleich mit früher standhalten werden. Doch bin ich da, als müßte ich es unbedingt nachprüfen. Ich bin sogar vor Aufregung viel zu früh da.
Auf dem Spielfeld werfen sich die anderen Spieler ein, die Gegner. Es nützt ihnen nichts, sie werden verlieren. Nicht weit von mir sitzt eine Frau mit ihrer Tochter, die

etwa acht Jahre alt ist. Die Frau interessiert sich nicht für Basketball, sie ist nur dem Kind zuliebe gekommen. Ihr Gesicht drückt Opferbereitschaft aus. Das Mädchen ist unförmig dick. Es knabbert Popcorn. Seine Bewegungen kommen mir bald wie die einer Maschine vor: Die eine Hand ist ein unbewegliches Teil, sie muß die Schachtel halten. Die andere steckt Popcorn in den Mund, immer in den rechten Mundwinkel, fährt dann zurück in die Schachtel, kommt mit neuer Ladung heraus, steht zwei Sekunden wartend vor dem Mund, der noch kaut, findet dann Einlaß, lädt ab, zurück zur Schachtel.
Vor dem Spiel die Nationalhymne, die mitten in der Halle von einer Berühmtheit gesungen wird. Das Kind läßt sich nicht stören. Es steht zwar wie wir alle auf, doch arbeiten Hand und Mund pausenlos weiter. Es hat bläuliche Flecken im Gesicht, die aber nicht von Schlägen kommen.
Dann hat das Kind die Pappschachtel leergegessen und wirft sie unter den Sitz. Es dreht den Kopf zur Mutter und sagt: Popcorn. Die Mutter beugt sich zu ihm und flüstert etwas, das bestimmt eine Ablehnung ist. Das Kind hält sich nicht lange auf mit ihr. Es hebt den Kopf und sucht die Tribüne ab. Viele Reihen tiefer entdeckt es einen Popcorn-Verkäufer. Das Kind schreit: Popcorn! Es klingt wie: Hilfe! Der Verkäufer kommt die Stufen hoch. Zu seiner Orientierung hebt das Kind die Hand. Als er nur noch wenige Schritte entfernt ist, sagt es noch einmal, jetzt leiser: Popcorn.
Der Verkäufer gibt dem Mädchen eine Schachtel. Die Mutter bezahlt widerspruchslos. Dann ruft sie den jungen Mann zurück und kauft noch ein zweites Paket, das Spiel hat eben erst begonnen.

Das Kind arbeitet sich durch die neue Schachtel hindurch wie durch die vorige, doch es verfolgt das Spiel. Sein Gesicht ist todernst, obwohl die Zuschauer ihren Vorderleuten vor Lachen auf die Schultern schlagen. Einmal ruft das Kind, mitten aus dem Kauen heraus: Mahoney, he, he, he! Ich sehe, daß Mahoney einer von denen ist, die gegen die *Globetrotters* spielen.

6. Tag

Im Omnibus sehe ich, wie eine Frau ihre Brille mit einer Fünf-Dollar-Note putzt. Ich vermute, daß man es in New York sich schneller als anderswo abgewöhnt, verwundert zu sein über das, was man nie zuvor gesehen oder gehört hat. Schon vor zwei Tagen, als ich aus dem Eishockey-Stadion kam, fand ich nichts dabei, als der Taxifahrer mich fragte, wie die Motherfucker gespielt hätten. Er konnte nur die *New York Rangers* meinen, ich antwortete ihm: beschissen.

Man nimmt mich mit zum Gottesdienst nach Harlem.

Sieh dich vor in Harlem, ist auch ein Rat. Geh nicht durch die Straßen, als hättest du Angst. Du weißt, vor allem die Furchtsamen werden gebissen. Verbirg dein klopfendes Herz. Viel lieber, als in Harlem zu sein, möchtest du es doch hinter dir haben? Die in Harlem haben keine Hemmungen, vergiß das nicht einen Augenblick lang, in Harlem fühlen sie sich stark. Und dann du mit deinem Pelzkragen. Und streunende Hunde soll es geben, die sollen sich zu Rudeln zusammengetan haben, die sollen nach vierzig Tagen Frost vor nichts zurückschrecken.

Die Kirche ist ein ehemaliges Kino. Reverend Walker ist eine bekannte Persönlichkeit, der Raum ist bunt. Die Besucher scheinen mir übertrieben gut angezogen. Mein Bekannter sagt, sie lebten von Sonntag zu Sonntag. Auf dem Podium vorn, das den Eindruck einer Bühne ohne Vorhang macht, stehen drei Chöre in Kostümen wie die College-Teams: Grün-Gold, Grün-Weiß, Braun-Braun. Ich tippe auf Braun-Braun; dann rufe ich mich zur Ordnung, indem ich mich daran erinnere, daß meine Schwierigkeiten mit Kirchen nicht an Harlem liegen.
Der Gesang geht los, und ich warte ungeduldig auf diese angenehme Stimmung. Ich habe Mahalia Jackson im Ohr und das Golden Gate Quartett und Sister Rosetta, doch die bleiben weit. Trotzdem nicht schlecht, denke ich, ein bißchen davon spürt man immerhin, und sitze da wie ein Konzertbesucher, der nicht enttäuscht sein will.
Dann predigt Reverend Walker. Eine Weile versuche ich gar nicht erst, ihn zu verstehen, ich sehe nur der Predigt zu. Er weiß, wie man sich zu bewegen hat, so vorne. Er arbeitet viel mit Blicken. Seine Pausen sitzen wie Pausen in einem Musikstück. Er hebt und senkt die Stimme auf eine Art und Weise, die jeden seiner Sätze wie eine Offenbarung klingen läßt. Aber die Besucher sind echt, da ist kein Zweifel, sie leben von Sonntag zu Sonntag.
Nach einiger Mühe finde ich die Eingangstür zur Predigt. Reverend Walker spricht über die Allmacht des Herrn. Er gibt ein Beispiel, für das mir Vokabeln fehlen, sein zweites Beispiel kann ich leicht verstehen: der Herr ist in der Lage, Krebs zu heilen. Reverend Walker kennt einen Fall, an dem die besten Spezialisten sich die Zähne ausgebissen haben. Erst die Hinzuziehung des Herrn brachte

Rettung. Er trifft sich heute noch manchmal mit der Frau, sie wohnt nicht weit.
Eindruck macht mir, daß während der Predigt kein atemloses Schweigen herrscht. Andauernd wird dazwischengerufen. Doch nie, finde ich dann heraus, eine Ansicht, eine entgegengesetzte gar. Stets sind es Worte, die Rükkenwind für den Reverend sein sollen. Ja, ja! Oder: Genau so ist es! Oder: Oh, Lord! Oder: Wie wahr du sprichst! Die Stimmung erinnert mich an meine alten Parteiversammlungen, nur daß es dort natürlich disziplinierter zugegangen ist.
Auf einmal sagt der Reverend: Er sieht, daß wir heute eine Anzahl Gäste in unserer Runde haben. Die Gäste sollen aufstehen. Jeder von ihnen soll sagen, wer er ist und woher er kommt. Als ich an der Reihe bin, nenne ich ein seltsames Herkunftsland: *Germany*. Ich weiß ja gar nicht, was dieses Wort bedeutet, und sage es trotzdem. Die Leute vor mir, Westdeutsche, haben auch gesagt: *Germany*. Und ich hatte das Gefühl, daß mein korrektes *German Democratic Republic* wie eine Zurechtweisung klingen würde, die nicht hierhergehört.
Wieder wird gesungen. Alle greifen sich an den Händen. Bevor ich mir wie ein Loch in der Kette vorkommen kann, werde ich von meinen beiden Nachbarn an meinen beiden Händen gehalten. Ich bewege lautlos die Lippen, denn ich will nicht der einzige sein, der den Text nicht kennt. Auch die Westdeutschen singen, aber sie sind Theologen. Mit meinem Tip liege ich richtig, Braun-Braun sind die besten. Ich weiß, daß ich nicht hätte herkommen dürfen; wenigstens bin ich für den Rest meines Lebens zum Gottesdienst in Harlem gewesen.

7. Tag. Abfahrt

Du kommst in eine neue Stadt: du hast vorher viel über sie gehört, dein Kopf ist voll von mitgebrachten Richtersprüchen. Du stellst fest, daß jedes deiner Vorurteile sich belegen läßt, ohne große Mühe eigentlich, an jedem einzelnen ist etwas dran. Du sammelst Beobachtungen wie Beweise. Du willst dir zeigen, wie gut du die Stadt schon kanntest, bevor du dort gewesen bist. Du bringst es fertig. Das Resultat ist eine verlorene Woche, die sonstwas hätte werden können.

Im letzten Autobus fragst du dich, wie du dazu kommst, mit einer Strichliste durch die Straßen zu ziehen, den Bleistift zum Abhaken in der Hand: Richtig, Armut. Richtig, Rassenprobleme. Richtig, Kriminalität. Eine tadellose öde Reihe von Rubriken. Was, so fragst du dich, hast du dich unentwegt abzuplagen für das längst Bewiesene? Wer hat dich beauftragt mit diesem sterbenslangweiligen Job? Dein Gewissen? Lächerlich. Kommst hier an mit dem festen Vorsatz, nicht nur die Oberfläche zu sehen, und die Folge ist: du siehst gar nichts.

Jetzt ärgerst du dich, daß du nicht eine Sekunde versunken bist in der aufregenden Stadt. Daß du dich nie hast fallenlassen, wo soviel Gelegenheit war. Dabei hast du sie nicht etwa übersehen, die Gelegenheiten. Jedesmal hast du den Schritt beschleunigt, bloß weg. Ohne nachzudenken, hast du gedacht: Wo soll das hinführen? Und jetzt fragst du dich, wohin das führen soll. In den langweiligen Augenblicken hast du die Augen schön offengehalten. Du wolltest immer nur sehen, was alle schon wissen, und nie was keiner weiß.

Plötzlich fürchtest du um deine Fähigkeit, aufgeregt zu

sein. Stellst dir jemanden vor, der sich unentwegt vor dem Überraschenden hütet. Der sich alles im Voraus ausrechnet, und der dann versucht, so zu leben, daß die vorher gemachte Rechnung stimmt.
Vielleicht komme ich irgendwann noch einmal nach New York, das wäre gut. Vorerst fahre ich mit dem Autobus zum Flughafen La Guardia. Ich habe einen Fensterplatz und mache die Augen zu, sobald Schwarze zu sehen sind, verwahrloste Straßen, Polizisten, Weiße, Reklameschilder, Verkehrschaos.

Ohio bei Nacht

Der Abschleppwagen kommt unglaublich schnell, nicht einmal zehn Minuten nach meinem Anruf. Dabei ist es Nacht, von Sonnabend auf Sonntag. Der junge Mann ist hellblond und hat einen Mädchenmund. Mein Angebot, ihm mit Handgriffen, die er nur zu sagen braucht, zu helfen, lehnt er verwundert ab. Ich nenne ihm unseren Zielort, und er denkt kurz über den besten Weg dorthin nach, wobei er lautlos die Lippen bewegt. Während er arbeitet, sehe ich, daß es nichts zu helfen gibt. Auf meine Frage nach der Entfernung antwortet er: Eine Stunde vielleicht. Ich zeige ihm die Mitgliedskarte meines Automobilclubs, so sind die ersten sieben Meilen gratis.

Als ich neben ihm im Fahrerhaus sitze, sagt er in ein Sprechfunkgerät hinein, daß wir nun losfahren. Nach ein paar Metern steckt er sich Bonbons in dem Mund, eine Handvoll. Dann unterhält er sich mit mir. Er fragt, woher ich komme, doch nicht, um meine Antwort zu hören. Er will nur den Gesprächsanfang hinter sich haben. Er beginnt zu erzählen, als gehöre die Unterhaltung des Abschleppkunden während der Fahrt zum Service seiner Firma. Er spricht langsam und fragt in regelmäßigen Abständen, ob ich ihn gut verstehe. Ich nicke jedesmal, auch dann, wenn mir ein paar Vokabeln fehlen. Doch er hört nicht so bald auf, sich zu erkundigen.

Den Job hier, sagt er, macht er nur vorübergehend, allerdings schon ziemlich lange, beinahe zwei Jahre. Davor hat er studiert, eine Weile Volkswirtschaft, und an einem Kurs für Buchhaltung teilgenommen. Er weiß einen deutschen Vers auswendig: *Morgen, morgen, nur nicht heute, sagen alle faulen Leute.* Er stammt aus einem kleinen Ort im Süden von Illinois, der Name würde mir nichts sagen. Sein Bruder lebt heute noch dort. Nach seiner Überzeugung sind die Leute in Europa viel mehr an einen Ort gebunden als die Leute in Amerika. Manchmal hält er das für einen Nachteil, manchmal für einen Vorteil, er will noch darüber nachdenken. Er kennt Europa, wenn auch nicht besonders gut: vor ein paar Jahren hat er als Soldat an einer Militärübung in Belgien teilgenommen, drei Wochen. Außerdem hat er sich eine Zeitlang für Europa interessiert, ohne besonderen Grund, und viel gelesen. Wenn er je wieder eine Reise dorthin machen sollte, wird er unbedingt Rom, Athen und Heidelberg besuchen. Sein Vater hat eine kleine Pelztierfarm hinterlassen, die existiert noch heute. Der Bruder betreibt sie. Sie gehört auch ihm, zu einem Drittel, doch er ekelt sich schrecklich vor den Tieren. Der Arzt nennt seine Abneigung eine Phobie, ob ich das Wort verstehe. Als er noch Kind war, hat ihm ein Nerz den Mittelfinger abgebissen. Das dritte Drittel der Farm gehörte ursprüglich der Mutter, aber sein Bruder hat sie ausgezahlt. Und er selbst kann schließlich nicht verlangen, daß die Farm verkauft wird, nur weil ihm ein Finger fehlt. Der Bruder schickt ihm vierteljährlich seinen Anteil an den Einkünften. Die Mutter hat in den Süden geheiratet, die letzte Karte kam aus Louisiana. Seine Abneigung geht so weit, daß er nicht einmal Zoologische Gärten besuchen kann, zumindest nicht die Abteilungen für Pelztiere. Wie gesagt, der Job als Abschleppwagenfahrer ist nicht für die Dauer gedacht. Er ist jetzt schon länger dabei, als er ursprünglich vorhatte. Er braucht noch etwa ein halbes Jahr, bis er die Summe zusammenhat, die er sich von

Anfang an zum Ziel gesetzt hat. Dann wird er achtundzwanzig sein, das ist kein Unglück.
Mit dem Geld wird er in das Geschäft des Vaters seiner Freundin einsteigen. Das hätte er zwar schon längst tun können, aber eben nur als ein Herr Niemand. Und das wollte er nicht. Wenn man erst einmal als ein Herr Niemand anfängt, dann kann man damit nicht so leicht wieder aufhören. Dem Vater seiner Freundin gehört ein Bestattungsunternehmen. Für seine Vorstellungen betreibt der Vater seiner Freundin das Geschäft zu bescheiden, vor allem zu altmodisch. Daran werde er nur etwas ändern können, wenn er nicht als Laufbursche einsteige, wenn er also von Anfang an etwas zu sagen habe. Der Laden wirft auch so ein paar gute Dollars ab, allerdings nur, weil es in ziemlich weitem Umkreis kein Konkurrenzunternehmen gibt. Das ist ein glücklicher Zufall für den Alten, aber es wäre ein Fehler, sich für alle Zeiten darauf zu verlassen. Denn eins steht fest: daß ein schlampiges Geschäft die Konkurrenz anzieht wie ein Magnet. Das ist eine Art Naturgesetz. Er selbst hat sich schon ein bißchen umgesehen in der Branche.
Vor kurzem hat er sich über das Angebot in Cleveland informiert, ein andermal war er bei einem großen Institut in Boston. Er hat sich dort als Kunde ausgegeben und sich beraten lassen. Den Katalog dieser Firma kann man getrost wie ein Lehrbuch lesen. Er ist überzeugt davon, daß man in kaum einem Geschäftszweig soviel mit Psychologie arbeiten muß wie gerade in diesem. Er will nur ein einziges Beispiel nennen: Ob ich schon einmal daran gedacht hätte, daß die Kunden von Bestattungsunternehmen eher jüngere als ältere Personen seien? Denn die Hinterbliebenen sind ja in der Regel die Kinder und nicht

die Eltern. Der Vater seiner Freundin aber sieht nur, daß es meist Alte sind, die unter die Erde kommen. Sein Geschäft ist einfach zu verstaubt. Allein wenn man die beiden Leichenwagen sieht, Modelle aus den frühen sechziger Jahren. Dann schon lieber konsequent sein, dann schon lieber Vorkriegsmodelle. Natürlich, neue Wagen sind nicht billig, das weiß auch er. Wenn er das nicht so genau wüßte, dann würde er nicht mitten in der Nacht meine Karre durch Ohio abschleppen. Aber der Vater begeht einen entscheidenden Denkfehler: Er hat sich vorgenommen, die Wagen so lange zu behalten, solange sie ihren Dienst tun, hat aber keine Ahnung, was in diesem Zusammenhang bedeutet – den Dienst tun. Er glaubt, die Wagen tun ihren Dienst, solange sich die Räder drehen und der Sarg nicht zu schwer wird. Auf diese Weise konnte man vielleicht vor hundert Jahren denken. Heute gehört zum Diensttun dazu, daß die Sache nach etwas aussieht, aber er ist schon zu alt, um das zu verstehen. Dann das Angebot: Begräbnisse in drei Klassen, das ist alles. Von der Frage Erd- oder Feuerbestattung einmal abgesehen, besteht der ganze Unterschied in ein paar Blumen mehr oder weniger. Und ob vier Männer den Sarg tragen oder sechs oder acht, und in der Sargausführung natürlich. Die Leute lassen sich das nur bieten, weil sie es nicht besser gewohnt sind in dieser Gegend. Doch was ist das für ein Geschäftsprinzip, eine Sache nur deswegen auf eine bestimmte Art und Weise zu machen, weil man sie immer schon so gemacht hat. Sobald ein neuer Beerdigungsunternehmer auftaucht, ist es vorbei damit, dann steht man da.
In Boston zum Beispiel haben sie eine extra Abteilung für die Herrichtung der Toten. Man könnte es Leichenkos-

metik nennen. Die Verstorbenen werden geschminkt und gepudert und frisiert und neu eingekleidet. Er würde sich überhaupt nicht wundern, wenn die Abteilung auch einen Chirurgen beschäftigte. Es gibt Methoden der Aufbereitung, die will er mir gar nicht erst sagen, die sind für die Ohren von Laien nicht geegnet. Der Tote sieht nach solcher Prozedur aus, als habe er sich für ein paar Minuten zum Ausruhen hingelegt. Wer mit solcher Behandlung nichts im Sinn hat, der braucht sie ja nicht in Auftrag zu geben. Doch die nackten Zahlen sagen aus, daß gerade diese Abteilung den größten Umsatzzuwachs hat. Verkaufen kann man aber nur, was angeboten wird.
Er fährt in eine Tankstelle, der Benzinzeiger steht im letzten Viertel. Während Benzin eingefüllt wird, prüft er, ob mein Wagen noch fest in der Halterung sitzt. Er zahlt mit einem Scheck, der Tankwart kennt ihn. Sie stehen ein paar Sekunden und unterhalten sich, wahrscheinlich über mich. Der Tankwart sieht grinsend zu mir her, doch nicht unfreundlich. Dann fahren wir wieder. Der Tankwart ist ein alter Freund, sagt er, es klingt wie eine Entschuldigung für die kleine Wartezeit. Er kennt in weitem Umkreis alle Tankwarte, das kann ich mir ja wohl denken bei seinem Beruf.
Er hat einmal von einem Buch gehört, sagt er, das heißt *Die Psychologie des Hinterbliebenen* oder so ähnlich. Er wird es sich unbedingt besorgen. Nach seiner Überzeugung sind Hinterbliebene auf besondere Weise versessen darauf, Geld für die Beerdigung auszugeben. Und nicht nur, weil sie gerade geerbt haben, obwohl das sicher auch eine Rolle spielt. Viel wichtiger ist, daß man Toten gegenüber immer ein schlechtes Gewissen hat. Es fällt einem alles ein, was man an ihnen versäumt hat, und die

Beerdigung kommt einem dann wie die letzte Möglichkeit vor, ihnen etwas Gutes anzutun. Das ist menschlich, das wird jeder verstehen. Ein dritter Grund für diese Bereitschaft zu zahlen, vielleicht der wichtigste von allen, hat weniger mit dem Toten zu tun, als mit der Verfassung der Hinterbliebenen selbst. Hinterbliebener zu werden ist wie der Eintritt in einen neuen Lebensabschnitt. Wie das Ende der Schule, oder wie eine Hochzeit, oder wie der Einzug in eine neue Wohnung. Beim Einzug in die neue Wohnung kauft sich jeder irgend etwas besonders Schönes und Teures, weil er die neue Zeit gut anfangen möchte. Nicht anders ist es bei Todesfällen in der Familie. Man will die neue Zeit als Hinterbliebener mit einem Ereignis beginnen, an das man sich später gern erinnert.

Manche meinen, daß Beerdigungen unnütze Ausgaben sind. Das ist eine Frage des Standpunktes, das sagt er mir nicht nur als künftiger Bestattungsunternehmer. Für einen Vegetarier ist ein Schwein ein unnützes Tier. Wenn die Schweinezüchter sich aber nur nach dieser einen extremen Meinung richten würden, dann hätten sie nicht nur keinen Job mehr, sondern sie würden gegen die Interessen all derer handeln, die gern Schweinefleisch essen. Es ist ja keine Schande, Geld damit zu verdienen, daß man anderen einen Dienst leistet. Wenn er sich nicht gewaltig täuscht, dann sind alle Berufe nach diesem Prinzip aufgebaut. Und im übrigen gibt es mehr Schweinefleischesser als Vegetarier, wie es mehr Leute gibt, die sterben, als solche, die unsterblich sind.

Er steckt sich wieder ein paar Bonbons in den Mund. Seine Freundin ist von Beruf Kaufmann. Sie hat eine Menge Spezialkenntnisse auf dem Gebiet des Bestattungswesens, denn sie arbeitet seit drei Jahren in der Firma ihres Vaters. Sie ist hübsch, nach unserer Ankunft kann er mir ein Bild zeigen, wenn ich es möchte. Er glaubt, daß sie in all diesen Fragen seiner Meinung ist, obwohl er sich noch nie mit ihr darüber unterhalten hat.

Das Parkverbot

Wir fuhren zum Einkaufen, fanden aber keinen Parkplatz, obwohl Vormittag war. Bald waren wir bereit, einen längeren Fußweg in Kauf zu nehmen, doch auch in der Umgebung suchten wir vergeblich. Ich schlug vor, ein andermal wiederzukommen oder in einem anderen Stadtteil einzukaufen. Meine Frau wäre einverstanden gewesen, doch brauchte sie ein Stück Stoff, das es nur in einem bestimmten Geschäft gab, und dieses Geschäft war hier. Ich suchte noch einmal die Gegend ab, und das brachte uns beide in eine leicht gereizte Stimmung. Als ich sie fragte, was ich denn nun tun solle, sagte sie, es wäre einfach unsinnig, wieder wegzufahren, wo wir nun schon einmal hier seien. Der Stoffkauf dauere nur ein paar Minuten und sei unumgänglich, sagte sie, ob wir uns nun zankten oder nicht.

Ich fuhr vor das Stoffgeschäft und stellte mich mitten ins Parkverbot. Ich sagte, ich wollte im Auto auf sie warten, sie möge sich sehr beeilen, denn ich stünde hier sozusagen auf dem Präsentierteller für polizeilichen Eingriff. Sie entgegnete nichts, gab mir aber mit einem Blick zu verstehen, daß sie sich wunderte, warum ich nicht gleich diesen günstigen Halteplatz gewählt hatte. Ich wartete schon ungeduldig, als sie noch gar nicht fortgegangen war. Ich sah, wie sie viel zu langsam den Bürgersteig überquerte und sekundenlange, für mein Empfinden überflüssige Blicke ins Schaufenster warf und endlich das Geschäft betrat.

Ich schaute die Straße hinauf und hinunter und sah zum Glück nicht einen Polizisten. Natürlich konnte sich das jeden Augenblick ändern. Auf der gegenüberliegenden Straßenseite standen die Autos in der erlaubten Zone, zwanzig Meter vor mir und im Rückspiegel ebenso; nur ich, wegen eines Stücks Stoff, war die Ausnahme. Ich schaltete das Radio ein, fand keine angenehme Musik, dafür aber einen Vortrag, den eine sanft klingende Frauenstimme hielt. Ich zündete mir eine Zigarette am falschen Ende an. Ich spuckte aus und nahm ein paar Züge von einer neuen Zigarette, bis ich den Geschmack des angebrannten Filters los war. Ich entsinne mich auch, daß eine grüne Fliege plötzlich dasaß, ein wenig seltsam für den Spätherbst. Auf der Frontscheibe spazierte sie im ruckartigen Fliegengang umher. Und daß ich behutsam eine Zeitung aus dem Handschuhfach nahm, sie zurechtfaltete und kräftig zuschlug. Als ich die Zeitung wegnahm, war auf der Scheibe nichts zu sehen. Die Fliege mußte draußen gesessen haben und weggeflogen sein; ich legte die Zeitung zurück, sie war an einer Stelle eingerissen. Ich wollte darauf achten, ob meine Frau, wenn sie endlich wiederkam, noch etwas anderes als ein Stück Stoff gekauft hatte. Ich war nicht sicher, ob ihr überhaupt bewußt war, in welcher Lage ich mich hier draußen befand. Auf der anderen Straßenseite sah ich ein Auto wegfahren und ein zweites sofort darauf sich in die Lücke zwängen. Ich überlegte, ob ich die Motorhaube hochklappen und so tun sollte, als hätte ich nach einem Defekt zu suchen. Bequemlichkeit hielt mich davon ab und wohl die Hoffnung, meine Frau müsse doch nun jeden Augenblick zurück sein.

Ich erwähne das alles, um eine möglichst genaue Schilderung der Situation zu geben, die dazu führte, daß meine Stimmung nicht die beste war. Natürlich läßt sich nicht berechnen, welchen Einfluß diese Stimmung auf das folgende Ereignis und meine Entscheidung dabei hatte, von mir schon gar nicht. Ich weiß nicht einmal, ob es einen solchen Einfluß überhaupt gab, am Ende hätte ich in jeder Gemütsverfassung gehandelt, wie ich gehandelt habe.

Ich sah einen Mann auf mich zukommen. Genau gesagt, er näherte sich nicht mir, er kam eilig näher, rannte fünf sechs Schritte, ging dann hastig, rannte wieder, als könnte er sich weder für die eine noch für die andere Fortbewegungsart entscheiden. Vermutlich war es diese Unentschlossenheit, derentwegen der Mann mir auffiel. Denn es waren noch viele andere auf dem Gehsteig, und sonst gab es keinen Grund, warum ich ausgerechnet diesen Mann schon von weitem hätte ins Auge fassen sollen. Er schlenkerte die Arme eigentümlich hoch, warf sie beim Gehen hoch, als renne er. Er ging und lief wie jemand, der zu vertuschen suchte, daß er in Eile war. Plötzlich hatte ich das Gefühl, daß dieser Mann floh. Ich kann es nicht begründen, denn Eile allein ist noch kein Grund; ich weiß auch, wie prahlerisch diese Mitteilung ist, nachdem sich wenig später herausgestellt hat, daß er tatsächlich auf der Flucht war. Trotzdem: ich hatte solch ein Gefühl.

Der Mann wollte über den Damm, der Verkehr ließ es aber nicht zu, so hastete er weiter auf meiner Seite. Dann blieb er stehen, als sei ihm etwas eingefallen, ein rettender Gedanke. Er trat an ein Auto heran und wollte die Tür öffnen. Es war offensichtlich, daß ihm das Auto nicht gehörte, ich wußte es, bevor er am nächsten Wagen rüttelte. Ich dachte sofort, ich hätte mich geirrt mit meiner Fluchtvermutung, weil ich jetzt dachte: Ein Dieb!

Ich dachte: Ein Dieb, der sich idiotisch auffällig benimmt.
Der Mann versuchte es an noch zwei Türen, dann war die Reihe der parkenden Autos vor mir zu Ende. Er rannte die zwanzig Meter bis zu meinem Wagen, und ich weiß noch, wie ich mich vorbeugte, um mir sein Gesicht besser anschauen zu können. Dann geschah das Erstaunliche: Der Mann öffnete die Tür meines Wagens, obwohl ich ja nicht unsichtbar darin saß.
Jetzt dachte ich nicht länger, er sei ein ungeschickter Dieb, jetzt dachte ich: Ein Verrückter! Wie eine letzte Hoffnung kam mir der Gedanke, er könnte irgendeine Frage an mich zu richten haben. Ich hatte ziemlich wilde Angst, einen Angriff hielt ich für möglich, und trotzdem schämte ich mich, auf der anderen Seite, auf meiner also, den Wagen zu verlassen. Der Mann bewegte sich fürs erste so, als gäbe es mich nicht. Er setzte sich auf den Sitz meiner Frau, zog die Tür hinter sich zu, rutschte dann nach vorn vom Sitz herunter und wand und drehte sich solange, bis er quer unter dem Armaturenbrett lag. Das alles tat er in allergrößter Hast, und erst als er eine Position gefunden hatte, die ihn zu befriedigen schien, kam er dazu, mich anzusehen. Mein Kopf war völlig leer, es fiel mir kein vernünftiges Wort ein, ich sagte nur viel zu spät: »Sind Sie verrückt geworden, Mann?«
Er legte einen Finger auf den Mund, es sah so aus, als horchte er nach draußen und hätte keine Zeit, sich mit mir abzugeben. Sein Kopf befand sich nur ein paar Zentimeter vom Gaspedal entfernt. Ich hätte ihm leicht ins Gesicht treten können mit meinem derben Schuh, das dachte ich. Überhaupt war er in einer extrem hilflosen Haltung jetzt, er lag, als hätte er sich selbst gefesselt. Ich

brauchte nicht länger Angst zu haben, und ich hatte sie auch nicht mehr so stark. Ich war recht günstig über ihm; auf einmal sah ich, daß meine Hände Fäuste waren. Ich öffnete sie und rief: »Wenn Sie mir nicht sofort erklären, was Sie hier tun, dann rufe ich die Polizei.«

Er sagte: »Seien Sie bitte still, und sehen Sie bitte nicht zu mir herunter.«

Auch wenn die Worte ängstlich und sehr bescheiden klangen, kamen sie mir doch wie seine größte Unverschämtheit bisher vor. Wie konnte er erwarten, daß ich mich ohne Erklärung zu seinen Gunsten verhielt, daß ich mich zum Kumpan von sonstwem machte, im Handumdrehen und ohne jeden Grund? Seine Augen sahen mich auf eine Weise an, als wollten sie mir gut zureden. Er war kein junger Mann mehr, vielleicht Ende dreißig, sein Haar war dunkelbraun und strähnig und zur Stirn hin schon ein wenig schütter. Auf seiner Backe sah ich einen Fleck, der blau sein mochte, von einem Schlag vielleicht, der vielleicht auch ein Schmutzfleck sein konnte, das war nicht zu erkennen. Ich sagte: »Menschenskind, reden Sie endlich, wer ist hinter Ihnen her?«

Er sagte: »Seien Sie doch bitte geduldig. Ein paar Minuten nur.«

Seine Schuhsohlen stemmte er gegen den Kunstlederbezug der Tür, das würde Schrammen oder Flecken geben, wahrscheinlich beides. Es ärgerte mich zusätzlich. Ich zündete mir eine neue Zigarette an, das Radio schaltete ich aus. Ich war ratlos, wollte es ihn aber nicht merken lassen. Natürlich hätte ich die Tür öffnen und laut schreien können, es hätte dann mit uns ein schnelles Ende gehabt, doch auch ein, wie ich meinte, lächerliches. Seltsamerweise packte mich heftiger Zorn auf meine Frau, die mir diese verdammte Lage aufgezwungen hatte. Ich blickte kurz zu dem Stoffgeschäft hinüber, in das niemand hineinging und aus dem niemand herauskam. Ich sagte: »Also zum letztenmal jetzt. Entweder Sie verraten mir, was hier vor sich geht, oder es ist mit meiner Geduld zu Ende.«

Er schwieg und schloß für einen Moment die Augen, wie aus Verzweiflung darüber, daß ich so hartnäckig war und nicht verstehen wollte. Mir kam der Gedanke an Mitleid, doch ich sagte mir, daß dies ein Mitleid ohne Sinn und Verstand wäre. Ich spürte nicht die kleinste Angst mehr, nur war der Mann mir plötzlich unerträglich lästig. Am liebsten wäre ich aufgestanden und hätte ihn hinausgezerrt und weggejagt. Es wäre zu schaffen gewesen, er war schmächtig und bestimmt schwächer als ich, vom Nachteil seiner Position ganz abgesehen. Doch wußte ich gleich, daß ich nicht der Mensch bin, so zu handeln.

Ich sagte: »Na schön, Sie wollen es nicht anders.«

Ich legte die Hand auf meinen Türgriff und hätte nicht gezögert auszusteigen, auch ohne festen Plan, wenn er nicht gerufen hätte: »Warten Sie.«

Ich wartete, denn es hatte sich angehört, als kündigte er eine Erklärung an. Er sah mich flehentlich an, ich habe kein besseres Wort für diesen Blick, und sein Mund öffnete sich wie der Mund von einem, der gleich zu sprechen anfängt. Doch er sagte wieder nichts. Ich bildete mir ein, daß er kaum merklich den Kopf schüttelte. Jedenfalls lag er da und schwieg und starrte mich an. Ich nahm meine Hand nicht von dem Türgriff und sagte »Ich warte.«

Als sei er plötzlich zur Besinnung gekommen, kam Le-

ben in ihn. Er richtete sich ein wenig auf, sagte immer wieder: »Warten Sie«, steckte eine Hand in die Tasche, fand nichts, suchte dann in einer anderen. Später erst kam ich mir sehr leichtsinnig vor, weil ich ihm so arglos zugeschaut hatte. Er hätte auch nach einer Waffe suchen können, er hätte so lange sein »Warten Sie« wiederholen können, bis er eine Pistole im Anschlag hielt oder meinetwegen auch ein Messer. Doch ich sah ihm nur ungeduldig zu. Als er nicht fand, was er suchte und wohl zu fürchten anfing, ich würde mir das nicht länger bieten lassen, sagte er: »Ich habe in einer Tasche Geld. Es sind mehr als dreihundert Mark. Wenn Sie mich fünf Minuten liegen lassen, können Sie alles haben. Dreihundert Mark für fünf Minuten, das lohnt sich doch.«
Er glaubte nun wohl, mich beruhigt zu haben, und suchte weiter. Was bildete der sich ein, mir diese Prämie auszusetzen, was glaubte er, in wessen Wagen er lag? Andererseits verstand ich, daß er für feine Überlegungen nicht in der Lage war. Dennoch dachte ich: Jetzt ist genug.
Er fand sein Geld. Er zerrte es aus der Gesäßtasche und hielt es mir entgegen, und ich spürte nur den einen Wunsch, diese quälende Situation zu beenden.
Heute finde ich es merkwürdig, daß mir damals erst so spät der Gedanke kam: Wo einer flüchtet, da muß es doch auch Verfolger geben. Als ich aus dem Fenster sah, brauchte ich nicht lange zu suchen. Einen Steinwurf weit in der Richtung, aus der der Mann gekommen war, standen drei Polizisten und einer in Zivil. Ich erschrak, ich erinnere mich an einen heftigen Herzstich; ich fand es sofort einleuchtend, daß es Polizisten waren, die den Mann verfolgten, wer denn sonst? Zwei von ihnen sahen sich aufmerksam auf der Straße um, der dritte unterhielt

sich mit dem Zivilisten. Ich hatte keinen Zweifel, daß diese vier Personen und der Mann in meinem Auto zusammengehörten. Ich sah, daß einer der Polizisten auf ein Fenster irgendwo in der Höhe zeigte, und daß der Mann in Zivil dorthinsah und dann den Kopf schüttelte. Mir fiel ein, daß ich seit einer Ewigkeit im Parkverbot stand. »Hier, nehmen Sie alles«, sagte der Mann.
Ich sagte: »Um Himmels willen, stecken Sie Ihr verdammtes Geld ein.« Dabei sah ich zum letztenmal sein Gesicht. Die Augen waren erschrocken, als wüßten sie genau, wen ich gesehen hatte. Ich schaute wieder zu den Verfolgern, die immer noch an jener Stelle standen. Sie schienen unschlüssig zu sein, so bildete ich mir ein, ob sie über den Damm gehen oder auf dieser Straßenseite bleiben sollten. Einer von ihnen trat an die nächste Haustür und wollte öffnen, sie war verschlossen. Da verstand ich, warum der Mann nicht in einem der vielen Häuser Zuflucht gesucht hatte: alle waren zugeschlossen, für Fremde gab es Klingeln und Lautsprecher. Gern hätte ich gewußt, warum sie hinter ihm her waren, zu fragen hatte aber wenig Sinn. Mit Sicherheit hätte er in der Art der Verfolgten geantwortet: Wegen nichts. Außerdem war längst keine Zeit mehr dafür.
Die einzige Rettung für den Mann wäre gewesen, daß ich jetzt losfuhr. Niemand hätte mich hindern können, gemächlich an den Vier vorbeizufahren, zum Stadtrand oder sonstwohin, und dort den Mann auf Nimmerwiedersehen abzuladen. Nicht etwa Rücksicht auf meine Frau hielt mich davon ab; der hätte ich es gegönnt, alleine dazustehen mit ihrem Stoff. Und eigentlich war es auch nicht Angst, obwohl das Herz mir gewaltig geklopft hätte bei einem solchen Unternehmen. Nur das wilde

Durcheinander in meinem Kopf hinderte mich am Losfahren. Ich halte es nicht für übertrieben bedächtig, mit einer Handlung erst dann zu beginnen, wenn man sie auch für angebracht hält, und danach richtete ich mich. In meinem Gedankengewirr erkannte ich nur eine klare Frage: Wie komme ich dazu, dem Kerl zu helfen? Und dieser Einwand schien mir äußerst überzeugend, wie ein sicherer Hinweis. Alles andere ergab sich danach von selbst, eine plötzliche Klarheit beruhigte mich. Ich wußte auf einmal so genau, was nun zu tun war, ich sah so deutlich die vielen guten Gründe, die dafür sprachen, daß ich fast ausgerufen hätte: Ich weiß es ja!
Einem der Polizisten vor mir fiel es ein, in ein vorschriftsmäßig geparktes Auto hineinzusehen. Ich öffnete schnell meine Tür und stieg aus. Ich hörte den Mann atemlos fragen: »Was tun Sie?« Ich hob einen Arm und rief zu den Polizisten: »Hallo! Kommen Sie hierher, hier ist der Mann!«
Ich deutete in meinen Wagen hinein. Einen Augenblick lang standen sie alle still, meine Worte waren aber verstanden worden. Dann sah ich zwei Pistolen, die einer der Polizisten und der Zivilist in Händen hielten. Sie kamen angerannt, zu beiden Seiten des Wagens postierte sich je einer, ein dritter öffnete die noch geschlossene zweite Tür. Die Verhaftung ging wortlos vor sich, nur unter Keuchen. Der Zivilist winkte mit der Pistole, aber der Mann bewegte sich nicht, obwohl er den Befehl gesehen haben mußte. Zwei Polizisten ergriffen seine Beine und zogen ihn hinaus. Er tat sich weh am Kopf, wegen des Höhenunterschiedes von Auto und Bordsteinkante, er schrie nicht auf vor Schmerz. Dann stand er vom Pflaster auf.

Ich trat vom Damm auf den Bürgersteig, um den Verkehr nicht zu behindern. Ich vermutete, daß Fragen an mich gerichtet werden würden. Ich schaute den Zivilisten an, der mir wie der Anführer der Gruppe vorkam, doch er kümmerte sich nicht um mich. Ich hörte ein rasselndes Geräusch. Im selben Augenblick, da ich Handschellen um die Gelenke des Mannes sich schließen sah, traf mich mitten ins Gesicht Speichel. Das Blut muß mir zu Kopf geschossen sein. Die Hand eines Polizisten legte sich mir begütigend auf den Arm.

Aufzugsgeschichte

Als an diesem Abend der Fahrstuhl mit einem Ruck stehenblieb, verglich Alfred die zwei oder drei Fälle, da er bisher in einem Lift festgesessen hatte, mit seiner jetzigen Situation und entdeckte sekundenschnell den Unterschied: noch nie war das Licht ausgegangen. Seine Angst unterdrückte er, indem er sich sagte, der Fahrstuhl hänge schließlich nicht am Stromnetz, sondern an fingerdicken Drahtseilen. Dann dachte er: Aber die Notbeleuchtung? Dann hörte er eine vorwurfsvolle Frauenstimme: »Drükken Sie doch auf irgendeinen Knopf, damit wenigstens das Licht angeht.«

Alfred war verwundert, denn er konnte sich nicht daran erinnern, daß jemand mit ihm zusammen in den Fahrstuhl eingestiegen war. Und bis zu diesem Augenblick hatte die Person sich vollkommen still verhalten, obwohl seit dem Stop, so schätzte Alfred, mindestens eine halbe Minute vergangen war.

Er breitete die Hände aus und tastete die Wand links neben der Tür ab, wo er die Schalttafel wußte. Dabei berührte er eine Hand der Frau, die vielleicht auf dieselbe Weise suchte. Die Frau schrie: »Rühren Sie mich nicht an!«

Alfred erschrak zu Tode, die Stimme hatte entsetzt geklungen und hysterisch. Er wich zurück und fürchtete, er könnte mit einer Verrückten eingesperrt sein. Dann dachte er: Wer weiß, was die zuletzt für einen Film gesehen hat. Er nahm sich vor, die Frau unauffällig zu beruhigen, indem er ihre Ängste sehr berechtigt und eher noch zu klein nannte und ihr vielleicht so Gelegenheit

gab zu erkennen, wie unsinnig sie waren. Er sagte: »Zufällig haben Sie mich richtig eingeschätzt, ich bin tatsächlich ein Unhold. Wie haben Sie das in den paar Sekunden rausgekriegt? Ich habe doch noch gar nicht losgelegt?«
Die Frau sagte: »Reden Sie nicht solchen Unsinn. Tun Sie lieber was.«
Gottseidank, dachte Alfred. Er sagte: »Sie lassen mich ja nicht.«
Wieder machte er sich auf, die Schalttafel zu suchen. Einen Augenblick lang meinte er, auf seinem Handrükken den Atem der Frau zu spüren. Er fand die Knöpfe und drückte der Reihe nach auf jeden einzelnen. Er hatte in Erinnerung, daß neben einem der Knöpfe das Wort NOTRUF geschrieben stand. Aber nichts geschah. Alfred drückte so fest, daß er fürchtete, der Zeigefinger könnte ihm abbrechen.
»Haben Sie gedrückt?« fragte die Frau.
»Und wie«, sagte Alfred.
»Und?«
»Sehen Sie doch«, sagte Alfred.
Er schaute auf seine Armbanduhr und erkannte mit einiger Mühe, daß es ein paar Minuten nach halb eins war. Vermutlich, dachte er, befand sich um diese Zeit längst kein Mensch mehr in der Notzentrale, sofern es solch eine Einrichtung überhaupt gab. Er hielt es nicht für ratsam, diese Überlegung auszusprechen. Statt dessen suchte er nach Worten, mit denen er, für den Fall daß die Frau sich wieder so laut zu fürchten anfing, die Situation als alltäglich, vielleicht sogar als spaßig darstellen konnte. Plötzlich tauchte ihm die Frage auf, wieviel Liter Luft in so einem Fahrstuhl wohl sein mochten, und wieviel davon zwei erwachsene Menschen in einer Minute ver-

brauchten. Er setzte sich auf den Boden, lehnte sich gegen die Wand und streckte die Beine aus.
»Was tun Sie?« fragte die Frau.
»Ich mache es mir gemütlich«, sagte Alfred.
Gleich darauf stieß die Frau mit dem Fuß gegen sein Knie, fiel hin und schrie auf. Alfred sagte: »Um Himmels willen.«
Sie schien sich nicht wehgetan zu haben. Sie stand über Alfreds Beinen wieder auf, wobei sie sich sehr beeilte. Er half ihr nicht, denn er fürchtete, daß sie von neuem losplärren würde, wenn er ihren Arm ergriff oder in der Finsternis womöglich einen anderen Teil ihres Körpers berührte.
Die Frau sagte: »Sie sind wohl verrückt geworden. Sie können doch nicht im Dunkeln Ihre Beine kreuz und quer durch den Fahrstuhl legen. Sind ja die reinsten Fallen.«
»Entschuldigen Sie«, sagte Alfred, »hätte ich Ihnen rechtzeitig sagen sollen. Aber jetzt wissen Sie es: ich sitze hier an der Wand, habe die Beine etwa einen Meter weit ausgestreckt und werde mich nicht rühren.«
»Hoffentlich«, sagte die Frau.
Alfred sagte sich, es würde keinen Nutzen bringen, sich über ihre Unfreundlichkeit aufzuregen. Er als der Nervenstärkere sollte mit seiner Ruhe der Frau ein gutes Beispiel geben. Er sagte: »Sie brauchen keine Angst zu haben. Ich weiß so wenig wie Sie, wie lange die Sache dauern kann, aber mir ist kein Fall bekannt, daß jemand im Fahrstuhl verhungert wäre. Wir werden uns schon die Zeit vertreiben, ich meine, wir werden uns unterhalten oder still sein, ganz wie Sie wollen. Und irgendwann wird es mit der Mühle schon weitergehen.«

Alfred hörte, wie die Frau ihre Handtasche öffnete und darin herumwühlte. Sie murmelte etwas vor sich hin, was er nicht verstand. Auf einmal kam es ihm aufregend vor, nicht zu wissen, wie die Frau aussah. Hundert Frauen, dachte er, könnte man morgen vor mich hinstellen, oder auch nur zwei, und mich dann fragen, welche die eine mit mir im Fahrstuhl gewesen ist – ich könnte es nicht sagen. Er versuchte, sich eine Vorstellung von der Frau zu machen, wußte aber schon vorher, daß eine hübsche Rothaarige, recht groß und schlank, dabei herauskommen würde.
»Haben Sie Feuer bei sich?« fragte die Frau.
»Ich bin Nichtraucher«, sagte Alfred.
»Auch das noch«, sagte sie.
»Was meinen Sie damit?« fragte er.
»Ausgerechnet heute muß ich meine Streichhölzer vergessen«, sagte sie, als wollte sie von ihrer Grobheit zurücknehmen.
Alfred rechnete sich aus, daß sie keine starke Raucherin sein konnte, sie hätte sonst früher das Feuer vermißt. Dann fragte er sich, warum sie nicht schon längst Streichhölzer gesucht hatte, um den Fahrstuhl wenigstens für Sekunden zu beleuchten.
Er sagte: »Seien Sie froh, daß Sie nicht rauchen können. Die Luft in so einem kleinen Raum verbraucht sich schnell.«
Die Frau sagte: »Sie sind erst vor kurzem hier eingezogen?«
»Ja«, sagte er.
»In den achten Stock?«
»Ja«, sagte Alfred.
Er bemerkte, daß seine Hose an einer Stelle des Fahr-

stuhlbodens festklebte, machte sich aber nicht die Mühe, zur Seite zu rücken; ihm war zumute, als komme es auf eine Hose jetzt auch nicht mehr an. Gleichzeitig war er froh, daß die Frau den aufgeregten Teil ihrer Angst überwunden zu haben schien. Das Licht, dachte er, würde irgendwann plötzlich angehen. Dann dachte er: Licht, das man nicht selbst anmacht, geht immer plötzlich an. Dann begann er, sich über den Abend zu ärgern, der ihn bis in diesen Fahrstuhl geführt hatte. Wenn es wenigstens ein guter Abend gewesen wäre, dachte er, könnte er hier in der Dunkelheit sitzen und sich freuen. Er wünschte, er hätte sich früh ins Bett gelegt und endlich angefangen, den *Gulliver* zu lesen, wie er es sich seit Wochen vorgenommen hatte. Dann wäre Ruhe gewesen. Stattdessen, dachte er, treffe ich mich mit dieser Kuh und hole mir auch noch eine blutige Nase.

»Was reden Sie da?« fragte die Frau.

»Gar nichts«, sagte Alfred.

»Ich habe deutlich das Wort Ruhe verstanden«, sagte die Frau.

»Haben Sie denn gar keine Angst mehr, daß ich zudringlich werden könnte?« fragte Alfred.

Die Frau lachte kurz, wie über einen mißratenen Witz, dann schwieg sie aber. Alfred wartete noch einige Sekunden, bevor er wieder auf seinen Abend verfiel. Er warf sich vor, es sei stumpfsinnig und trist, sich immer nur diejenigen Mädchen für Verabredungen auszusuchen, die in seinen Augen die hübschesten waren. Wem auf die Dauer nicht auch noch andere Gesichtspunkte einfielen, dachte er, der dürfe sich über Enttäuschungen, Langeweile und schließlich über blutige Nasen nicht beklagen. Klar, ganz so unwichtig sei das Aussehen natürlich auch

nicht. Aber Rosi zum Beispiel, sagte er sich: ich glaube, Rosi ist mit Abstand das angenehmste Mädchen, das mir je über den Weg gelaufen ist. Wieso habe ich mich noch nie mit Rosi verabredet? Sie ist lustig, sie hat Geschmack für zehn, sie ist nicht aufdringlich, sie hilft bei jeder Gelegenheit, sie ist unheimlich gebildet, prahlt aber nie damit, und sie ist zuverlässig und riecht gut. Sie hat bloß eine zu breite Nase. Wenn einer glaubt, daß eine zu breite Nase mehr Bedeutung hat als alles andere, der muß doch vollkommen verrückt sein. Wenn ich Rosi das nächstemal sehe, dachte er, mache ich die Bremse los, das schwöre ich.
Die Frau fragte: »Ist es bei Ihnen da unten sehr schmutzig?«
»Es geht«, sagte Alfred. »Es klebt ein bißchen.«
»Mir werden langsam die Knie weich«, sagte die Frau, »rutschen Sie mal ein Stück.«
Alfred rückte zur Seite, und sie setzte sich. Sie schien darauf zu achten, daß der größtmögliche Abstand zwischen ihnen blieb. Alfred konnte sogar, nachdem er vorsichtig getastet hatte, den Arm ausstrecken, ohne sie zu berühren. Ihre Handtasche lag zwischen ihnen, er schob sie ein wenig beiseite und spürte keinen Widerstand, die Frau hielt sie also nicht fest. Die Tasche war aus Wildleder. Er ließ die Finger darüber hingleiten, als könnte er auf diese Weise etwas über die Besitzerin erfahren. An einem der Ränder war ein Stück der Naht aufgegangen.
Die Frau sagte: »Entschuldigen Sie, wenn ich vorhin laut geworden bin.«
Alfred winkte ab, dann fiel ihm die Finsternis ein, und er sagte: »Ist längst vergessen.«

Sie sagte: »Ich bin noch nie mit einem Mann im Fahrstuhl eingesperrt gewesen.«
»Das habe ich mir gedacht«, sagte er. »Bei mir kommt sowas jeden zweiten Tag vor.«
Sie sagte: »Heute geht nichts so, wie es soll.«
Alfred dachte wieder an Rosis Nase. Er stellte sich die Frage, wo denn geschrieben stehe, welche Bedingungen eine Nase erfüllen müsse, um schön genannt zu werden. Jede Nase ist so schön, sagte er sich, wie ich sie finde. Und es kam ihm dumm vor, den Geschmack irgendeiner Mehrheit blind zu übernehmen, bei Nasen und auch bei kleineren Dingen. Dann erinnerte er sich, vor längerer Zeit einen Artikel über kosmetische Chirurgie gelesen zu haben, und er beschloß, sich näher damit zu befassen.
Die Frau sagte: »Ich komme gerade von einem Betriebsvergnügen.«
»Ach ja«, sagte Alfred.
»Dampferfahrt zum Müggelsee«, sagte die Frau, »macht die Abteilung jedes Jahr. Aber sonst war mehr los als diesmal.«
»Der Müggelsee ist hübsch«, sagte Alfred.
»Vielleicht riechen Sie, daß ich was getrunken habe«, sagte die Frau. »Es war so langweilig, daß wir uns am Ende an die Bar gesetzt haben, um ein paar Kirschlikör zu trinken, meine Freundin und ich.«
»Man merkt aber gar nichts«, sagte Alfred. »Wirklich.«
»Die haben die meiste Zeit über Betriebskram geredet. Ich bin Sekretärin im Glühlampenwerk, müssen Sie wissen. Manche haben ihre Frauen mitgebracht, die waren noch die lustigsten.«
»Hat keine Frau ihren Mann mitgebracht?«
»Darauf hab' ich gar nicht geachtet«, sagte die Frau. »Wo

kommen Sie jetzt her, wenn ich mal neugierig sein darf?«
»Ist doch egal.«
»Bitte«, sagte sie, »wenn Sie nicht darüber sprechen wollen. Bitte sehr.«
Die Stimme der Frau kam Alfred gekränkt vor, und er meinte, sie habe nicht den kleinsten Anspruch darauf. Eine Weile wartete er auf ein Wort von ihr, doch sie schwieg beharrlich. Er stellte sich vor, wie sie mit verkniffenem Mund dasaß und die Arme vor der Brust verschränkt hielt. Er dachte: Soll sie so sitzen, bis sie schwarz wird. Dann hielt er sich plötzlich für unverständlich abweisend, und er spürte Mitleid mit der Frau und mit sich selbst. Es schien ihm, daß sie mit ihrer kleinen Erzählung einen Preis entrichtet hatte, für den sie seine Antwort zu erhalten hoffte. Er sagte: »Ich komme von der Verabredung mit einem Mädchen. Wir waren im Kino und dann etwas essen.«
»Ach ja«, sagte die Frau.
»War aber auch nicht alle Welt«, sagte Alfred, »ähnlich wie bei Ihnen. Genauer gesagt, es war ein lausiger Abend. Die hat gedacht, Wunder wer sie ist. Dabei konnte man keine fünf Worte geradeaus mit ihr reden.«
Die Frau sagte: »Machen Sie sich nichts daraus.«
»Ich habe ihr was gehustet«, sagte Alfred. »Im Kino ging es ja noch, da haben wir einfach dagesessen, uns an der Hand gehalten und den Film angesehen. Aber später beim Essen, das Gesicht hätten Sie mal sehen sollen. Ist dir auch klar, welche Ehre ich dir antue? Nun biete mir mal was, sonst wird das nichts mit uns beiden. Für eine so ungewöhnliche Person wie mich benimmst du dich aber reichlich gewöhnlich. Ich kann Ihnen sagen. Als ich mal

aus Versehen mit der Hand an ihr Knie gekommen bin, hat sie mich angesehen, als hätte ich ihr vor allen Leuten in die Hose gegriffen. Wenn sie gesagt hätte – laß das doch bitte, ich möchte das nicht –, das hätte ich ja noch verstanden. Aber es gibt Blicke, wissen Sie, als ob man sagt: So benimmt man sich vielleicht bei dir zu Hause, aber nicht bei mir.«
»Was sind Sie eigentlich von Beruf?« fragte die Frau.
»Chemiker«, sagte Alfred. »Ich bin erst seit kurzem von der Uni runter. Warum fragen Sie?«
»Nur so.«
Für einen Moment ging das Licht im Fahrstuhl an, Alfred hatte zufällig die Spitze seines linken Schuhs im Blick. Geblendet schloß er die Augen. Bevor er noch den Gedanken, daß er nun endlich die Frau ansehen konnte, zu Ende gedacht hatte, war es wieder finster. Er richtete seinen Blick auf die Stelle, an der er das Gesicht der Frau vermutete. Er glaubte, jeden Augenblick müsse nun etwas Entscheidendes geschehen. Dann hoffte er, das Licht gehe wenigstens noch einmal für zwei Sekunden an, lange genug für einen Blick auf die Frau. Als sich aber nichts rührte, dachte er, das Flackern sei wenigstens ein Zeichen dafür gewesen, daß an irgendeinem Ort an der Behebung des Schadens gearbeitet wurde.
Die Frau sagte: »Ich habe jetzt gar keine Angst mehr. Seltsam.«
»Ich auch nicht«, sagte Alfred.
»Haben Sie denn vorher Angst gehabt?« fragte die Frau.
»Na ja«, sagte Alfred, »nicht direkt Angst.«
Er lehnte den Kopf wieder gegen die Wand und glaubte, er würde wie zuvor seine Schuhspitze im Auge haben, wenn das Licht noch einmal kurz anginge. Verwundert

stellte er fest, daß er sich ganz wohl fühlte. Ihm kam die Frage in den Sinn, welchen Grund es für Ungeduld gab: was er oben in seiner Wohnung denn jetzt so Wichtiges zu tun hatte, daß er dort lieber sein wollte als hier im Fahrstuhl bei der Frau.
Die Frau sagte: »Trösten Sie sich, mir ist es heute nicht besser ergangen. Wahrscheinlich schlimmer. Ich sagte Ihnen vorhin, daß es langweilig war auf unserem Schiff, aber das ist nur die halbe Wahrheit. Die andere Hälfte ist viel unangenehmer. Wollen Sie hören?«
»Natürlich«, sagte Alfred.
»Wenn ich bloß Streichhölzer bei mir hätte«, sagte die Frau. »Vor ein paar Wochen fing bei uns ein Mann neu an, und der hat sich gleich an mich rangemacht. Ich sage Ihnen, wie es ist: er hat mir gefallen. Heute erfahre ich, daß er eine Freundin hat, mit der ist er schon seit zwei Jahren zusammen. Sie war aber nicht mit auf dem Dampfer, so unvorsichtig ist er nicht. Eine Kollegin hat es mir erzählt, die kennt die beiden.«
»Mir war hundekalt, als wir aus dem Restaurant rauskamen«, sagte Alfred. »Sie wohnt am anderen Ende der Stadt, und sie hat natürlich gedacht, ich würde ein Taxi rufen. Aber ich bin eisern mit der Straßenbahn gefahren. Wir haben kein Wort unterwegs geredet, mindestens fünfzehn Stationen. Nachdem wir ausgestiegen waren, hab' ich gefragt, ob sie sich deswegen so ärgert, weil wir mit der Straßenbahn gefahren sind und nicht mit dem Taxi, wie es einer Person wie ihr zusteht. Da hat sie gefragt, ob nicht auch ohne solche Bemerkungen das Maß schon voll genug ist.«
Die Frau sagte: »Wenn er verheiratet gewesen wäre, dann hätte ich es ja zur Not noch verstanden, daß er mir nichts

sagt. Nicht, daß ich es richtig gefunden hätte, aber irgendwie wär' mir der Grund plausibel vorgekommen. Finden Sie nicht? Jedenfalls habe ich ihn gefragt, ob wir nicht zu dritt in eine größere Wohnung ziehen sollten. Oder ob seine andere Freundin vielleicht ein bißchen komisch in der Beziehung ist, hab ich ihn gefragt. Ich bin da gar nicht so, hab' ich gesagt. Da hätten Sie mal erleben sollen, wie der mich angesehen hat. Als hätte ich kein Schamgefühl im Leib. Verstehen Sie – ich!«

»Klar verstehe ich das«, sagte Alfred. »Und ich weiß auch, wie es einen krankmachen kann, wenn man auf verschiedenen Wellenlängen sendet. Wenn man es gleich am Anfang merkt, dann geht es ja noch, dann kann man die Sache leichter sausenlassen. Je später es rauskommt, desto schlimmer. So gesehen, hab' ich eigentlich ja noch Glück gehabt, das war heute unsere erste Verabredung. Und die letzte, das können Sie mir glauben. Sie sieht aber wirklich sehr gut aus.«

»Ist sie blond?« fragte die Frau.

»Ja, blond«, sagte Alfred. »Vor ihrer Haustür hab ich mich für den Abend bedankt und ihr gewünscht, daß ihr nächster Freund nicht wieder ein solcher Stiesel ist wie ich. Ich dachte, sie würde sich jetzt umdrehen und mich stehenlassen, oder sie würde etwas Verächtliches sagen. Aber sie hat verwundert gefragt, wie ich das meine. Da hab' ich auf einmal gedacht, ich hätte mich geirrt, und daß sie doch irgendwie in Ordnung ist. Ich war schon dicht dran, ihr zu sagen, daß sie nichts auf mein blödes Gerede geben sollte, und dabei wollte ich die Hände auf ihre Schultern legen. Ich hab mir wirklich nichts dabei gedacht. Aber sie ist einen Schritt zurückgetreten und hat mich wieder mit diesem vornehmen Kuhblick angesehen.

Da war es aus.«
Die Frau sagte: »Er hat sich nicht geschämt, mir bis an die Bar nachzukommen und mich zu fragen, wer mir die Sache mit seiner anderen Freundin erzählt hat. Und mich dann auch noch zu fragen, ob wir deswegen denn gleich Schluß machen müssen. Können Sie sich sowas vorstellen? Zuerst wollte ich ihm den Kirschlikör über den Kopf gießen. Dann habe ich das Zeug lieber getrunken und ihm geantwortet: Nur zu dritt. Zu dritt oder gar nicht, hab ich ihm gesagt. Er hat den Kopf geschüttelt und gesagt, daß ich total verrückt geworden bin. Meine Freundin hat gesagt, sie hat gleich gewußt, daß mit dem was nicht in Ordnung ist. Die weiß hinterher immer alles besser. Sie hat gesagt, daß sie sich nie im Leben mit dem eingelassen hätte. Aber die hat gut reden.«
»Warum hat die gut reden?« fragte Alfred.
Die Frau antwortete nicht, und Alfred ließ ihr Zeit, bis er verstand, daß sie nicht überlegte, sondern schwieg. Er fragte noch einmal: »Warum hat Ihre Freundin gut reden?«
Die Frau sagte: »Ach nichts.«
Alfred konnte hören, daß seine Frage ihr unangenehm war. Er dachte wieder an seinen eigenen Abend und versuchte, sich Rosi mit einer anderen Nase vorzustellen. Dann merkte er, daß er nicht weit vom Schlaf entfernt war, und er dachte: Wenn ich nichts dagegen tue, bin ich in einer Minute eingeschlafen.
Dann wachte er auf, und als er sich zur Seite drehen wollte, merkte er, daß die Frau seine Hand hielt. Am Anfang war er nicht so sicher, wie er gewesen wäre, wenn er das Handauflegen wahrgenommen hätte. Zur Prüfung bewegte er ein wenig die Finger, da spürte er deutlich die

Hand der Frau. Sie war auch wärmer als seine eigene. Bald bildete er sich ein, ihre einzelnen Finger zu fühlen, kam beim Nachzählen aber immer bis sechs.
Die Frau sagte leise: »Sind Sie jetzt wach?«
»Bin ich doch eingeschlafen«, sagte Alfred.
Die Frau sagte: »Ich habe Sie ein bißchen schnarchen hören, da habe ich Ihre Hand genommen.«
Die Hand der Frau war Alfred nicht unangenehm, er empfand sie keinen Augenblick lang als aufdringlich. Er dachte: Zu verrückt, daß ich nicht weiß, wer sie ist. Er machte einige tiefe Atemzüge und konnte nicht feststellen, daß es sich schwerer als sonst atmete.
Ohne die Hand zu rühren, sagte die Frau: »Wenn es Sie stört, dann müssen Sie es nur sagen.«
»Überhaupt nicht«, sagte Alfred. »Lassen Sie die Hand bitte so liegen.«

WENN AUCH NUR eine Meinung verboten ist, geraten dann nicht alle anderen Meinungen in ein schiefes Licht? Und vergeht nicht gerade darum so vielen die Lust, eine erlaubte Ansicht zu vertreten, auch wenn es die eigene ist?

Die Beschwerde

Gruber war eine schwere Kränkung zuteil geworden. Der Angestellte einer Behörde, ein Herr namens Ludwig, mit dem er schon des öfteren zu tun gehabt hatte und eigentlich immer gut ausgekommen war, hatte ihm sehr deutlich gesagt, daß er, Gruber, mit seinem ganz und gar überflüssigen Antrag die Behörde nur belästige, den Mitarbeitern nur die Zeit stehle und andere Antragsteller, die ihre Anträge gewiß nicht aus Übermut, wie gewisse Leute, einreichten, in eine unnötig lange Wartezeit hineindränge. Als Gruber, durch solche Anschuldigung natürlich aus der Fassung gebracht, wieder zur Ruhe gekommen war, hatte er gefragt, auf Grund welcher Anhaltspunkte Herr Ludwig zu seinen empörenden Schlußfolgerungen komme. Der aber war nicht darauf eingegangen, sondern hatte den schon ausgesprochenen Beleidigungen eine weitere hinzugefügt, indem er sagte: Er halte es sogar nicht für ausgeschlossen, daß Gruber all das mit voller Absicht tue, um die Behördenarbeit zu behindern. Dieser Satz hatte sich, im Unterschied zu den vorher gesagten, die Gruber als Ausdruck irgendeiner schlechten Laune sich zur Not noch hätte erklären können, deutlich wie eine Drohung angehört. Gruber war sofort überzeugt davon gewesen, daß sich der Mann seine Worte wohl überlegt hatte, daß sie ihm nicht etwa nur entschlüpft waren; und er hatte sich gefragt, was diesen Angriff, der für ihn wie aus heiterem Himmel gekommen war, ausgelöst haben mochte. Er glaubte zu wissen, daß Angestellte der Behörde kaum etwas ohne Weisung tun, daß sie schon gar nicht eine Meinung äußern, die nicht gleichzeitig die Meinung einer vorgesetzten Stelle ist. Doch hatte Gruber in jener Szene nicht genügend Ruhe gehabt, die Sache zu durchdenken. Er war nur aufgestanden, war mit vier schnellen Schritten auf den Schreibtisch von Herrn Ludwig zugegangen, um zu zeigen, daß er nicht im mindesten eingeschüchtert war; was er zu tun gedachte, wenn der Schreibtisch erreicht war, wußte er nicht, er hatte dem Mann nur ein wenig Angst einjagen wollen, obschon der, das sagte er sich später, vermutlich keine Angst von solcher Kinderei bekam. Dann hatte er auf dem Tisch seinen Antrag liegen sehen und ihn mit zwei Fingern an sich genommen, um so seinen Schritten nachträglich einen Sinn zu geben. Er hatte gesagt: »Sie hören noch von mir, Herr Ludwig«, und war, ohne den Mann noch einmal anzusehen, aus dem Sprechzimmer gegangen. Indem er ihn nicht mehr ansah, hatte er Ludwig die Möglichkeit für höhnische Blicke nehmen wollen, und die Tür hatte er leise geschlossen, um ruhig zu wirken.

Seiner Frau schien Gruber, nachdem er heimgekehrt war, bedrückt zu sein; doch er wollte sie nicht beunruhigen und gab ein Unwohlsein vor, wie es ihn manchmal um diese Jahreszeit überkam. Den Rest des Tages, die halbe Nacht hindurch und noch am nächsten Tag mußte er immer wieder an Ludwigs Worte denken, so sehr, daß ihm während der Arbeit, er war Setzer in einer Zeitungsdruckerei, kaum entschuldbare Fehler unterliefen. In dem einen Augenblick kam es ihm vor, als nehme er die Anfeindung eines unwichtigen Sachbearbeiters viel zu ernst, und er wünschte, sie schnell und spurlos zu vergessen; in dem anderen hielt er sie für den Anfang eines Verhängnisses. Ein plötzlicher Einfall kam ihm, bei einer anderen Behörde einen anderen Antrag einzureichen, irgendeinen, um zu sehen, woran er war. Bald aber fand er den Plan unsinnig, weil er sich sagte, keins der zwei möglichen Resultate verschaffe ihm Gewißheit: bei ähnlicher Behandlung wie durch Herrn Ludwig könnte er, wenn er nur wollte, an Zufall glauben, wie ihn umgekehrt die Bewilligung seines Antrags vermuten lassen könnte, die Sache, von der er nichts wußte, habe sich nur noch nicht herumgesprochen. Auch dachte er daran, daß der Vorwurf, den Behördenbetrieb zu behindern, nach einem solchen Scheinantrag ihn nicht zu Unrecht treffen würde.

Nach langem Abwägen kam Gruber schließlich zu der Überzeugung, es sei das Beste, sich über den Sachbearbeiter Ludwig zu beschweren, und im gleichen Moment, da er so vorzugehen beschloß, fühlte er sich schon ein wenig erleichtert. Auf solche Weise vorzugehen versprach verschiedene Ergebnisse: Zum einen würde Gruber erfahren, ob etwas gegen ihn vorlag, woran er wohl zweifelte, was auszuschließen er sich aber nicht getraute. Zum anderen würde dieser Herr Ludwig, sofern Gruber unschuldig war, von seiner vorgesetzten Stelle zurechtgewiesen werden; zum dritten endlich konnte Gruber ein Beispiel geben, wie selbstbewußt und unerschrocken derjenige Bürger sich gegen unverdiente Kränkung zur Wehr setzt, den kein schlechtes Gewissen zurückhält. Anfangs erwog er, im Ministerium vorzusprechen, weil eine Maßregelung von dort Ludwig am schwersten treffen würde. Bald jedoch sah er ein, daß die Leute im Ministerium sich mit wichtigeren Angelegenheiten zu befassen hatten. Es konnte sogar sein, daß gegen ihn wohl etwas vorlag, daß das Ministerium aber von solchen Kleinigkeiten nicht unterrichtet wurde; und er hätte sich hinterher in einer Sicherheit gewähnt, die nicht begründet war. Er rechnete immer wieder alles gegeneinander auf, denn es wäre ihm unverantwortlich erschienen, in einer so wichtigen Sache übereilt vorzugehen. Er dachte zum Beispiel, für den Fall eines Fehlschlags müsse er sich eine Steigerungsmöglichkeit erhalten, schon deshalb komme das Ministerium nicht in Betracht, zumindest nicht für den ersten Schritt. Am Ende hielt er für das Vernünftigste, seine Klage dort vorzubringen, wo sich das Unrecht ereignet hatte, in der Behörde selbst. Allerdings wollte er nicht zu bescheiden sein und sich nicht an einen niedrigen Vorgesetzten Ludwigs wenden, an einen Unterabteilungsleiter etwa oder an einen Abteilungsleiter. Der Leiter der Behörde sollte von dem Fall erfahren, eine Rüge durch den Leiter würde Ludwig schon gehörig wehtun, und sollte Ludwig sich auf dessen Weisung hin so unverschämt verhalten haben, dann konnte er an zuständigster Stelle erfahren, woran er war.

Als Gruber sich am Abend dieses Tages, der wegen der Unruhe nicht angenehm, doch schließlich auch nicht ergebnislos verlaufen war, ins Bett legte, war nur noch eine Frage offen: ob er seine Beschwerde in einem Gespräch oder schriftlich vortragen sollte. Für einen Brief sprach, daß er sich darin unmißverständlich und von der möglichen Aufregung eines Augenblicks unbeeindruckt mitteilen konnte. Doch fürchtete er die Wartezeit, die Behörden sich nehmen, bevor sie Antwort geben, und noch mehr fürchtete er, sein Brief könnte bei einem Falschen landen, bei einem für die Bearbeitung von Briefen zuständigen Angestellten, den Ludwig am Ende gut kannte. Gruber sagte sich, dem Leiter gegenüberzusitzen,

flöße nur Schwächlingen Angst ein, er brauche nichts zu fürchten, wenn er sich nur sorgfältig genug seine Worte zurechtlege. Er sagte sich auch, in einem Brief bleibe immer irgend etwas unberücksichtigt, wie gründlich man ihn auch zu schreiben versuche, ein Gespräch dagegen biete den Vorteil, in Rede und Gegenrede ein Thema auszuschöpfen. Seine Frau, mit der er die Angelegenheit dann doch besprach, meinte, es sei genau umgekehrt: in einer Unterhaltung vergesse man die Hälfte, und nur ein Brief biete einigermaßen die Gewähr, daß nicht das Wichtige unter den Tisch falle und man sich hinterher nicht an den Kopf zu greifen brauche. Doch Gruber, der mit seiner Frau erst dann gesprochen hatte, als seine Entscheidung schon feststand, ließ sich nicht umstimmen. Er sagte: »Ich werde zum Leiter der Behörde gehen, daran ist nun nichts mehr zu ändern. Meine Briefe fallen mir immer zu bescheiden aus. Ich werde zwar nicht anmaßend auftreten, doch ganz und gar nicht ängstlich. Ich will vor dem Leiter als jemand sitzen, dessen Zorn noch lange nicht verraucht ist. Schon solches Sitzen allein ist mir wichtig. Auch will ich aus seinem eigenen Munde hören, wie er zur Tat des Herrn Ludwig steht. In einem Brief dagegen könnte man mich mit Redensarten abfertigen und mir ein Bedauern auftischen, das in Wirklichkeit nicht existiert. Nein, ich werde hingehen.«
Vom nächsten Morgen an hatte er viel zu telefonieren. Man schickte ihn von einem Apparat zum anderen, und da manche Telefone in dieser Kette unbesetzt waren, mußte Gruber es immer wieder versuchen. Erst gegen Mittag gelang es ihm, mit der Stelle zu sprechen, die für Termine beim Leiter der Behörde zuständig war, obwohl er von Anfang an genau diese Stelle verlangt hatte. Eine

Frau, die Gruber sich nach wenigen Worten dunkelhaarig und groß vorstellte, fragte ihn, womit sie dienen könne. Gruber nannte seinen Namen und wünschte dann den Termin für ein Gespräch mit dem Leiter, worauf er gefragt wurde, worum es gehe. Das überraschte ihn nicht, denn soviel verstand er von Behörden, daß nicht jeder um einen Termin beim Leiter bitten und diesen auch sofort erhalten konnte. Dennoch kam ihm die Erklärung, die er nun zu geben hatte, wie ein ziemliches Hindernis vor. Er wollte nicht jetzt schon alles sagen, um sich später, wenn er dem Leiter gegenübersitzen würde, nicht ständig wiederholen zu müssen; andererseits hatte er aber doch so viel zu verraten, daß sein Fall für wichtig genug gehalten wurde. Er sagte der Frau, bei der Bearbeitung eines Antrags habe ein Angestellter der Behörde ihn so kränkend behandelt, daß er den Vorfall höherenorts vortragen wolle. Das Wort *höherenorts* hatte er unter den zur Auswahl stehenden Wörtern für das glücklichste gehalten, denn es enthielt, so fand er, die Andeutung, daß er sich, falls man ihm ein Gespräch mit dem Leiter verweigerte, an eine noch höhere Stelle wenden würde. Die Frau fragte, ob Gruber es nicht für die klügere Lösung halte, seine Beschwerde in einem Brief vorzubringen, denn der Leiter sei ein beschäftigter Mann, und die Wartezeit könne lang werden. Gruber erwiderte, eine Wartezeit schrecke ihn nicht, man möge ihm nur den Termin geben. Es entstand eine kleine Pause, während der Gruber die Frau ein dickes Terminbuch durchblättern sah; dann bat sie ihn, anderntags noch einmal anzurufen, für einen genauen Bescheid. Das tat er und erhielt, kaum daß die Frau seine Stimme gehört hatte, den Termin. Er war nicht so weit entfernt, wie Gruber befürchtet hatte, keine zwei

Wochen. Zu seiner Frau sagte er, eigentlich sei es ein Kinderspiel, einen Termin zu bekommen.
Als die Zeit herangekommen war, gab es einen kleinen Streit zwischen Gruber und seiner Frau, weil sie die Ansicht vertrat, er müsse für seinen Gang zum Leiter der Behörde den besten Anzug anziehen, er aber seine gewöhnlichen Kleider tragen wollte, um zu bekunden, daß er keinen übertriebenen Respekt kannte. Schließlich einigten sie sich darauf, daß Gruber in einem Anzug ging, der zwar nicht mehr sein allerbester, doch noch so gut war, daß er ihn immer noch bei wichtigen Anlässen trug, wenn auch nicht mehr bei den festlichsten. Während er den Hof bei seinem Haus überquerte, bürstete seine Frau ihm den Rücken ab, und in der Toreinfahrt gab sie ihm einen letzten Ratschlag, den er kaum hörte. Es war später Vormittag, Gruber hatte sich für diesen Tag von der Arbeit beurlauben lassen. Einige Kinder sah er mit Schulranzen, da überlegte er, wann er zum letztenmal Kinder aus der Schule hatte kommen sehen.
Im Vorzimmer sagte er sich immer wieder, es bestehe kein Grund, aufgeregt zu sein, doch die Hände wurden ihm feucht, und er wischte sie mehrmals an der Hose ab. Er wurde von einem Mann empfangen und nicht von jener Frau, mit der er telefoniert und die hier anzutreffen er erwartet hatte. Der Mann fand Grubers Namen auf einer Liste, die wohl alle Namen der für heute vorgesehenen Besucher enthielt, und er bat ihn, sich für kurze Zeit zu gedulden. Er ging hinaus, und Gruber stand allein im Zimmer neben der Tür, ohne daß man ihm einen Stuhl angeboten hätte. Er sagte sich, dies sei gewiß nur deshalb versäumt worden, weil der Mann gleich zurückkommen werde, also lohne es auch nicht, unaufgefordert auf einem

der Besucherstühle Platz zu nehmen. Doch fand er auch, es handle sich um eine gewisse Unhöflichkeit, zumindest um eine Nachlässigkeit. Er war eben im Begriff, sich doch zu setzen, um sitzend angetroffen zu werden, als der Mann die Tür öffnete und sagte: »Bitte sehr, Herr Gruber.« Gruber trat in das eigentliche Zimmer ein und fühlte sich, während die Tür hinter ihm zuging, unvermittelt sicher und seiner Angelegenheit gewiß. Wenn ihm jetzt das Wort erteilt worden wäre, hätte er die Beschwerde überzeugend und ohne zu stocken vortragen können.
Der Leiter der Behörde saß beschäftigt hinter einem Schreibtisch und blickte nur kurz auf, als Gruber abwartend bei der Tür stehenblieb. Er sagte, er habe noch ein paar Notizen zu machen, Gruber möchte sich einen Augenblick gedulden, und er wies auf einen Besuchersessel, der verloren im Raum stand. Gruber setzte sich, der Sessel war nicht bequem, denn die Sitzfläche war nach vorne hin abschüssig, weil viele Besucher wohl nur auf der vorderen Kante gesessen hatten. Man mußte sich gegen die Rückenlehne stemmen, wollte man nicht abrutschen. Allzu stark durfte man das aber nicht tun, denn schwer war der Sessel nicht. Gruber sah sich um in dem Raum, der unscheinbar eingerichtet und größer als das Vorzimmer war, doch seiner Vorstellung von einem Vorzimmer eher entsprach als jenes. Er fand nichts, wovon er auf eine Eigentümlichkeit des Leiters hätte schließen können. An der Wand hingen eine Landkarte und das Bild eines Staatsmannes, das in allen anderen Behördenräumen auch hing und nur bekundete, daß niemand dort wohnte. Es roch ein wenig nach Rauch, Gruber konnte aber nirgends, weder auf einem Tischchen nahe dem

Fenster noch auf dem Schreibtisch, einen Aschbecher entdecken. Er sah den Füllhalter des Leiters über das Papier sich hinbewegen, in auffallend hohen Auf- und Abschwüngen; die Punkte und Doppelpunkte wurden auf sehr erkennbare Weise gesetzt. Einmal war sich Gruber fast sicher, daß soeben das Wort *wir* geschrieben worden war. Er fragte sich, ob man ihn absichtlich so unbequem sitzen und warten ließ, ob die Behörde dem Besucher eine letzte Gelegenheit geben wollte, sich seiner Zweifel zu besinnen. Er dachte grimmig, daß eine solche Rechnung in seinem Fall bestimmt nicht aufgehen würde, dann blickte er auf seine Uhr und sah, daß die verabredete Besuchszeit noch gar nicht da war. Er hatte sich um einige Minuten verfrüht und war trotzdem eingelassen worden, worin er ja eher ein Entgegenkommen als eine Unfreundlichkeit zu sehen hatte. Gruber sagte sich, er sollte nicht hinter den natürlichsten Vorkommnissen eine List vermuten, sonst sei er selbst sich das größte Hindernis.

Der Leiter unterbrach für einen Augenblick sein Notieren und sagte, die Wartezeit tue ihm wirklich leid, aber nun sei er bald fertig. Gruber antwortete mit einer Handbewegung, die ausdrücken sollte, der Leiter möge sich nur nicht gestört fühlen, die von diesem jedoch, weil er sich schon wieder auf das Notieren konzentrierte, gar nicht wahrgenommen wurde. Gruber blickte in das Gesicht des Leiters, wie der letzten Beschäftigung sich zuwendend, die ihm noch geblieben war. Das Gesicht war ein wenig nach unten geneigt, Gruber konnte es aber dennoch ansehen, da er in seinem Sessel tiefer saß. Manchmal bewegte der Leiter die Lippen, als müsse er sich von diesem oder jenem Wort erst überzeugen, bevor

er es hinschrieb. Nur die Augen konnte Gruber nicht erkennen, weil sie aufs Papier gerichtet waren.
Auf einmal kam Gruber das Gesicht des Leiters bekannt vor. Er überlegte vergeblich, an wen es ihn erinnerte; dann stellte er sich die Frage, ob er nicht vielleicht dem Leiter der Behörde selbst bei irgendeiner Gelegenheit schon begegnet war. Diese Nase zusammen mit diesem Mund kenne ich, dachte Gruber, daran besteht für mich kein Zweifel, auch wenn es natürlich die seltsamsten Einbildungen gibt. Er wünschte jetzt, der Leiter möge noch viel zu schreiben haben und ihm mehr Zeit lassen. Wenn er erst wisse, wen er vor sich habe, dachte er, könnte ihm das am Ende ein Vorteil bei der Beschwerde sein. Eine Eigentümlichkeit des Mundes war, daß die Oberlippe leicht überhing und in der Mitte ein wenig spitz nach unten lief, wie die Spitze eines einfach gezeichneten Herzens. Gruber versuchte zu erkunden, ob er den Mund in angenehmer oder schlechter Erinnerung hatte, vielleicht fielen ihm, hoffte er, wenigstens ein paar Worte aus diesem Mund ein. Dann auf einmal überfiel Gruber die Gewißheit, und er spürte am ganzen Körper Schweiß und mußte schneller atmen, das Gesicht gehörte zu dem Sachbearbeiter Ludwig. Selbst die Hände erkannte Gruber wieder. Aber Ludwig hat braune Haare und nicht graue wie dieser, dachte er, nachdem er etwas zur Besinnung gekommen war, auch die Koteletten sind bei Ludwig länger. Und natürlich hat Ludwig nicht den Kinnbart. In seiner Aufregung verschob er den Sessel nach hinten, bis eine Falte in dem lappigen Fußbodenbelag ihn aufhielt. Es kam Gruber vor, als sei er hinter ein schreckliches Geheimnis gekommen. Er sagte sich, die Unterschiede zwischen dem Mann vor ihm und Ludwig, oder

richtiger, zwischen dem Ludwig von heute und dem Ludwig von damals, seien in Wirklichkeit plump und alle das Resultat einer Maskierung, die vielleicht nicht schlecht war, aber längst nicht gut genug für den, der genau hinsah. Er hielt es für möglich, daß ihm der Betrug, wenn man ihn nicht so früh in das Zimmer gelassen hätte, verborgen geblieben wäre. Er erinnerte sich, daß Ludwig Zigaretten rauchte und daran, wie es hier gerochen hatte, als er eingetreten war.

Der Leiter, der seit seiner Entschuldigung keinmal aufgeblickt hatte, war nun doch fertig. Er klappte sein Heft zu, legte den Füllhalter in die Schale, in der auch andere Schreibgeräte lagen und verschob ein paar Dinge auf seinem Tisch so aufmerksam, als sei erst dieses Zurechtrücken das Ende der Notizen. Dann blickte er mit Ludwigs Augen auf den Besucher und sagte freundlich, er habe seine Sache nun erledigt, man könne sich jetzt über die Beschwerde unterhalten, es handle sich doch wohl um eine Beschwerde. Er lehnte sich zurück und wartete, doch Gruber war unfähig, ein Wort zu sagen.

Das Selbstverständliche, das beinah wie Schlaf ist, kurz unterbrechen. Ein paar Minuten ohne die bewährten Argumente auskommen. Dann eine Stunde, dann einen Tag. Ein Spiel spielen: Die Rolle seines Feindes übernehmen. Doch nicht absichtlich stümperhaft, sondern mit allem Ehrgeiz. Bis die Furcht, sich als der eigene Feind überzeugend zu finden, sich nach und nach verliert. Nicht gleich verzweifeln bei dem Gedanken: Warum eigentlich nicht? Er ist die Seele des Spiels.
Das Spiel erst dann beenden, wenn die Rolle leergespielt ist. Ohne Ungeduld auf diesen Augenblick warten. Kommt er nicht, dann immer weiterspielen, im Notfall bis ans Ende.

Ansprache vor dem Kongress der unbedingt Zukunftsfrohen

Verehrte Damen und Herren!
Es ist gar nicht einfach, vor Ihnen zu stehen und zu Ihnen zu sprechen als einer, der irgendwie ja dazugehört, aber doch wiederum nicht ganz, als einer, der nahezu alle Ihre Wünsche teilt, so manche Ihrer Erwartungen jedoch nicht. Trotzdem danke ich sehr für die Gelegenheit, die Sie mir geben, obschon Sie gewiß ahnen, daß Meinungsverschiedenheiten nicht ausbleiben werden. Es zeichnet Ihre Organisation neuerdings ja aus, daß Einwände zugelassen und gar nicht unerwünscht sind. Obwohl Sie der Überzeugung sind, Einwände trügen nur dazu bei, Sie nur um so fester Ihrer Meinung sein zu lassen, und auch wenn der Einwendende hofft, das Gegenteil möge eintreten, so sind wir uns doch einig in der Methode. Sie wissen, daß ich den Bestrebungen Ihres Kongresses von Herzen Erfolg wünsche, sozusagen über meine Einwände weg, weil Ihr Glück und meines mit bloßem Auge kaum zu unterscheiden sind. Vielleicht darf ich nur deshalb vor Ihnen stehen, weil Sie das wissen.
Ich erinnere mich gut an einen Tag vor Jahren, da ich schon einmal an einer Ihrer Tagungen teilnahm; nebenan war es, im großen Saal, in diesem hier hätten wir längst nicht alle Platz gefunden. Wenn ich jene Zusammenkunft erwähne, dann nicht, um Wehmut hervorzurufen, und nicht, um Sie zu peinigen, indem ich an die Vergeblichkeit so vieler Hoffnungen erinnere. Ich möchte Ihr Augenmerk nur darauf richten, daß ein Übermaß an Zuversicht, wie es damals deutlich zu bemerken war, Ihre Sache

nicht sehr vorangebracht hat. Ich sage das nicht schadenfroh, ich seufze mit Ihnen und wünschte es von ganzem Herzen anders, doch davon später. Ich weiß noch, welch große, schöne Schar wir damals waren, ich mittendrin. Ich höre noch die frohen Reden, die nur von Beifall unterbrochen wurden, nie von Bedenken. Ich entsinne mich, wie lang die Rednerliste war und welcher Mühe man sich unterziehen mußte, um einen Platz darauf zu finden. Mir selbst gelang es nicht, doch war das kein Verlust; ich hätte ohnehin nichts anderes getan, als in den allgemeinen Jubel einzustimmen.

Doch es gibt noch eine andere Erinnerung: Als ich am Abend jenes Tages zu Hause saß und meine Lehren ziehen wollte, als ich, den Stift in der Hand, zu rekapitulieren versuchte, was an Bewahrenswertem vorgetragen worden war, da blieb mein Bogen leer. Ich erschrak und hörte nicht zu überlegen auf, erinnerte mich aber nur an Sätze, die davon handelten, wie gut die Dinge für uns stehen, wie das Rad der Geschichte sich fleißig in unsere Richtung dreht, welch grüne Zukunft vor uns liegt. Das war nicht viel, bis ich mir sagte, ich brauchte mich nicht so dumm zu wundern: immerhin handle es sich um eine Tagung der unbedingt Zukunftsfrohen. Und ich sagte mir, beim Kongreß der Verzweifelten hätte es sich natürlich anders angehört.

Doch ein Gefühl der Beunruhigung blieb zurück, wie ich mich auch dagegen wehrte. Mir ging die Frage nicht mehr aus dem Sinn, ob unsere Methode, zukunftsfroh zu sein, tatsächlich so vertrauenswürdig war; eine Methode, die grob gesagt darin bestand, die Mißlichkeiten des Tages mit dem Glück der Zukunft zu bekämpfen. Ich fragte mich, ob es nicht möglich wäre, auf eine Art und Weise

zukunftsfroh zu sein, die froher stimmte. Und wie sich zeigte, war ich nicht der Einzige, den diese Sorge plagte, die Zeit hat es bewiesen.
Nicht aus Gehässigkeit erwähne ich, daß die Organisation Mitglieder verloren hat. Es ist nicht meine Sache, die Verluste aufzurechnen und zu beklagen. Nur sollten sie nicht als eine Art von Reinigung betrachtet werden, und als Selbstreinigung, wie man es hin und wieder in den Reden hört, schon gar nicht; denn eine Absicht Ihrerseits steckte ja doch nicht dahinter. Sie werden mir hoffentlich nicht zürnen, wenn ich behaupte: der einzige Vorteil für die Verbliebenen bestünde darin, die Gründe der Fortgegangenen zu untersuchen. Sie sollten dabei nicht nur solche Gründe vermuten, die schmählich klingen, bequem in der Hand liegen, doch nur bei wenig Licht glaubhaft sind.
In verschiedene Richtungen sind jene davongelaufen, die nicht mehr zu den unbedingt Zukunftsfrohen gehören wollten. Einige haben sich zurückgezogen, als wollten sie unkenntlich werden, als wüßten sie noch nicht, wohin sonst sie gehen sollten, nur eben fort. Andere, vielleicht die Radikalsten unter den Fortgegangenen, sind der Vereinigung der Hoffnungslosen beigetreten. Es drängte sie ans Gegenteil heran, das mag im einen Fall übertrieben scheinen, im anderen gar unverständlich; doch sollten Sie erfahren wollen, wie eine solche Absicht mitten unter Ihnen entstehen konnte, wie dieser Zukunftsfrohsinn manchen so verzweifelt machte. Wieder andere, zu denen auch ich gehöre, haben sich den gemäßigt Zukunftsfrohen angeschlossen.
Ich kann mir denken: Sie werden das einen Rückzug nennen. Sie werden behaupten, die Einschränkung, die

dem Attribut *gemäßigt* innewohnt, wolle in Wahrheit der Zuversicht ans Leben. Das leugne ich, wenn es auch wahr ist, daß ich nicht mehr in gleicher Weise zukunftsfroh wie früher bin. Natürlich müssen sich meine Erwartungen verändert haben, sonst wäre zu fragen: Wozu der ganze Wechsel? Doch wer verlorene Erwartungen kurzerhand als Enttäuschungen abtut, der macht es sich zu leicht. Es sind die übertriebenen Erwartungen, die fort sind, und jene Wünsche, die ich gewissermaßen nur geschlossenen Auges hätte weiterhegen können. Ich fühle mich wohler ohne sie – sehen Sie mich nur gut an –, fast wie nach einer Kur, auf der man überflüssige Pfunde losgeworden ist. Mein Zukunftsfrohsinn kommt mir auch nicht kleiner vor als ehedem, eher zuverlässiger und nicht mehr so kränklich.
Noch einmal, verehrte Damen und Herren, glauben Sie nicht, die Tatsache Ihrer Dezimierung lasse mich gleichgültig oder mache mich gar zufrieden. Doch auch nicht traurig, damit das klar ist. Wie sollte es mich traurig stimmen, wenn der und jener sich von Ihnen trennt und damit keiner anderen Einsicht folgt als der, zu der auch ich gelangt bin? Ich sehe darin den Beweis, daß Ihre Art von Frohsinn nur unter Verlusten beizubehalten ist, nur unter Verlusten, wie man sagt, an Leib und Seele. Doch etwas anderes macht mich traurig: Welch häßliche Namen Sie den Fortgegangenen geben, wie unbekümmert Sie sagen, ihr Weggang sei *bezeichnend*. Als handle es sich bei der Ernüchterung, zu der der Fortgegangene ja gelangt sein muß, bevor er Sie verließ, um eine Art von Schlechtigkeit. Diese Ernüchterung ist ein Thema, mit dem Ihr heutiger Kongreß sich unbedingt befassen sollte. Ich höre schon Ihr Urteil, nun erst wisse man, woran

man bei den Fortgegangenen sei; Sie bedenken nicht, daß die Betreffenden zuvor sich auch von Ihnen ein Bild gemacht haben müssen. Und Sie bedenken nicht, daß dieses Bild so sehr zu Ihren Ungunsten ausgefallen sein muß, daß jene Leute als Folge davon eben fortgegangen sind.

Verweilen wir für einen Augenblick bei der Ernüchterung, bei der erwähnten, die man nicht übersteht wie schlechtes Wetter, indem man für eine Weile den Kopf einzieht und den Kragen hochschlägt. Sie ist ja nicht die Folge besonders ungünstiger Zeiten, auf deren Endlichkeit man sich verlassen könnte. Wäre sie es nur: dann bestünden all Ihre Erwartungen zu Recht, und mit Standhaftigkeit und Geduld wäre dem Übel beizukommen. Doch leider ist es anders, liebe Freunde, die Quelle der Ernüchterung sind Ihre Wünsche und Erwartungen selbst, das Übermaß darin.

Nicht wenige der Sehnsüchte, die in Ihrer Organisation als unumstößlich gelten, sind so beschaffen, daß der Sehnsüchtige nur eine Zeitlang guter Hoffnung sein kann: in jenem frühen Stadium, da neuentdeckte Wünsche noch Zuversicht erzeugen, da die Erfüllung noch beruhigend weit ist, und die Mißlichkeiten des Wegs dorthin noch keine Rolle spielen. Ich habe lang genug an diesem warmen Feuer mitgesessen, ich kenne das Glück, den besten Einwand mit einer Handbewegung zu entkräften und mit den Worten: Ach was. Das Kreuz mit dieser schönen Zeit ist nur, daß sie nicht ewig dauern kann. Vielen von Ihnen aber, so mein Vorwurf, gelingt es, in zweierlei Welten zu existieren: in einer der Erwartungen, in der die Zeit angehalten ist, und in einer anderen der täglichen Plackerei. Es gibt keine Berührungspunkte zwischen beiden, es führen keine Brücken hin und her; so können Erfahrungen, die in der einen Welt gemacht werden, nicht zu Bedeutung in der anderen gelangen. Auch wird auf diese Weise der Wünschende der Möglichkeit beraubt, sich zu besinnen. Später, zurück im tatsächlichen Leben, schleppt er die Last seiner Erwartungen mit sich herum wie einen Schuldenberg und flüchtet, wenn sie ihn zu erdrücken droht, auf wunderbare Weise wieder in die Welt der Wünsche. Niemand kann ihm folgen und dort vernünftig mit ihm reden, denn nur er und seinesgleichen wissen den Weg und hüten ihn als Geheimnis.

In meiner neuen Umgebung, liebe Freunde, bei den gemäßigt Zukunftsfrohen, geht es anders zu. Wir halten uns an den Beschluß, nicht länger unter Hoffnungen zu leiden. Wir haben all unsere Erwartungen vor uns ausgebreitet und geprüft; zuerst besahen wir uns jede einzeln, dann kombinierten wir verschiedene miteinander und spürten Widersprüchen nach. Es stellte sich heraus, daß längst nicht alle uns das Leben sauer machten, es waren nur ein paar. Von denen mußten wir uns trennen. Wir haben keine einzige Erwartung aufgegeben, bevor uns nicht erwiesen schien, daß da kein Weg ist. Wir waren nach besten Kräften gründlich, im Zweifelsfall entschieden wir stets zugunsten der Erwartung. Glaubt also nicht, wir seien blindwütig vorgegangen und hätten mit der Axt auf unsere Erwartungen eingeschlagen. Wenn wir nach sorgfältiger Prüfung beschlossen: dieser Wunsch muß weg! – dann nie, weil wir zu faul gewesen wären, uns abzumühen für ihn. Wir hatten nur erkannt, daß nichts aus dieser Sache werden würde, wir hatten eingesehen, daß wir, indem wir weiterhofften, nur unsere Enttäuschung produzierten. So mußte man sich trennen.

Das Urteil hieß in solchem Fall: Schön, aber aussichtslos.
Ich will hier nichts beschönigen. Manchmal krampfte sich einem das Herz zusammen, zum Beispiel wenn ein Alter sagte: Davon habe ich geträumt, seit es mein Vater mir erzählt hat, nun ist die Hoffnung fort. Wir mußten ihn dann fragen, aus welchen Gründen er zu uns gekommen war und nicht zu Ihnen, den unbedingt Zukunftsfrohen. Wir mußten ihm erklären, daß wir die jeweilige Erwartung ja nicht aufgaben, um unsere Zuversicht zu vermindern, sondern um sie zu bewahren.
Da ich den Schritt von Ihnen zu den gemäßigt Zukunftsfrohen vor nicht so langer Zeit getan habe, sind mir die Sorgen noch lebhaft im Gedächtnis, die mich am Anfang quälten. Es kam mir vor, als sei ich ärmer geworden durch den Wechsel, als hätte ich auf einen Teil meines Vermögens ohne Not verzichtet. Und länger als mir lieb war, drückte mich die Frage, ob ich nicht vorschnell so gehandelt hatte.
Inzwischen weiß ich: mein Unbehagen war vergleichbar dem des Trinkers, der schnell zu jammern anfängt, wenn man ihm den Alkohol entzieht. Vom Trinken will er aber loskommen, das möchten beinah alle. Geht er mit seiner Gier zu sanft um, dann bleibt er wohl an seinem Unglück kleben; ist er jedoch so fest entschlossen, wie ich es bei dem Übertritt zu meinem Glück gewesen bin, dann gibt es keinen anderen Weg als durch die Unzufriedenheit hindurch. Und was ihm, solange er von seinem alten Standpunkt aus die Welt betrachtet hat, nur wie ein schwerer Mangel vorgekommen ist – nämlich keinen Schnaps zu trinken – das wird, wenn er geheilt ist, zum Gewinn.

Ich bitte Sie, mir das schiefe Beispiel nachzusehen, liebe Freunde, das gewisse Ungehörige daran ist mir bewußt. Wenn ich es trotzdem nicht hinausgeworfen habe aus meiner Rede, dann weil: ich sehe auch beim Wünschen eine Suchtgefahr. Ich habe ja am eigenen Leibe solche Sucht erfahren, ich habe drei Gläschen stärkster Hoffnung ja täglich hinunterkippen müssen – wie anders sollte die Entzugserscheinung zu erklären sein? Und weil ich weiß, wie mächtig hierbei die Gewöhnung ist, wie sie den Süchtigen von seinem Verstand abtrennt, gerade darum fühle ich mich so erleichtert, wie Sie mich stehen sehen. Ein neuer starker Wunsch hat mich gepackt, genau an jener Stelle, an der die alten Wünsche losgelassen haben: Es soll mir nie ein Rückfall in die Quere kommen.

Verehrte Freunde, man kann sich einen Zustand denken, darin man auseinandergeht in mancherlei Ansicht, im Großen und Ganzen sich aber verbunden bleibt. Genau das ist die Art von Sympathie, der ich Sie versichern möchte; und ich wünsche, es wäre auch umgekehrt so. Meine Zuneigung haben Sie aus den bisherigen Worten wohl gespürt, wenn nicht, dann nehmen Sie sie bitte jetzt zur Kenntnis.

Ich habe schließlich einen Auftrag zu erfüllen: Im Namen des Verbandes der gemäßigt Zukunftsfrohen habe ich Ihnen die Zusammenarbeit vorzuschlagen. Es lag uns ein anderes Angebot vor, das wollen wir nicht verschweigen, die Vereinigung der Hoffnungslosen trug uns die Zusammenarbeit an. Wir haben abgelehnt, obwohl ein paar von uns der Meinung waren, wir sollten akzeptieren. Zusammenarbeit bringe einander näher, sagten sie, sie führe folglich die Hoffnungslosen heran an uns. Wir haben auch um Ihretwillen abgelehnt, die Partnerschaft mit

Ihnen ist uns wichtiger. Wir hätten es, wie mancher bei uns wollte, mit Ihnen und zugleich mit denen versuchen können; doch glauben wir mehrheitlich, daß Bindungen nach allen Seiten zwar hübsch anzusehen, jedoch von Nachteil für die einzelne Beziehung sind. Ganz abgesehen davon, füge ich unter uns hinzu, daß gemäßigt zukunftsfroh zu sein ja nicht bedeutet, prinzipienlos zu sein. Mit Ihnen also oder mit den Hoffnungslosen, darauf lief es hinaus, und unsere Entscheidung haben Sie gehört. Lieber als bei den Hoffnungslosen erlangten wir bei Ihnen Einfluß, wie wir auch lieber Ihrem als deren Einfluß ausgesetzt sein möchten. Mit Spannung wartet man bei uns auf Ihre Antwort.

Liebe Anwesende, ich wünsche Ihrer Tagung Erfolg. Befürchten Sie nicht, mir und meinen Freunden sei Ihr Mißerfolg willkommen. Da er uns nicht den kleinsten Nutzen bringt, warum sollten wir ihn herbeiwünschen? Ihre Enttäuschungen schmerzen auch uns, vielleicht nicht ganz so heftig wie Sie selbst, doch spürbar. Die Enttäuschungen werden nicht ausbleiben. Sie werden in immer kürzeren Abständen auftreten und irgendwann, so fürchten wir, Sie schier erdrücken. Wir wünschen Ihnen dann den Mut, nicht in alte Erwartungen zurückzuflüchten, sondern jede einzelne zu überprüfen am wahren Stand der Dinge. Wir versichern Sie der Erkenntnis, daß Fortschritt auch in Ernüchterung bestehen kann.

Entwurf für einen Alptraum

Wie üblich schreibe ich an einem Buch. Plötzlich, an einer Stelle, die mir von fern wie ein Kinderspiel vorgekommen war, überfällt mich der Verdacht, ein bestimmtes Wort vergessen zu haben. Je länger ich nachdenke, um so sicherer bin ich: mir fehlt ein Wort. Natürlich weiß ich nicht welches. Doch ohne dieses Wort, das spüre ich, kann ich nicht das schreiben, was ich schreiben will. Es sei denn, nur ungefähr, aber das ist so gut wie nichts. Ich suche mit aller Macht, ich klappere die Wörter ab. Auch in anderen Büchern kann ich das Wort nicht finden. Ich führe Gespräche nur noch in der Hoffnung, irgend jemand könnte zufällig das eine Wort benutzen. Dann breche ich die Suche ab und gehe wieder an mein halbfertiges Buch. Ich beschließe, das Buch ohne dieses Wort zu Ende zu schreiben. Wenn es fertig sein wird, werde ich der einzige sein, der weiß, daß ein Wort darin fehlt. Eine andere Hoffnung gibt es nicht.

Allein mit dem Anderen

Vor zwei Jahren stellte ich einige Überlegungen an, an deren Folgen ich bis heute zu leiden habe. Ich wurde das Opfer meiner Handlungsweise, zu der mich kein Mensch gezwungen hat, die ich aus freien Stücken für richtig hielt. Der Außenstehende wird mir natürlich raten, nicht länger so zu handeln, wie es mich unglücklich macht. Das ist richtig und zugleich undurchführbar. Ich unterliege starken Zwängen, ganz abgesehen davon, daß dieses mein Verhalten mir zur Gewohnheit geworden ist. Ich weiß, das klingt verworren.
Vor zwei Jahren begann ich nachzuforschen, worin wohl die Lustlosigkeit begründet sein mochte, die mein Leben seit langem überschattete. Ich fand das Übliche heraus: daß ich dazu verurteilt war, mich von früh bis spät so zu verhalten, wie Hunderte von Regeln es mir vorgeschrieben und niemals meine eigenen Wünsche. Ich bin ein ängstlicher Mensch, das sage ich ohne Stolz. Wenn mir einmal der Gedanke an Auflehnung kommt, dann ist es bis zur Auflehnung selbst noch genausoweit, als wäre mir der Gedanke nie gekommen. Ich habe also nie im Ernst erwogen, das zu verweigern, was man von mir erwartete. Mitunter habe ich mich geschämt, weil ich es nie im Ernst erwog, das schon, doch weiter bin ich nie gegangen. Ich tue täglich so, als erfüllte es mich mit Freude, der höhere Behördenangestellte zu sein, der ich bin. Viel lieber wäre ich Landwirt oder Geologe, was beides unerfüllbar ist. Ich tue so, als hätte ich mit meiner Familie das große Los gezogen. In Wahrheit treffe ich täglich Frauen, die mir weit angenehmer sind als meine

eigene, und täglich sehe ich hübsche und intelligente Kinder, die ich gern tauschen würde gegen meine eigenen, die mir so ähneln. Am liebsten wäre ich Junggeselle. Ich tue schließlich so, als könnte die Regierung fest auf mich rechnen. In Wahrheit bin ich jemand, den nichts weniger interessiert als Beschlüsse von Regierungen, sofern sie mich nicht allzusehr betreffen. Wenn ich am Abend das Licht endlich lösche und zu mir sage, daß ich mich bis zum nächsten Morgen nicht mehr zu verstellen brauche, dann weiß ich manchmal selbst nicht, wie ich zu sein habe.

Natürlich gibt es Zwänge, die hinter solchem würdelosen Handeln stecken; das ist die einzige Rechtfertigung. Was mich jedoch zu quälen anfing vor zwei Jahren, war die Erkenntnis: Die Zwänge sind nicht groß genug. Ich dachte mir: Wenn es gelänge, die Bedrohung, der man ausgesetzt ist, sichtbarer zu machen und zu verstärken, dann wäre manches gut. Dann könnte man seinen Zorn von sich auf die Bedränger lenken, man wäre einer, für dessen Handlungen andere verantwortlich sind, man könnte freier atmen.

Daß ich den Ausweg für mich fand – denn dafür hielt ich es damals ja –, hat zwei Gründe. Zum einen bin ich eine gespaltene Persönlichkeit, doch nicht auf eine Art, daß sich die Medizin mit mir befassen müßte; es handelt sich im Gegenteil um eine Stärke, wenn ich so unbescheiden von mir selber sprechen darf: Seit ich ein Kind war, besitze ich die Fähigkeit, mich mit äußerster Intensität in die Rolle anderer zu versetzen. Ich kann das so umfassend tun, daß, während ich der Andere bin, ich selbst so gut wie nicht mehr existiere und nicht den kleinsten Zweifel an meiner Verwandlung habe. Nur

igendwo noch, in meinen untersten Gedanken bleibe ich mir selbst erhalten, so daß der Weg zur Rückverwandlung nicht abgeschnitten wird.
Der zweite Grund war ein Erlebnis an einem Abend im November: Ich ging gedankenlos in einem Park spazieren, es war das Ende eines kühlen Tages, an dem kein Tropfen Regen gefallen war, obwohl es seit dem Morgen nach Regen ausgesehen hatte. Der späten Stunde und des Wetters wegen war anzunehmen, daß sich niemand sonst in dem Park befand, bis mir ein Mann entgegenkam. Er ging nicht schnell, ich sah ihn mir gut an, weil ich verwundert war, was der im Park zu suchen hatte; ich könnte ihn beschreiben. Als wir auf gleicher Höhe waren und ich ihn eigentlich schon passiert hatte, blieb der Mann stehen und hatte einen Revolver in der Hand. Es war die erste Schußwaffe, die ich je sah, Film und Fernsehen nicht gerechnet. Wir standen einige Sekunden stumm voreinander, dann sagte der Mann mit einer Stimme, die alles andere als grob klang, ich solle ihm unverzüglich all mein Geld geben. Auch wenn er leise sprach, war er doch aufgeregt, und meine größte Angst war, er könnte mich erschießen, ohne es zu wollen. Ich nahm das Portemonnaie aus meiner Jackentasche, ärgerlicherweise hatte ich an diesem Abend dreihundert Mark bei mir. Er riß es mir aus der Hand und verschwand damit hinter Büschen. Zwei Tage später wurde er gefaßt, ich erkannte ihn bei der Gegenüberstellung. Er besaß noch dreiundzwanzig Mark, die mir zurückerstattet wurden. Doch wichtig an dem Vorfall ist etwas anderes. Nachdem ich, eben ausgeraubt, zu Hause war und meiner Familie von dem Verbrechen berichtet hatte, kam mir, ich weiß nicht wie, ein erstaunlicher Gedanke: ich stellte fest, daß ich mir nicht

den allerkleinsten Vorwurf machte, mein Geld dem Räuber überreicht zu haben. Ich kochte zwar vor Wut, daß es verloren war, ich fluchte wohl auf den Dieb, doch daß ich selbst es gewesen war, der dem Kerl das Portemonnaie überreicht hatte, störte mich nicht im mindesten. Ich war ausreichend gezwungen worden, ich hatte keine andere Wahl gehabt, die Waffe in der Hand des Räubers enthob mich der Verantwortung. Und deshalb ging es mir, obwohl ich zornig war, nicht schlecht. In der Nacht begann ich, den Vorfall für mein Leben auszuwerten.

In den nächsten Tagen überlegte ich, auf welche Weise ein Revolver zu beschaffen wäre. In unserem Land ist der Besitz von Waffen, selbst von kleinsten, streng reglementiert, das heißt verboten. Schon die Suche nach einer Waffe steht unter Strafe, ich hatte mich mit großer Vorsicht zu bewegen. Wenn mich in dieser Zeit ein zweiter Räuber überfallen hätte, dann wäre ich ihm mit einem Angebot gekommen, dem er vermutlich nicht hätte widerstehen können. Ich kannte niemanden, von dem ich Rat in solchen Dingen erwarten konnte. Ich setzte mich in Kneipen, die ich für finster hielt. Ich trank, für meine Verhältnisse große Mengen, Bier und Schnaps und hoffte, jemanden zu treffen, der aussah wie der Besitzer eines Revolvers. Wenn es in diesen Kneipen jedoch Halunken gegeben haben sollte, dann waren sie zu gut getarnt für mich; ich sah nicht einen, an den ich meine Frage mit mehr Berechtigung hätte stellen können als an irgendeinen in der Straßenbahn. Als ich in dieser Zeit ein Lokal betrat, in dem ich auch am vorangegangenen Abend gewesen war, nahm mich der Wirt zur Seite. Er fragte vorwurfsvoll, was in der letzten Nacht in mich gefahren sei. Ich konnte mich, da ich zuviel getrunken hatte, an nichts erinnern. Er sagte, ich sei von Tisch zu Tisch getorkelt und hätte gefragt, ob irgendjemand in dem Puff hier einen Revolver zu verkaufen hätte. Ich sei bereit gewesen, jeden Preis für solch ein Ding zu zahlen, wenn es nur zuverlässig funktioniere. Er sagte dann, er könne das nicht dulden in seinen Räumen, ich hetze ihm mit meinen Reden noch die Behörden auf den Hals. Einmal noch, sagte er, und er müsse mir Lokalverbot erteilen. Ich war nicht wenig erschrocken über mein Verhalten. Ich bat ihn um Verzeihung und log ihn an, mir seien meine Worte, die ich aus seinem Mund zum erstenmal hörte, unerklärlich, weil ich nichts kenne, das mir gleichgültiger wäre als ein Revolver. Ich zahlte eine sogenannte Stubenlage, ging wenig später nach Hause und mied von nun an die Lokale mit ihrem Alkohol.

Wie ich dann doch zu meiner Waffe kam, ist schändlich. Ich stahl sie einem Freund. Geladen war sie mit drei Patronen, das waren sogar zwei zuviel für meine Zwecke. Der Freund, den ich fast ruinierte mit dem Diebstahl, ist Offizier der Polizei. Er brachte seinen Dienstrevolver jeden Tag nach Hause und ließ ihn, weil er keine Kinder hat, immer an der Garderobe hängen. Wir trafen uns seit vielen Jahren hin und wieder, auch unsere Frauen waren befreundet. An seinem Geburtstag, zu dem ich nicht etwa schon mit Diebsgedanken gekommen war, ergab sich plötzlich die Gelegenheit. Ich kam von der Toilette, stand im leeren Flur und sah die überfüllte Garderobe. Ich fragte mich auf einmal, ob unter den vielen Mänteln das Koppel mit dem Dienstrevolver hinge, es wäre grober Leichtsinn gewesen in Anbetracht der mehr als dreißig Gäste. Mir zitterten die Knie, während ich in der Manteltraube wühlte; seit meiner Kind-

heit, als Schokolade nicht anders zu beschaffen war, hatte ich nicht gestohlen. Tatsächlich hing auch heute wieder der Revolver da, bestimmt entgegen der Dienstvorschrift. Ich nahm ihn aus dem Lederfutteral und stopfte ihn in meinen Mantel. Eine kleine Mantellawine fiel zu Boden, die ließ ich eilig liegen. Ich ging zurück ins Badezimmer, ich wischte mir den Schweiß ab und dankte meinem Schicksal, daß alles bisher gutgegangen war. Dann trank ich vor Erleichterung ein Glas Wein, bevor wir, meine Frau und ich, ohne Zwischenfall aus der Wohnung und nach Hause kamen. Nicht alle Folgen meiner Tat sind mir bekannt, ich weiß nur, daß mein Freund wenig später zum Oberleutnant degradiert wurde. Er erwähnte die Angelegenheit mit keinem Wort, er wurde eigentümlich wortkarg, das geht bis heute so. Nie wieder habe ich an seiner Garderobe eine Waffe hängen sehen.
Jedenfalls hatte ich jetzt den Revolver, ich übte anfangs nur an kleineren Objekten. Zum Beispiel gewöhnte ich mir, als erste Übung, das Rauchen ab: kaum hatte ich mir eine Zigarette angezündet, schon zwang ich mich mit vorgehaltener Waffe, sie wieder auszudrücken. Ich gab mir in Gedanken eine Art Befehl, so heftig und so überzeugend, daß an Widerstand nicht zu denken war, wenn ich mein Leben nicht riskieren wollte. Der nächste Schritt war, daß mich der Revolver an meiner Schläfe zwang, sämtliche Zigaretten in der Wohnung zu vernichten. Meine Frau, die weiterrauchte, bewunderte meine Willensstärke, weil sie nicht ahnte, unter welcher Drohung ich stand. Natürlich rauchte ich anfangs noch, wenn andere Personen zugegen waren, wenn ich die Waffe also nicht zücken konnte. Der nächste Schritt war der entscheidende – ich fand heraus, daß ich die Waffe auch dann

benutzen konnte, wenn sie nicht da war. Ich konnte mir, bei einer Tagung inmitten von Kollegen, befehlen: Wenn du jetzt rauchst, dann wird geschossen, sobald du wieder zu Hause bist. Der Revolver konnte mir nun ständig drohen, auch wenn er in der verschlossenen Schublade lag, wir waren von äußeren Umständen unabhängig geworden. Ich sah ihn mir nur hin und wieder an, um mein Gedächtnis sozusagen aufzufrischen und genau zu wissen, daß meine Drohungen keine leeren Worte waren. Ich messe diesem Schritt deshalb soviel Bedeutung bei, weil ich oft, wenn etwas zu tun ist, was ich lieber bleibenlassen würde, nicht allein bin. Leicht hätte man auf den Gedanken kommen können, ich sei ein Selbstmordkandidat, wenn ich mit dem Revolver operierte. Genau das Gegenteil ist aber richtig: erst meine schreckliche Furcht vor dem Sterben versetzte mich in die Lage, so zu handeln.
Das Beispiel vom Abgewöhnen des Rauchens macht deutlich, wie meine Methode funktionierte, ist aber ungeeignet zu erklären, warum ich sie erfand. Das Rauchen abgewöhnen wollte ich mir ja, hingegen sollte der Revolver mir helfen, vor allem solche Handlungen zu bewältigen, die mir zuwider waren. Nach außen hin war keine Veränderung an mir feststellbar. Wenn ich mir, Kraft der Waffe, den Befehl gab, meine Frau zu umarmen oder, sagen wir, im Büro zu behaupten, der Plan meines Ministeriums für ein bunteres Straßenbild sei ein Meisterstück, verhielt ich mich ja nicht anders als immer schon; wenn ich die Hand in einer Versammlung hob, um zuzustimmen, dann mußte jeder mein Einverständnis ja für dasselbe halten, das ich noch nie verweigert hatte. Und doch war eine wichtige Veränderung geschehen,

nicht für die anderen, nur für mich: ich war mit mir im reinen. Ich war nun jemand, dem gar nichts anderes übrigblieb, als sich genau so zu verhalten, wie er sich verhielt. Ich weiß noch, zufällig las ich damals das Wort *Befehlsnotstand* in einer Zeitung, da dachte ich: genau das könnte ich für mich in Anspruch nehmen.
Mein neues Leben war nicht nur angenehm, ich will da nichts beschönigen. Natürlich litt ich unter der Bedrohung, den Befehlsgeber in mir empfand ich nicht nur als Helfer. Ich sah in ihm nicht selten einen Feind, der übermächtig, weil unangreifbar war, der mich ohne Unterlaß erpreßte. Mitunter sagte ich mir: Wenn es ihn nicht gäbe, hätte ich inzwischen längst aufgehört, mich Tag für Tag so klein und unwürdig zu verhalten. Die Bedrückung war so gut wie echt, die Angst vor dem Revolver die größte aller Ängste.
Und dennoch war ich lange Zeit der Meinung, es habe sich in meinem Leben allerhand zum Guten gewendet, weil ich, sooft ich gegen meinen Willen handeln mußte, mir sagte: Was willst du tun? Die Überzeugung, daß alle Möglichkeiten außer dieser einen mir verschlossen waren, war unerschütterlich. Sie gab mir Frieden, wie ich ihn bis zu jenen Tagen nie empfunden hatte, der Preis dafür war nicht zu hoch. Ganz nebenbei, ich hatte auch noch anderen Nutzen: Als ich die Sache anfing, war ich mittlerer Behördenangestellter, nun bin ich höherer. Wenn meine Zustimmung gefragt war, gab ich den letzten Rest von Vorbehalten auf, wie ich ihn mir zuvor manchmal noch geleistet hatte; denn es wurde mir so von innen her befohlen. Ich arbeitete über das geforderte Maß hinaus, scheinbar freiwillig, und kam dabei stets zu genau den Resultaten, die man an vorgesetzter Stelle gerne

hörte. Nicht selten sah ich groß und deutlich, wo ein Fehler steckte; doch zuverlässig hinderte mich der Revolver daran, ihn aufzudecken. Es war rundum ein Unglück, mit dem sich sehr gut leben ließ, wenn ich es mit dem früheren verglich. Selbst meiner Frau fiel auf, daß ich ein ausgeglichener Mensch geworden war. Einmal gestand sie mir, daß sie vor gar nicht langer Zeit erwogen hatte, sich von mir zu trennen. Ich wurde bleich, als sie das sagte, schon spürte ich den Befehl sie zu umarmen und zu küssen und ihr zu sagen: Ein Glück, daß du es dir anders überlegt hast.
Die Zufriedenheit hielt ungefähr ein Jahr. Dann fingen Störungen an, die harmlos wie ein Spiel begannen und in der Zwischenzeit – das ist nicht übertrieben – mich an den Rand des Todes bringen. Vielleicht versteht man, wenn ich sage: Der Mann mit dem Revolver hörte auf, mir zu gehorchen. Er gab und gibt mir immer häufiger Befehle, die ich nicht will und dennoch auszuführen habe. Es ist, als wollte er mich ruinieren, der Himmel weiß warum. Genau erinnere ich mich, wie es zum erstenmal geschah, ich hielt es für ein unverständliches Versehen: Ich stand an einer Straßenkreuzung und wartete auf grünes Ampellicht, als ich die Order bekam, unverzüglich loszugehen. Obwohl noch Rot war. Ich sah genau den Polizisten auf der anderen Straßenseite und durfte doch nicht zögern – für falsches Überqueren der Fahrbahn wird man in unserem Land nicht erschossen, wie es mir angedroht war, wenn ich stehenbliebe. Ich sprang, was blieb mir übrig, zwischen die Autos auf den Damm, ich hörte Hupen und Flüche und Bremsenquietschen, was war das für ein Augenblick. Ich hüpfte um mein Leben, es war zu allem Überfluß die Hauptver-

kehrszeit, noch niemals hatte ich mir eine Ordnungswidrigkeit zuschulden kommen lassen. Entsetzt und doch erleichtert kam ich auf der anderen Seite an, wo mich der Polizist, der so empört war, wie ich es an seiner Stelle auch gewesen wäre, erwartete. Ich stotterte von irgendwelcher Eile und machte alles mit Erklärungen nur schlimmer; zu Recht erhielt ich wenig später einen hohen Strafbescheid. Als ich an jenem Tag nach Hause kam, dachte ich lange und vergeblich über den Vorfall nach; am Ende legte ich ihn ab zum Unerklärlichen.
Die Folgezeit war ruhig, so daß ich hoffte, der Revolvermann wolle mich nicht wieder quälen, er habe sich darauf besonnen, wozu ich ihn erfunden hatte. Bald war ich überzeugt davon, der Zwischenfall an der Ampel sei eine verspätete Anfangsschwierigkeit gewesen. Dann fand in unserer Behörde die Jahreshauptversammlung statt. Es war ein Leiter aus dem Ministerium gekommen, um uns ein Referat zu halten; der lange Beifall war ihm sicher, auch wenn er nichts zu sagen wußte als das schon hundertmal Gehörte. Da ich sein Referat nicht brauchte, versank ich in Gedankenlosigkeit und tauchte genau in jener kleinen Pause wieder auf, die zwischen des Redners letztem Wort und dem Beginn des Beifalls lag. Ich hob mit allen anderen die Hände, um loszuapplaudieren, in diesem Augenblick traf mich der Befehl zu pfeifen. Ich muß wohl nicht beschreiben, wie ich mich fühlte: mein einziges Glück war, daß ich saß, sonst wären mir die Beine eingeknickt vor Schreck.
Als Kind war ich berühmt in unserer ganzen Straße für meine Pfiffe, und jeder weiß: wer einmal solche Fähigkeit besitzt, behält sie für sein Leben. Ich bin kein Freund von halben Sachen, dazu die Angst im Nacken – ich pfiff mit

voller Kraft, und der Versuch gelang mir prächtig, trotz der langen Pause. Was dann geschah, klingt selbst in meinen Ohren unwahrscheinlich: ich wurde nicht entdeckt, obwohl der Raum bis auf den letzten Platz gefüllt war. Das Gesicht des Referenten verlor alle Freundlichkeit, der Beifall kam schnell zum Stillstand. Ich hatte Geistesgegenwart genug, als einer der letzten mit dem Klatschen aufzuhören, vielleicht war das die Rettung. Die Köpfe der vor mir Sitzenden drehten sich zu mir, da hatte ich meine zweite Geistesgegenwart, gewiß die größere von beiden: ich drehte mich auch um. Ich machte es mit solcher Überzeugungskraft, daß noch die nächste Reihe nach hinten blickte, der Täter wurde nie gefunden. Nur meine Stuhlnachbarin, eine alte Abteilungsleiterin, sah mich an, als habe sie einen Verdacht, zu schrecklich, um ihn auszusprechen. Jedenfalls verließ der Referent entrüstet den Versammlungsraum, und heute noch, ein halbes Jahr nach der Begebenheit, ist jener Pfiff in unserer Behörde ein vielbesprochenes Thema.

Daß ich von den unsinnigsten Befehlen geplagt werde, hat bis zur Stunde leider nicht aufgehört. Es wäre nicht schwierig, Beispiel um Beispiel aufzuzählen, doch fürchte ich, es könnte komisch klingen, was in Wahrheit meine Existenz aufs Bitterste bedroht. Ich habe ganze Tage zu tun, nur um die Folgen solcher Taten zu vertuschen oder auszubügeln, zu denen ich gezwungen werde. Das heißt auch: ich habe kaum mehr Freizeit. Ich muß vom Morgen bis zur Nacht darauf gefaßt sein, daß mich mein Revolvermann in neue Teufeleien drängt. Auch Tage, an denen er mich in Ruhe läßt, vergehen auf unerträgliche Weise. Ich sitze da und warte mit eingezogenem Kopf, was er sich diesmal ausdenkt.

Den Befehlen, die mich ereilen, liegt kein System zugrunde, zumindest keins, das für mich erkennbar wäre. Das eine Mal muß ich mich verhalten, wie ich aus eigener Neigung mich sowieso verhalten hätte, das ist weiter kein Unglück; das andere Mal habe ich zu tun, was mir zwar nicht entspricht, was aber meine Pflicht verlangt – das sind genau die Fälle, für die ich den Revolvermann ersonnen hatte; das drittemal werde ich zu Handlungen gezwungen wie den erwähnten, das ist das Gift. Ich habe dann zu stören, unwürdig aufzufallen, Verordnungen zu brechen. Es ist mir unerklärlich, was er auf solche Weise in Bewegung setzen will, außer er verfolgt den Plan, mich zu vernichten. Einmal, nun komme ich doch mit einem Beispiel, ist mir von der Behörde aufgetragen worden, für eine höhere Behörde von der Arbeit zu berichten, die wir im Laufe des Quartals geleistet hatten. Es hing damit zusammen, daß ich inzwischen befördert war; doch hatte ich nicht etwa Angst, den ersten schriftlichen Quartalsbericht meiner Laufbahn zu verfassen. Ich hatte schon dutzendmal Berichte gelesen und wußte, was hineingehörte und was nicht: der Verfasser hatte darzulegen, daß in seinem Bereich alles gut geregelt war, daß es in Zukunft aber besser werden sollte. Genau nach diesem Muster zu verfahren, setzte ich mich hin. Ich hatte mir ein paar originelle Formulierungen zurechtgelegt, ich hatte alle Fakten von Bedeutung beisammen, ich war mir sicher, daß der Bericht von meinen Vorgesetzten, wenn sie sich so freundlich beurteilt fanden, mir nichts als Lob einbringen würde. Ich wollte eine Arbeit liefern, die, wenn ich ehrlich bin, die Wiederholung einer schon tausendfach vorhandenen Arbeit war und dennoch aussah, als sei sie zum allerersten mal von mir geschrieben worden. Da also ein gewisser künstlerischer Ehrgeiz mit im Spiel war, war ich bei der Sache, und die Einleitung, von ziemlicher Bedeutung für Berichte, gelang mir gut. Ich kam in Fahrt, mein Bleistift lief, wenn ich so sagen darf, bergab, da trat aus heiterem Himmel Er dazwischen.

Er trug mir auf, mit meinem schwanzwedelnden Unsinn, wie er es formulierte, aufzuhören und schonungslos die Wirklichkeit zu beschreiben. Er hieß mich die Unfähigen unfähig nennen, nicht nur in meiner eigenen Abteilung, und die überflüssigen Verordnungen, in denen unsereins erstickte, überflüssig und die bisherigen Berichte allesamt erlogen; zum Schluß befahl Er mir, die ganze Behörde als unnütz zu bezeichnen und ihre Liquidierung vorzuschlagen, ja, zu verlangen. Zugleich ließ Er mich spüren, daß jede Seiner Forderungen sehr vernünftig war. Ich dachte aber auch zugleich: Was geht das mich an? Ich dachte: Das Einzige, was sich verändern wird von dem Bericht, den Er verlangt, ist meine eigene Lage.

Dann dachte ich: Selbst wenn ich unterstelle, daß der Bericht, weil er so einleuchtend und wahr ist, die Adressaten überzeugte – was dann? Dann würde, wie verlangt wird, die Behörde aufgelöst, dann stünde ich da. Ich konnte die Sache nach allen Seiten drehen und wenden, der Ruin war mir gewiß. Und trotzdem hatte ich den Auftrag unverzüglich auszuführen.

Bei klopfendem Herzen schrieb ich Sätze, die ich bis dahin nie in meinen Kopf hineingelassen hätte, geschweige denn aus ihm heraus. Ich nannte meinen Vorgesetzten einen Karrieristen, der zwar mit hübschen Worten um sich werfe, den aber keine andere Absicht treibe als die eine, mein Vorgesetzter zu bleiben oder gar aufzusteigen.

Ich zählte Gründe auf, warum meine Behörde so gut wie keine ihrer Aufgaben erfülle, obgleich doch viel zu viel Personen beschäftigt seien. Und ich behauptete sodann, daß jeder in der Behörde von alldem wisse, daß aber keiner Kraft und Kompetenz besitze, es zu ändern; daß keiner es auch ernstlich ändern wolle, solange der Laden irgendwie zu funktionieren scheine.
Ich will nur kurz erwähnen, daß sich, während ich das alles schrieb, zu meiner Angst eine Art von Lust hinzugesellte, die ich mir ohne Schaudern nicht erklären kann. Ich schrieb wie ein Besessener an meinem sicheren Untergang; als ich zum Ende kam und neugierig auf Sein Urteil wartete, meldete Er sich aber nicht. So wußte ich, daß ich in Seinem Sinn gehandelt hatte, ein schöner Trost war das.
Ich ging mit dem Bericht, falls dieses Wort noch paßt, zu meinem Chef wie zum Schafott. Das Ende meiner Laufbahn als Behördenangestellter stand bevor; es würde schmählich sein und wohl von einer Art, daß alle anderen Laufbahnen mir in Zukunft auch verschlossen blieben, bis, allenfalls, auf die Laufbahn einer Hilfskraft. Der Gedanke, daß nichts als die reine Wahrheit schuld an meinem Unglück war, konnte mich nicht erwärmen. Ich malte mir aus, was der Behördenleiter, nachdem er zu Ende gelesen hatte, machen würde, zuerst mit dem Bericht und dann mit mir.
Dann stand ich vor der Tür und fluchte auf die ganze Wahrheit, die ja nur segensreich sein kann, wenn einer sie aus freien Stücken sagt. Ich war jedoch entschlossen, mir von dem Chef keine Demütigung bieten zu lassen und jedes kränkende Wort zurückzugeben, es kam jetzt nicht mehr darauf an. Ich holte zum letzten Mal Luft, wuchs

um ein paar Zentimeter vor der Tür und hob die Hand, um anzuklopfen, da spürte ich von neuem Seinen Befehl: Halt.

Was ist denn jetzt los? dachte ich und hatte keine Ahnung, was zu tun sei. Meine Hand ließ ich sinken, die Sekretärin des Chefs sah mich seltsam an, weil ich so unentschlossen dastand. Es folgte der Befehl: Zerreiß den albernen Bericht und stürz dich nicht ins Unglück, Mensch. Schreib einen neuen, und zwar so, wie hier Berichte auszusehen haben, den bringst du morgen her. Es war doch nur ein Spaß, hast du das wirklich nicht gemerkt?

Unsere Ansichten von Humor klafften weit auseinander. Ich schlich nach Hause und meinte, nun wohl erleichtert sein zu müssen. Doch mit den Schritten merkte ich, daß mir nicht wohler war. Ich schrieb einen gehorsamen und glanzlosen Bericht, der brachte mir einen Rüffel ein, weil ich ihn mit Verspätung abgab. Das war das ganze Resultat nach außen hin, in meinem Innern aber brach ein Beben aus. Ich faßte den Entschluß, Ihn loszuwerden. Da Ihm nicht anders beizukommen war, mußte ich Ihn entwaffnen. Das hört sich an, als wäre es ein Kinderspiel.

Jetzt stehe ich an einem stillen See. Ich habe den Revolver bei mir, zum erstenmal seit langem halte ich ihn wirklich in der Hand, er ist auf meinen Kopf gerichtet. Weil Er genaue Kenntnis von meinen Gedanken hat – ein Vorteil, um den ich Ihn beneide und der um nichts auszugleichen ist –, befieht er mir: Wirf den Revolver nicht ins Wasser. Ich denke: Er kann befehlen, was Er will, ich tue es doch. Ich denke mir auch: Das will ich gern glauben, daß Er jetzt um Seine Macht fürchtet. Da läßt Er mich wissen:

Bevor du dazu kommst, den Arm zum Werfen auch nur auszustrecken, wird abgedrückt.
Es ist ein auswegloses Verhängnis. Ich will nicht ewig stehen mit der Waffe an meinem Kopf, nur so dazustehen ist vertane Zeit. Doch handeln kann ich nicht, bevor ich mich nicht dazu entschließe. Kaum aber denke ich, wie ich gerne möchte, ist es aus mit mir.

Das eine Zimmer

Nach einer Wartezeit, die wohl ärgerlich lang war, doch auch nicht so lang, daß ich behaupten könnte, sie sei eine Zumutung gewesen, wurde ich beim für mich zuständigen Ressort des Wohnungsamtes vorgelassen. Ich geriet an eine Frau, die mich sofort ansah, als hielte sie meine Wünsche für übertrieben. Doch kann es sein, daß ich in diesen Augenblicken viel zu befangen war und jedem Blick und jeder Geste eine übertriebene Bedeutung beimaß. Mit einer Handbewegung wies sie mir einen Stuhl an, und ich überlegte, ob ich von mir aus zu sprechen anfangen oder warten sollte, bis sie mich dazu aufforderte. Sie sagte: »Bitte.«

Wie durch Zauberei waren mir alle überzeugenden und schönen Sätze entfallen. Das einzige, was ich vorzubringen wußte, war, wozu ich hiersaß. Ich sagte ihr, was sie von tausend anderen auch schon gehört hatte: daß ich eine Wohnung brauchte, möglichst bald, möglichst in einer stillen Straße, denn ich sei sehr auf Ruhe angewiesen. Sie unterbrach mich, indem sie sagte: »Eins nach dem anderen, junger Mann.«

Sie nahm einen Zettel und brauchte Angaben für das Amt, denn es mußte eine Akte angelegt werden. Wichtig war ihr offenbar die Frage, wo ich zur Zeit wohne und was mich dränge, von dort wegzuziehen. Wahrheitsgemäß erzählte ich, daß ich ein Zimmerchen bei meinen Eltern habe, es kann mich kaum noch halten. Ich hätte schon längst einen Antrag stellen sollen, nun aber, sagte ich, sei ein entscheidender Grund hinzugekommen: ich wolle mich verheiraten. Mit einer Frau, die ihrerseits bei

ihren Eltern wohne, um keinen Deut besser als ich, so daß wir uns ohne das Amt nicht zu helfen wüßten.
Ich war darauf gefaßt, nach einem Heiratsdatum gefragt zu werden; denn ich verstehe, daß blanke Heiratsabsicht leicht für einen Trick gehalten werden kann. Ich hätte geantwortet, einen solchen Termin gebe es zwar noch nicht, doch sei das kein Problem, zur nächsten Sprechzeit könne ich das Datum bringen. Aber die Frau stellte diese Frage nicht. Sie sah mich mit einem Blick an, in dem ich kein Fünkchen Mißtrauen finden konnte, schon eher Freundlichkeit, ich könnte auch sagen: Wohlwollen. Da fühlte ich mich guter Dinge.
Sie notierte so viel auf ihr Blatt Papier, daß ich mich wunderte, was es nach meinen wenigen Worten so viel zu schreiben geben konnte. Dann legte sie den Stift zur Seite, sah mich wieder günstig an und sagte: »Jetzt zum Wichtigsten – welches sind Ihre Ansprüche?«
Ich hatte schon viel darüber nachgedacht, allein und auch mit meiner Freundin, so konnte ich ohne Zögern antworten: »Wir brauchen vier Zimmer.«
Die Frau wunderte sich mit keinem Blick, als sei sie ganz andere Forderungen gewohnt. Sie sagte nur: »Für zwei Personen vier Zimmer, das ist viel. Das ist zu viel, damit kommen wir nicht durch. Wie wollen Sie die begründen?«
Oft hatte ich mit meiner Braut gerade das besprochen. Am leichtesten wäre es gewesen, den Wunsch nach Kindern anzuführen, einen Wunsch, der für Leute unseres Alters wie das Natürlichste von der Welt erscheint. Doch hatten wir beschlossen, bei der Wahrheit zu bleiben und nicht mit einem Nachwuchs zu argumentieren, den es nicht gab und der nicht vorgesehen war. Es gehört nicht

zur Sache, hier unsere Überlegungen vorzustellen, soweit sie eigene Kinder betreffen; ich möchte nur erwähnen, daß Hannelore – so heißt nun einmal meine Braut – und ich geduldig den Wunsch nach Kindern abwarten wollten, daß wir uns nicht verpflichtet fühlten, ihn möglichst schnell zu spüren. Irgendwie, so bemerkte Hannelore einmal, seien wir selbst auf lange Sicht noch Kinder, das sollte doch genügen. Ich verstand nicht bis ins letzte, was sie meinte, doch fühlte ich, daß an der Überlegung etwas Richtiges war.

Ich sagte zu der Frau, die vier Zimmer, die wir für nötig hielten, teilten sich wie folgt auf: Das erste müsse, durch meinen Heimberuf bedingt, ein Arbeitszimmer sein. Das zweite stellten wir uns als das Schlafzimmer vor, wobei wir größenmäßig nicht anspruchsvoll sein wollten. Das dritte sei das sogenannte Wohnzimmer, recht geräumig nach unserer Vorstellung; wir hätten vor, die meiste gemeinsame Zeit dort zu verbringen, dort Gäste zu empfangen, Musik zu hören und dergleichen mehr. Auf das vierte Zimmer endlich passe so leicht kein Name, es sei das wichtigste für uns. Zur Verständigung wollten wir es Probierzimmer nennen, obwohl der Name irreführend sei. Es sollte wechselnd eingerichtet werden, doch mehr in Gedanken als in der Wirklichkeit, hauptsächlich also leer bleiben. Wir wollten uns an diesem Zimmer üben, wie Zimmer einzurichten seien, im Grunde also üben, wie es sich am besten wohnen lasse. Dies heiße aber ganz gewiß nicht, daß dort nun ein ewiges Geschiebe von Möbeln stattfinden solle, hin und her und vor und zurück und für die Nachbarn am Ende nichts als störend. Vielmehr sollte sich in jenem Raum vor allem unsere Phantasie bewegen. Das Uneingerichtete, so hofften wir, werde

unserer Vorstellungskraft auf die Sprünge helfen, die könnte dann in den anderen Räumen, in denen wir tatsächlich zu wohnen hatten, um so besser zeigen, was in ihr steckt. Und schließlich berge solch leeres Zimmer ein großes Geheimnis, denn es stecke voller Möglichkeiten. Ich sagte zu der Frau, daß wir uns auf nichts in der neuen Wohnung so sehr freuten wie auf dieses Geheimnis. Soviel zu den Zimmern, sagte ich dann, es blieben noch Bad und Küche zu wünschen, und etwas Nebengelaß wenn möglich, je mehr, je lieber.
Es ist nicht übertrieben, wenn ich sage, daß die Frau mich sehr verwundert ansah. Ich wußte nicht, ob dies ein gutes oder ein schlechtes Zeichen war, mir schlug das Herz ein wenig. Sie ließ sich mit einer Entgegnung reichlich Zeit, doch kam es mir, bevor sie noch zu sprechen anfing, vor, als habe ihre Laune durch meinen kleinen Vortrag nicht gelitten. Endlich sagte sie: »Wie merkwürdig.«
Das hieß noch gar nichts, und ich konnte weiterhoffen. Sie schüttelte auch ihren Kopf, dann nahm sie den Hörer vom Telephon und begann, eine Nummer zu wählen, als müsse sie unbedingt jemandem Mitteilung von unserem Gespräch machen. Nach der zweiten Ziffer legte sie den Hörer aber zurück und sah mich wieder an wie zuvor. Sie fragte: »Dieses vierte Zimmer, sagen Sie, ist das Ihr Ernst?«
Ich entgegnete, es sei uns so ernst damit, daß meine Braut und ich meinten, unser Glück hänge im wesentlichen gerade von diesem Zimmer ab.
Die Frau sagte: »Ich möchte Ihnen nicht verschweigen, wie gut es mir gefällt, daß Sie so geradeheraus sind. Sie hätten mir ja auch mit einem Kinderzimmer kommen können. Was glauben Sie, wie viele junge Männer und

Frauen uns hier tagtäglich Kinder versprechen. Wenn es danach ginge, würde die Hälfte unseres Wohnraums von einer Kinderschar bewohnt, die gar nicht existiert.«
Ich sagte, das sei bestimmt nicht in Ordnung, denn in einem Amt solle man mit Tatsachen operieren und nicht mit Absichten. Ich für mein Teil hätte deshalb nichts von einem Kind erwähnt, weil erstens keins vorhanden und zweitens keins in absehbarer Zeit gewünscht sei. Ich sagte: »An einem erschwindelten Zimmer hätten wir auch wenig Freude.«
Sie sagte: »Ganz abgesehen davon, daß Sie es nicht kriegen würden.«
Sie machte eine Eintragung, irgendwo, ich glaubte, nicht in meiner Sache, sondern noch in der vorigen. Als sie mich wieder ansah, war ihr Lächeln nicht mehr da. Sie sagte: »Ganz im Ernst jetzt, das vierte Zimmer ist ein Witz?«
Mir blieb nichts anderes übrig, als ihr noch einmal zu versichern, wie bitterernst uns dieses Zimmer sei. Ich fühlte mich nicht wohl dabei, denn ich halte das Wiederholen von Beteuerungen nicht für überzeugend. Und neue Argumente fand ich nicht, bis auf eins: Ich trug ihr vor, daß wir das vierte Zimmer, falls man es uns bewilligte, nicht wie einen Privatbesitz betrachten wollten. Wir wären, sagte ich, bereit, es all denen zu öffnen, die solch ein Zimmer nicht besaßen, doch auch probieren wollten. Die Frau aber schüttelte den Kopf, zuerst langsam und dann heftig, auf jeden Fall entschieden. Sie sagte: »Nie und nimmer.«
Ich achtete wenig auf den Anblick, den ich bot, ich muß jammervoll vor ihr gesessen haben. Sie hatte, als sie die nächsten Sätze sprach, eine mitleidvolle Stimme, als

wollte sie mich trösten. Sie sagte: »Es ist nicht klug, mit Gesprächen über Hirngespinste die Zeit zu vergeuden. Reden wir lieber über das, was möglich ist. Wohn-, Schlaf- und Arbeitszimmer, das hat Hand und Fuß. Drei Zimmer für zwei junge Leute sind immer noch der helle Wahnsinn, doch will ich zugestehen, daß nicht immer nur die Vernunft den Ausschlag geben darf. Ob sie genehmigt werden, ist eine zweite Frage, versuchen können wir es ja. Ich setze Sie also auf die Warteliste für eine Dreiraumwohnung, die sich in Wohn-, Schlaf- und Arbeitszimmer teilt. Einverstanden?«
Die Wahrheit ist – ich und meine Braut hatten mit Schwierigkeiten solcher Art gerechnet, so weltfremd sind wir nicht. Daß unser Antrag an die Grenze des Erfüllbaren stieß und sie womöglich überschritt, war uns von Anfang an bewußt; so wollten wir nicht allzu sehr enttäuscht sein von der Notwendigkeit, uns einzuschränken. Wir hatten uns für diesen Fall darauf geeinigt, Schlafzimmer und Wohnzimmer zusammenzulegen, was eine Frage geschickter Möblierung gewesen wäre, wenn auch nicht nur. Doch noch ein Zweites hatten wir beschlossen: uns das Probierzimmer auf keinen Fall zu ergaunern. Wir wollten nicht in unseren Antrag schreiben, wir benötigten ein Schlafzimmer, um dieses Zimmer dann für unsere anderen Zwecke zu benutzen. Das mag verwundern, doch wir hatten Gründe. Nicht etwa den, daß wir die Wahrheitsliebe übertrieben, und auch nicht die Empfindsamkeit. Der Grund war einfach der, daß wir unsere Pläne in dem Zimmer nicht heimlich schmieden wollten. Wir wollten nicht irgendwann beim Phantasieren ertappt werden, wie bei etwas Verbotenem, und dann den Vorwurf hören: Ihr habt hier nicht zu phantasieren, sondern

zu schlafen, wo das Zimmer doch als Schlafzimmer ausgewiesen ist! Wir sagten uns, das Plänemachen dürfe nichts Verstecktes an sich haben, denn mit der Tarnung komme bald die Unlust.
So sagte ich – mit kalkulierter Niedergeschlagenheit, wie ich gestehe –, uns bleibe ja wohl nichts anderes übrig, als uns der Behördenmeinung anzuschließen, zumal sie so entschieden klinge. Drei Zimmer also, sagte ich zu der Frau, mit einem einzigen Unterschied: die Wohnung sollte aus Wohn- und Arbeitszimmer und aus eben jenem Probierzimmer bestehen, wenn wir bei diesem Namen dafür bleiben wollten. Auf das Schlafzimmer, sagte ich, müßten wir dann eben verzichten, wenn ich auch noch nicht wüßte wie.
Die Frau rief: »Halt!«
Es war kein Wunder, daß ich erschrak. Der Ruf kam mir wie ein Unmutszeichen vor, das aus dem Nichts aufgetaucht war. Denn unter meinen Worten fand ich keins, das die Frau so heftig gestimmt haben konnte. Die Dinge standen plötzlich schlecht für mich und Hannelore, viel schlechter, als es noch vor wenigen Minuten den Anschein hatte.
Die Frau sagte: »Sie haben sich eben um ein weiteres Zimmer geredet, wissen Sie das?«
Ich schüttelte den Kopf, erschrockener noch als zuvor.
Sie sagte: »Es ist schade, daß Sie so hartnäckig auf dem Unerfüllbaren bestehen, anstatt das Mögliche zu akzeptieren, doch das ist Ihre Sache. Ich habe Ihnen den Weg gezeigt, Sie wollten ihn nicht gehen, na schön. Von Amts wegen teile ich Ihnen nun mit, daß dieses eine Zimmer, wie immer Sie es nennen, nicht bewilligt wird. Es gibt nicht einmal eine Spalte auf dem Fragebogen, in die es

eingetragen werden könnte. Wenn Sie mir nun erklären, Sie könnten auch ohne ein Schlafzimmer auskommen, so muß ich das wohl oder übel zur Kenntnis nehmen. Und ein Zimmer, auf das der Antragsteller von vornherein verzichten kann, wird von vornherein nicht genehmigt. Also muß ich Sie jetzt auf die Warteliste für Zweiraumwohnungen setzen: für Wohn- und Arbeitszimmer.«
Ich erklärte sofort, daß ich mich außerstande fühlte, eine solche Entscheidung ohne meine Braut zu treffen. Die Frau sagte, leider gebe es da nicht mehr viel zu entscheiden, doch ich bestand darauf, mich mit Hannelore zu besprechen. Ich bat um einen neuen Termin. Ich ging und wußte lange nicht, ob ich mich konsequent verhalten hatte oder wie ein Dummkopf.

Als ich zur vereinbarten Zeit wieder das Amtszimmer betrat, trug die Frau ein grünes Kleid mit weißen dünnen Streifen. Auf ihrem Schreibtisch standen Blumen, da fiel mir ein, daß Frühlingsanfang war. Sie begrüßte mich mit Namen und war offenkundig gut gelaunt, daß ich aus dieser Richtung nichts befürchten mußte. Sie zeigte durchs Fenster auf das Wetter und nannte es prächtig, dann fragte sie, ob ich mich mit meinem Fräulein Braut beraten hätte. Ich sagte: »Natürlich.«
Hannelore und ich hatten die Angelegenheit so gründlich, wie es ihr gebührte, durchgesprochen und waren zu keinem anderen Resultat gekommen als zuvor. Einerseits betrübte uns das der Schwierigkeiten wegen, die leicht vorauszusehen und uns auch angekündigt worden waren; andererseits fühlten wir uns aber auch beruhigt, weil wir nun sicher sein konnten, daß unsere Wünsche wirklich unsere Wünsche waren. Wir hielten eine starre Haltung

der Behörde durchaus für möglich und wollten selbst in diesem Falle unnachgiebig bleiben. So kann ich ruhigen Gewissens sagen, daß alles, was ich bei diesem zweiten Behördenbesuch tat und vortrug, genauso Hannelores wie mein eigener Wille war.
Die Frau fragte mich, wie mein Fräulein Braut meine Unüberlegtheit aufgenommen habe, wobei sie freundlich lächelte. Vor meiner Antwort aber beugte sie sich zu mir und sagte in leisem Ton, der wie eine Auszeichnung sein sollte: »Ich gebe Ihnen jetzt einen Rat, den ich, genau genommen, gar nicht geben dürfte, und zwar: Was Sie beim letztenmal hier vorgetragen haben, ist nicht mehr ungeschehen zu machen. Deswegen würde ich an Ihrer Stelle den Antrag zurückziehen. Ein nichtgestellter Antrag geht das Amt nichts an. Stattdessen lassen Sie Ihr Fräulein Braut den Antrag stellen, andernorts, wo man noch nichts von jenem unseligen vierten Zimmer weiß. Und schärfen Sie ihr ein, daß sie es dort mit keinem Wort erwähnt. Auf diese Weise könntet Ihr jungen Leute doch noch zu einer Dreiraumwohnung kommen und brauchtet nicht jahrelang unter der Unbedachtheit eines Augenblicks zu leiden. Fragen Sie mich aber nicht, was in mich gefahren ist, auf diese Weise meine eigene Behörde hinters Licht zu führen.«
Sie seufzte, als übersteige es ihre Kräfte, so schwere Fehler anderer auszubügeln. Ein Fremder, der nichts als dieses eine Bild von uns gesehen hätte, hätte glauben müssen, ich sei der Helfer hier und sie die Hilfsbedürftige. Es kostete viel Überwindung, ihr zu widersprechen, ich sagte, ich dankte sehr für ihre Freundlichkeit, auch im Namen meiner Braut; nur seien wir übereingekommen, auf jenem Zimmer, unter richtigem Namen, zu bestehen.

Sie möge bitte glauben, sagte ich, daß wir uns den Entschluß nicht leichtgemacht hätten, auch daß der Grund für unsere Beharrlichkeit nicht Trotz sei. Es liege einzig daran, sagte ich, daß unsere Vorstellung vom künftigen Glück und eben jenes vierte Zimmer in unseren Köpfen beinah eins geworden seien.
Ich hätte mir sehr gewünscht, nach dieser Erklärung weiter mit einer freundlichen Amtsperson zu tun zu haben. Doch die Frau straffte ihre Haltung und wurde förmlich. Sie sagte: »Wie Sie wollen.« Sie wählte unter mehreren Fragebögen einen aus, reichte ihn mir und sagte: »Wie ich schon sagte, werden Sie auf die Warteliste gesetzt. Sie haben Anspruch auf zwei Räume, Wohn- und Arbeitszimmer, sofern es tatsächlich zu einer Heirat kommt. Der Fragebogen ist auszufüllen und unterschrieben einzureichen.«
Ich drehte das Blatt Papier in meinen Händen und wurde vor Verlegenheit wohl rot, ich mußte ihr ja von neuem widersprechen. Ich wollte gar nicht lange damit warten, Verlegenheit macht mich auf seltsame Weise entschlossen. So sagte ich schnell, was ich zu sagen hatte: daß meine Braut und ich es sehr traurig fänden, wie sich unsere vier erträumten Zimmer über Nacht in zwei verwandelt hätten. Die würden wir mit Bedauern nehmen, doch immer noch lieber als gar nichts. Nur die Aufteilung hätten wir uns anders vorgestellt. Und zwar, dem einen Zimmer könne man nun überhaupt keinen richtigen Namen mehr geben, es müsse eben ein Wohn-, Schlaf- und Arbeitszimmer sein. Das andere aber bliebe das Probierzimmer, davon wollten wir uns, wie schon erwähnt, nicht trennen.
Da hörte die Frau für Augenblicke auf, sich zu bewegen.

Ich spürte ein starkes Unbehagen, ich könnte auch sagen – Angst, denn ihre Starre kam mir bedrohlich vor. Vielleicht hatte ich gehofft, daß meine Unnachgiebigkeit ein wenig Eindruck auf sie machen könnte, doch sie war nur herausgefordert. Sie flüsterte vor sich hin, so etwas sei ihr noch nicht vorgekommen. Dann sagte sie: »Sie sind ja unbelehrbar.«
Ich war mir nicht bewußt, ihr Grund für solche Meinung gegeben zu haben, doch war jetzt nicht die Zeit, das klarzustellen. Ich wollte jetzt nur noch, mit meinen beiden Zimmern, hinaus aus der Behörde, die Freude beim Gedanken an unsere künftige Wohnung war mir ohnehin vergangen. Ach Hannelore, dachte ich.
Die Frau sagte: »Werfen Sie mir aber nicht vor, ich hätte Sie nicht rechtzeitig gewarnt.«
Ich fragte: »Gewarnt? Wovor?«
Sie hob die Augenbrauen und streckte beide Arme auf den Tisch. Sie sagte: »Soeben haben Sie mir, und damit auch dem Amt, zur Kenntnis gegeben, daß Sie mit einem Zimmer auskommen können. Sie sprachen zwar von zweien, doch werden Sie sich diese obskure Probierstube aus dem Kopf schlagen müssen. Und wer mit einem Zimmer auskommt, der kriegt bei uns nur eins.«
Genau das hatte ich vorhergesehen und mit meiner Braut besprochen. Ich sagte zu der Frau: dann würden wir den Antrag eben für ein Zimmer stellen, ein Zimmer sei für uns genauso gut wie zwei. Auf ihren verwunderten Blick hin erklärte ich ihr: Weil wir ja doch nur eins bewohnen und das andere für die erwähnten Zwecke brauchen würden. In einem Zimmer aber könnten wir nicht leben, vor allem nicht ich mit meiner Heimarbeit. So hätten wir, sagte ich, für diesen Fall beschlossen, in unseren gegen-

wärtigen Unterkünften zu bleiben, wohl oder übel, meine Braut bei ihren Eltern und ich bei meinen, und das eine Zimmer, das man uns nun doch wohl bewilligen werde, zum Plänemachen zu benutzen. Für das Amt erwachse, neben den eingesparten Zimmern, sagte ich, der Vorteil, daß wir weder Bad noch Küche brauchten, da Bad und Küche beim Plänemachen überflüssig seien. Ich sagte, wir hätten uns unser Wohnglück zwar anders vorgestellt, doch trotzdem.

Die Frau stand auf, wie um ein Ende einzuleiten. Sie sagte spitz, ich brauchte den Antrag nicht mehr abzugeben, unsere Wohnungssache habe sich von selbst erledigt. Sie könne mich auf keine ihrer Listen setzen, denn mittlerweile sei sie überzeugt davon, daß mein Fräulein Braut und ich an Wohnraummangel gar nicht litten. Wir hätten zwar Probleme, das verkenne sie nicht, doch seien wir damit beim Wohnungsamt nicht an der richtigen Adresse. Sie sagte noch, natürlich stehe uns ein Einspruchsrecht zu, dann ging sie um den Schreibtisch herum zur Tür. Sie öffnete und rief, ohne mich weiter zu beachten, auf den Gang hinaus: »Der Nächste bitte.«

Das ist bis heute der Stand der Angelegenheit. Eingaben und Proteste bei vorgesetzten Stellen haben nichts eingebracht, und es besteht auch wenig Aussicht. Heiraten können wir vorerst nicht, doch das ist nicht das Schlimmste. Wir verbohren uns so sehr in dieses eine Zimmer, daß wir kaum noch an etwas anderes denken können. Bei allem, was wir tun, sind wir spürbar abgelenkt, und wir beginnen uns zu fragen, ob denn das Zimmer tatsächlich so wichtig ist, wie es uns bisher schien. Meine Braut sagt ja, ich sage nein, manchmal ist es auch umgekehrt.

Schuld daran, daß ich als Nachtwächter nun beim Staatlichen Brennstoffhandel gelandet bin, ist eine Kette von Mißlichkeiten, wie sie in einem Menschenleben, da wette ich, nicht oft vorkommt. Ich mache niemanden für mein Pech verantwortlich, damit da keine Unklarheit ist, ich bin auch keinem böse, bis auf einen ganz bestimmten, und ich würde mich nicht beklagen, wenn mir nicht so sehr und so lange schon nach Jammern zumute wäre. Hermine sagt, ich sollte denen die Arbeit einfach vor die Füße werfen, wir hätten es nicht nötig, so mit uns umspringen zu lassen.
Auch sagt sie, unsere Renten reichten für das bißchen, was man in unserem Alter brauche; und selbst wenn Zervelatwurst oder Pfefferminzlikör uns einmal knapp werden sollten, so ließe sich das noch allemal leichter ertragen, liegt sie mir in den Ohren, als solch ein Abstieg. Doch darum geht es gar nicht. Ich würde Hermine niemals kränken und ihr vorwerfen, daß sie von solchen Dingen nichts versteht. Trotzdem versteht sie nichts davon. Und eben darum habe ich mit ihr über die Gründe unseres Niedergangs nicht gesprochen, und darum versteht sie erst recht nichts.
Es ist mir immer schon zuwider gewesen, wenn Leute sich in irgendwelche Winkel zurückzogen und ihre Pflichten ablegten wie aus der Mode gekommene Kleider, nur weil ihnen ein paar Einzelheiten nicht gefielen. Wenn jeder sich so verhielte, würden wir in einer Welt von gekränkten Nichtstuern leben. In meinem Fall kommt hinzu, daß ich die für meine Versetzung Verantwortli-

chen verstehe, weil ich in gewissem Sinne schuldig bin. Die Ereignisse haben mich ganz aus der Fassung gebracht, und ich spüre die Gefahr, daß mein Bericht verwirrt und viel zu bitter klingen könnte, wenn ich mich nicht zur Ruhe zwinge und nicht jede Begebenheit dreimal umdrehe, bevor ich von ihr erzähle.

Als ich noch kein Rentner war, stand für uns beide fest, daß ich auch nach dem Stichtag, den nur Verrückte mit Ungeduld erwarten können, im Berufsleben bleiben würde. Es ging uns nicht allein ums Geld, das sagte ich wohl schon, und nicht alleine darum, daß Arbeitskräfte in unserem Land so unbegreiflich knapp sind. Ich bin nun einmal einer, der wissen muß, wozu er am Morgen aufsteht; und ich brauche zum Aufstehen einen besseren Grund als den, daß ich noch nicht gestorben bin. Für das Gefühl, immer noch zu etwas nütze zu sein, würde ich sogar draufgezahlt haben.

Es hat Hermine und mich nicht überrascht, daß ich in meinem alten Beruf, der viel Behendigkeit und Reaktionsvermögen verlangt, nicht weiterarbeiten konnte. Man brauchte es mir nicht erst beizubringen, denn ich spürte selbst, wie die Anforderungen mir über den Kopf wuchsen. Leider kann ich mich zu diesen Anforderungen nicht äußern, erst recht nicht zu meiner früheren Tätigkeit: weil ich strenge Geheimhaltung zugesichert und eine entsprechende Verpflichtung unterschrieben habe, und das ist ganz in Ordnung. Ich kann nur so viel sagen, daß Tätigkeiten wie meine frühere viel von ihrem Sinn verlieren würden, wenn die Öffentlichkeit ungehinderten Einblick hätte. Nicht einmal Hermine weiß mehr als das Unumgängliche, manchmal hat sie meine Verschwiegenheit für ein Zeichen fehlender Liebe gehalten. Jedenfalls kann ich versichern, daß meine frühere Beschäftigung, worin auch immer sie nun bestanden hat, ohne Bedeutung für mein gegenwärtiges Unglück ist. Es hätte einen ehemaligen Straßenkehrer ebenso treffen können wie einen Akrobaten oder Staatsminister, und darum betone ich ausdrücklich: mein Schicksal hat etwas Schicksalhaftes.

Einige Zeit vor dem bewußten Stichtag fing ich zu überlegen an, wie eine Arbeit auszusehen habe, um einen Rentner mit meinen Möglichkeiten nicht zu überfordern. Gern teile ich hier mit, daß man mich nicht alleinließ mit dieser Sorge; daß einige meiner Vorgesetzten mich berieten, sich aufs freundlichste um mich kümmerten und mir nie das Gefühl gaben, mit dem Ende meiner Tätigkeit erlösche auch das Interesse an meiner Person. Dafür bin ich dankbar und will es bleiben. Schließlich sprang ein hübscher Posten heraus, der manchem vielleicht nicht als Erfüllung vorkommt, den ich jedoch gern annahm, und den ich noch viel lieber behalten hätte: ich wurde Pförtner beim Rat der Stadt.

Hermine machte ein langes Gesicht, als sie zum erstenmal von unserer Aussicht hörte. Bald aber sah sie ein, daß meine schwachgewordenen Kräfte und übertriebener Ehrgeiz nicht zueinander paßten. Sie wurde mit der Zeit fast ebenso zufrieden, wie ich es war. Wenn sie mich abholte von der Arbeit oder mir das Abendbrot brachte in der Spätschicht oder nur vorbeikam, um mir ein wenig Gesellschaft zu leisten, dann fühlte ich mich wohl und ruhig, wie ich es bei meiner vorherigen Tätigkeit eigentlich nie gewesen bin. Zwei Jahre vergingen mir so schnell, als wären es Monate. Meine beiden Kollegen, die mit mir zusammen dafür sorgten, daß unsere Pförtnerloge rund um die Uhr besetzt blieb, mochten mich gut leiden, das behaupte ich, und Pflichtverletzungen wie mangelnde Wachsamkeit, vorgetäuschtes Kranksein oder Unfreundlichkeit gegenüber dem Publikum gab es bei mir nicht. Natürlich weiß ich selbst, daß man als Pförtner keine Triumphe feiern kann; doch war ich, soweit das möglich ist, ein allseits beliebter Pförtner.

Dann geschah folgendes: Ich war von einer Nachtschicht nach Hause gekommen und hatte noch keine zwei Stunden geschlafen, als Hermine auf einmal vor dem offenen Fenster stand und keine Ruhe gab, bis ich aufrecht im Bett saß. Ich verstand ihre vielen Worte gar nicht, die sie mir aufgeregt zuflüsterte, so müde war ich; doch sagte ich mir, daß sie schon einen ordentlichen Grund haben mußte, mich um diese Zeit zu wecken, es war noch nie vorgekommen. Ich spreche nicht gern darüber: mein Blutdruck macht mir sehr zu schaffen. Er ist so niedrig, daß das Aufwachen einen immer größeren Teil meiner Freizeit verschlingt, das Einschlafen dagegen gelingt mir ohne große Mühe. Kurz und gut, ich konnte Hermine so lange nicht verstehen, bis sie ärgerlich die Tür zu unserem zweiten Zimmer aufmachte und nach draußen sagte: es sei wohl besser, wenn die Herren sich hier mit mir unterhielten.

Zwei Männer kamen herein, von denen ich den einen gleich erkannte: und zwar von meiner früheren Arbeit her. Der Einfachheit halber nenne ich ihn Meyer, doch versichere ich ausdrücklich, daß sein wirklicher Name nicht Meyer ist. Auch Meyer erkannte mich sofort, denn als der andere seinen Dienstausweis aus der Tasche holte, um sich vor mir zu legitimieren, legte Meyer ihm die Hand auf den Arm und sagte: »Ist schon gut.« Dann gab er mir mit Blicken zu verstehen, daß ich Hermine, die eisern im Zimmer stand, hinausschicken sollte. Ich tat es so freundlich wie nur möglich, trotzdem murrte Hermine, sie habe sich eingebildet, diese Zeiten seien ein für allemal vorbei. Sie schlug die Tür hinter sich zu, und drei Tage lang mußte ich mich selbst um mein Essen kümmern.

Nach einem betretenen Schweigen sagte der andere Mann: »Sie haben doch letzte Nacht im Rat der Stadt Ihren Dienst gehabt?«

Ich sagte: »Ja?«

Der andere Mann sagte: »Ist Ihnen etwas Ungewöhnliches dabei aufgefallen? Ich meine, etwas draußen auf dem Platz?«

Ich fragte: »Was soll mir aufgefallen sein?«

Der andere Mann sagte: »Das frage ich Sie ja gerade.«

Meyer sagte: »Natürlich ist ihm nichts aufgefallen. Wenn er das bemerkt hätte, wonach wir ihn fragen, dann hätte er sich ja von selbst bei uns gemeldet.«

Ich bestätigte das sofort, wollte aber doch wissen, worum es sich handelte; denn die letzte Nacht war mir vorgekommen wie jede andere. Statt mir eine Antwort zu geben, spazierte Meyer im Zimmer umher und rauchte. In der Nacht schien etwas vorgefallen zu sein, womit er sich nicht nur dienstlich zu befassen hatte, sondern was ihn auch persönlich erregte. Er setzte sich zu mir aufs Bett und sah mir lange in die Augen, bevor er sagte: »Du kennst das Denkmal auf dem Marktplatz.«

Ich antwortete ihm: »Vom ersten Tag an kenne ich es. Ich hatte bei seiner Einweihung ja Dienst.«

Meyer sagte: »Von deiner Pförtnerloge aus kannst du es doch sehen?«

Ich sagte: »Wenn ich hingucke, dann schon.«
Er fragte: »Weißt du, was in der letzten Nacht passiert ist?« Er strich sich mit der Hand übers Gesicht, als könnte er vor Fassungslosigkeit nicht weitersprechen, und stand wieder auf von meinem Bett. Ich kannte ihn schon so lange. Er war ein Kerl, den es nicht leicht umwarf; oft hatte ich aus der Nähe bewundern können, wie unerschüttert er in Situationen blieb, in denen andere zu Panik neigten. Allmählich übertrug sich seine Bestürzung auch auf mich, bevor ich ahnte, was geschehen war.
Meyer hatte seine Stimme wieder in der Gewalt, als er sagte: »Die Statue ist von Unbekannt bunt angestrichen worden.«
Ich rief: »Das ist nicht wahr!«
Meyer sagte: »Die Hosen blau wie Jeans, die Jacke leuchtend grün, und auf dem Rücken die rote Aufschrift: Macht es gut, Jungs.«
Jetzt brauchte ich ein paar Sekunden, bevor ich zu einer Entgegnung fähig war. Ich hätte mich selbst hassen können bei dem Gedanken, daß ich in meiner Loge gesessen und die Zeitung gelesen oder an Hermines Kartoffelklöße gedacht oder geschlafen hatte, während auf dem Platz draußen, gleichsam unter meinen Augen, unser aller Ehre besudelt wurde.
Ich sagte: »Als ich heute früh von der Arbeit kam, ist mir an dem Denkmal nichts aufgefallen. Vielleicht habe ich nur nicht genau hingesehen. Aber blau und grün und rot, das schreit einen doch an.«
Meyer sagte: »Heute früh sah alles längst wieder aus wie immer, was glaubst denn du? Um halb zwei wurde die Sache entdeckt. Fünfzehn Minuten später waren wir

beim Leiter des Farbenhandels, denn wer von uns hätte auf die Idee kommen sollen, einen Vorrat an Lösungsmitteln anzulegen. Aber der Farbenhandel hat seit drei Wochen auch nichts mehr. Kurz nach fünf war das Zeug aus der Hauptstadt herbeigeschafft, um halb sechs waren alle Spuren beseitigt.«
Ich sagte: »Ich schwöre euch, wenn ich auch nur geahnt hätte, was sich da draußen abspielt . . .«
Meyer boxte mich gegen die Brust und sagte: »Mach dir keine Vorwürfe, Junge. Schließlich ist es deine Aufgabe, dich um das Rathaus zu kümmern, nicht um den Marktplatz.«
Aber ich sagte: »Nein, nein.«
An Schlaf war nicht mehr zu denken. Gegen Mittag spazierte ich um das Denkmal unseres verehrten Genossen herum und fand nichts Auffälliges. Erst bei genauem Hinsehen entdeckte ich einen ganz kleinen grünen Fleck in der Achselhöhle, den kratzte ich mit meinem Taschenmesser ab. Kaum merklich roch es nach Lösungsmittel, spürbar wohl nur für den, der von der Sache wußte. Bis zum Dienstbeginn brachte ich keinen Bissen herunter. So wurde mir erst am Abend, als ich zur Arbeit gehen wollte und die Brotbüchse leer fand, bewußt, daß Hermine mir böse war und mir kein Essen machte.
Die nächste Nacht war anders als alle bisherigen. Ich löschte das Licht in meiner Pförtnerloge, um von draußen nicht gesehen zu werden, und ließ das Denkmal nicht aus den Augen. Es stand im schwachen Schein zweier Laternen, die für den ganzen Marktplatz ausreichen mußten und das Denkmal sozusagen nebenbei beleuchteten; so hatte es längst nicht das Licht, das ihm nach meiner Ansicht gebührte. Jeder Fußgänger, der sich der

Statue näherte, ließ mein Herz schneller schlagen. Meine Hand zitterte auf dem Telefonhörer, sobald ich Schritte hörte, und ich fragte mich, wie lange wohl ein Mann in meinen Jahren dieser nervlichen Belastung standhalten könnte. Ich beruhigte mich, indem ich fand, es sei unwahrscheinlich, daß der oder die Täter in zwei aufeinanderfolgenden Nächten eine solche Aktion wagten. Sie mußten damit rechnen, daß der Platz nun unter Beobachtung stand, und auch ich hielt es für denkbar, daß außer meinen Augen noch andere auf die Statue gerichtet waren. Nach Mitternacht kam dann kein Mensch mehr.

Mir ging die Aufschrift nicht aus dem Sinn: Macht es gut, Jungs. Ich dachte lange nach, bevor ich ihren gemeinen Doppelsinn erkannte. Auf den ersten Blick schien sie nichts anderes als die allgemeine Aufforderung zu enthalten, der Betrachter möge diese oder jene Arbeit ordentlich tun. Erst später wurde mir klar, daß dieselben Worte ja auch eine Abschiedsformel enthielten: als wollte unser verehrter Genosse zum Ausdruck bringen, daß die Vorgänge ringsumher nichts oder nur noch wenig mit ihm und seinen Idealen zu schaffen hätten. Ich überlegte, ob ich meine Entdeckung der Untersuchungsbehörde mitteilen sollte, kam aber zu dem Schluß, daß ein solcher Hinweis keine andere Neuigkeit für die Freunde enthalten würde als die eine, daß ich sie für dumm hielt.

Gegen drei Uhr wurden mir die Lider entsetzlich schwer. Schuld war der fehlende Schlaf am Tag, ich öffnete das Fenster und spazierte in dem Zimmerchen auf und ab, die Statue im Blick. Sie verschwamm mir vor den Augen, und in manchen Momenten gelang es mir nicht einmal mehr, sie auf dem trüben Platz zu finden. Als die Füße mir wehtaten, setzte ich mich wieder hin. Auf die Dauer war

der Kampf nicht zu gewinnen, das spürte ich, obwohl ich mich mit allen Kräften wehrte und mir von den beiden Stühlen den ohne Rückenlehne aussuchte. In unbequemster Haltung schlief ich ein.
Ich wachte von einem Geräusch auf, das durchs offene Fenster drang, vielleicht von einem Auto. Ich schloß das Fenster, denn es war lausig kalt, und setzte mich jetzt auf den besseren Stuhl. Ich fragte mich, noch ruhig, wie lange ich wohl geschlafen haben mochte, dann redete ich mir zu, unbedingt wach zu bleiben: ich stellte mir vor, was geschehen würde, wenn sich das Verbrechen, während ich schlief, ein zweitesmal ereignete. Ich malte mir die Folgen aus – die schlimmen Folgen für uns alle, wie auch die Schmach für mich. Und dann, während mein Kopf leichtsinnigerweise auf den Armen ruhte, schoß mir die Frage durch den Sinn, mit welchem Recht ich denn so sicher war, daß das Entsetzliche sich inzwischen nicht wiederholt hatte. Da sprang ich auf, stürzte hinaus auf den Platz und kam mir glücklich vor, als ich die Statue so grau fand, wie es sich gehörte. Ich streichelte sie und hätte sie umarmen können vor Erleichterung, es war der freudigste Moment seit langem. Während ich in meine Loge ging, dachte ich daran, was ein Genosse, der womöglich den Platz zu observieren hatte, von meinem Auftritt würde halten müssen. Doch es kümmerte mich nur kurz. Ich setzte mich zurück auf meinen Stuhl und konnte selbst nach Sonnenaufgang, als alle Gefahr für die Statue vorüber war, nicht mehr einschlafen.
Am folgenden Tag wurde ich gebeten, in meine ehemalige Dienststelle zu kommen, zu dem Genossen ~~Schulz~~, meinem Vorgesetzten aus besseren Tagen. Als ich ihm gegenübersaß, erkundigte er sich ausführlich nach meiner

Gesundheit und meinen sonstigen Angelegenheiten; denn wir hatten uns seit meinem Ausscheiden nicht mehr gesehen. Er freute sich, daß es mir gut ging, dann aber wurden seine Augen ernst. Er sagte, er habe mich wegen dieser Denkmalsschändung rufen lassen, und ich entgegnete, das hätte ich vermutet. Der Genosse ~~Schulz~~ sagte: »Wir wollen nicht übertrieben auf die Sache reagieren, doch auch nicht mit Sorglosigkeit. Wir werden uns nicht verhalten wie jemand, der die Provokation des Klassenfeindes nicht zur Kenntnis nimmt.«
Ich sagte: »Das will ich meinen!«
Er sagte: »Wir haben beschlossen, das Denkmal für einige Zeit im Auge zu behalten. Und die Leitung der Abteilung ~~Buttermilch~~ ist der Ansicht, daß wir keinen besseren Mann dafür haben als dich. Es ist ein günstiger Zufall, daß solch ein bewährter Genosse, wie du es bist, sowieso am Platz seinen Dienst hat. Da braucht sich nach außen hin nichts zu verändern, für den Gegner sieht alles aus wie immer, falls er noch einmal zuzuschlagen vorhat. Was sagst du dazu?«
Ich antwortete, daß ich mich durch den Auftrag ausgezeichnet fühlte. Dann sagte ich: »Wenn ich dich recht verstehe, Genosse ~~Schulz~~, dann sollen Platz und Denkmal vor allem in der Nacht beobachtet werden?«
Der Genosse ~~Schulz~~ sagte: »So ist es.«
Ich fragte: »Über einen wie langen Zeitraum?«
Der Genosse ~~Schulz~~ sagte: »Das haben wir noch nicht entschieden. Doch eine Weile wird es dauern.«
Ich sagte: »Mein Nachtdienst ist in zwei Tagen zu Ende. Dann bin ich wieder in der Frühschicht, die Woche darauf in der Nachmittagsschicht und dann erst wieder in der Nachtschicht.«

Der Genosse Schulz sagte aber: »Das würden wir natürlich klären. Wir würden schon veranlassen, daß du bis auf weiteres im Nachtdienst bleibst, mach dir da keine Sorgen.«
Ich sagte: »Dann bin ich beruhigt.«
Zu Hause suchte ich unser Opernglas. Ich hielt ein solches Hilfsmittel für erforderlich, denn es konnte sein, daß ich im Ernstfall die Genossen zwar herbeirief, der Täter aber verschwand, bevor sie eingetroffen waren. Nur mit Hilfe eines Glases würde ich dann in der Lage sein, eine genaue Personenbeschreibung zu geben. Doch konnte ich das Ding nicht finden, so fragte ich Hermine. Abweisend gab sie mir zur Antwort: »Du bist seit dreißig Jahren nicht mehr im Theater gewesen. Was treibt dich plötzlich ins Theater? Oder muß auch das vor mir geheimgehalten werden?«
Ich fand, daß sie mir das Leben unnötig schwermachte. Im Interesse der Sache nahm ich all meine Geduld zusammen – es war gar nicht mehr viel – und fragte noch einmal nach unserem Opernglas. Hermine sagte: »Ich habe es unserer Schwiegertochter geschenkt. Wenn ich mich recht entsinne, war das vor dreizehn Jahren.«
Da half alles nichts, ich schimpfte nicht mit Hermine. Ich ging zum Optiker und überlegte, ob ich nicht statt eines Opernglases ein besseres kaufen sollte, einen Feldstecher oder gar ein Nachtglas. Ich beschloß, die Entscheidung vom Preis abhängig zu machen, bis hunterfünfzig Mark wollte ich gehen, das war mir die Sache wert. Doch der Verkäufer erklärte, Gläser, wie ich sie suchte, seien seit Jahren nicht mehr im Angebot; so blieb es bei einem Opernglas, Operngläser gab es. Es kam mir schlechter vor als unser altes, vielleicht lag das an meinen Augen.

Auf dem Nachhauseweg fand ich keine Antwort auf die Frage, wie ich Hermine, mit der ich sonst alle Anschaffungen besprach, und zwar vorher, den Kauf erklären sollte. Nach einiger Ratlosigkeit hielt ich es für das klügste, unsere kleine Spannung auszunutzen, das Opernglas einfach auf den Tisch zu legen und barsch zu sagen: »Daß du es mir diesmal aber nicht wieder wegschenkst.« So tat ich es, und als Hermine fragte, wozu im Himmel ich soviel Geld vergeudet hätte, sagte ich nur noch: »Weil ich finde, daß zu einem ordentlichen Haushalt ein Theaterglas gehört, verdammt nochmal!«

In der Folgezeit achtete ich darauf, reichlich zu schlafen, bevor ich zum Dienst ging. Nebenbei half das auch, mein Verhältnis zu Hermine zu beruhigen, denn es gab kaum mehr Gelegenheiten, miteinander zu sprechen. Daß ich auf unbestimmte Zeit im Nachtdienst blieb, erklärte ich ihr mit der Krankheit eines Kollegen, und ich hatte nicht den Eindruck, daß Hermine mir mißtraute. Bald machte sie mir wieder zu essen, und wenig später war sie auch wieder freundlich. Im Grunde ihres Herzens ist Hermine eine liebenswürdige Person.

Ich will nicht darüber klagen, wie langweilig es ist, Nacht für Nacht einen Platz zu beobachten, auf dem nichts geschieht. Aber daß es langweilig ist, sollte man mir glauben. Die Dinge verlieren ihre Bedeutung, ein Haus hört auf, ein Haus zu sein, und eine Statue ist nicht mehr eine Stuatue, doch heißt das nicht, daß sie zu etwas anderem werden. Sie verwandeln sich allmählich in nichts, und dieses Nichts zu beobachten verwandelt sich allmählich in ein Dösen, das zwar kein Schlaf ist, in gewissem Sinne aber doch. Und wenn man dann aufschreckt und die Dinge wieder als das erkennt, was sie

wirklich sind, dann fühlt man sich zwar erleichtert, weil alles noch beim alten ist, doch es ist eine traurige Erleichterung. Manchmal saß ich mit dem Theaterglas da und wünschte, das Ereignis möge endlich eintreten. Dann schämte ich mich für einen solchen Wunsch und wünschte richtigerweise, es möge nicht geschehen, niemals wieder.
Nach drei Wochen spielte ich zum erstenmal mit dem Gedanken, den Genossen Schulz aufzusuchen und ihn zu bitten, das Unternehmen abzubrechen. Ungefähr konnte ich mir denken, was er entgegnen würde: daß revolutionäre Wachsamkeit nicht eine Frage von Minuten ist, auch daß der Gegner manche seiner Untaten nur deshalb unterläßt, weil wir so unermüdlich auf seine Finger sehen. Darauf hatte ich mir die Antwort zurechtgelegt: »Schon richtig, nur bin ich ein ziemlich alter Mann. Das war ja schon vor zwei Jahren der Grund dafür, daß ich aus dem Dienst schied. Du selbst, Genosse Schulz, hast mir damals die Pensionierung angeraten, und heute bin ich noch zwei Jahre älter. Irgendwie brauche ich den Nachtschlaf, sieh dir nur meine Augen an. Auch der Blutdruck macht mir Kummer, das müßt ihr doch verstehen.« Ich zweifelte nicht daran, daß man mich aus dem Auftrag entlassen würde, vielleicht enttäuscht. Das hatte ich dann eben hinzunehmen. Auch Hermine fragte immer wieder: »Wann wird denn dieser Kollege endlich gesund? Was ist denn das für eine Krankheit?«
Ich beschloß, genau einen Monat durchzuhalten, bevor ich aus dem Unternehmen ausstieg. Vier volle Wochen Nachtschicht waren nicht nur ein Beweis für guten Willen, sondern, so schien es mir, auch für Opferbereitschaft

und für Hingabe an unsere Sache. Daß ich kein Jüngling mehr bin, will ich nicht noch einmal herausstellen; der niedrige Blutdruck und ein nervöses Zucken meiner Augenlider waren nicht nur gute Argumente für den Genossen Schulz, sondern ich hatte tatsächlich unter beidem zu leiden. Hermine meinte, ich brauchte mich nicht zu wundern, bei meinem Lebenswandel. Ich mußte ihr versprechen, all meine gestörten Körperfunktionen bei nächster Gelegenheit einem Arzt vorzuweisen. Um sie bei Laune zu halten, kaufte ich eines Nachmittags einen hübschen Strauß Federnelken, und ohne Übertreibung kann ich sagen, daß Hermine überwältigt war.

Als die vier Wochen vorüber waren, zeigte sich meine größte Schwäche, die, wie ich fürchte, nun im Alter sich nicht mehr beheben läßt: meine Inkonsequenz. Ich stand vor meiner früheren Dienststelle und hatte alles beisammen, was ich dem Genossen Schulz sagen wollte; doch hinderte mich eine unbekannte Gewalt, die sich wie Lähmung über meinen Körper legte und die nichts mit Denken zu tun hatte, daran, das Gebäude zu betreten. Erst als ich beim Bier in der Kneipe saß, kam ich dazu, meinen Verstand zu gebrauchen und mir ein paar Gründe dafür zu suchen, warum es besser sei, noch eine fünfte Woche dranzugeben. Heute weiß ich, daß dieses Zögern ein schlimmer Fehler war, vielleicht der folgenreichste meines ganzen Lebens. Damals, in der Kneipe, war ich nur zufrieden und glaubte, ein guter Instinkt habe mich wieder einmal davor bewahrt, voreilig zu handeln.

In der dritten Nacht der zusätzlichen Woche geschah das Unbegreifliche. Ich saß wie üblich in der dunklen Loge auf meinem Platz, den Blick, nicht übermäßig angespannt, nach draußen gerichtet und Telefon und

Opernglas griffbereit vor mir. Es war die Stunde zwischen eins und zwei. Das Fenster stand offen, denn die Nacht war mild und roch angenehm; neben dem Schornstein der Kaffeerösterei leuchtete ein runder Mond und machte den Marktplatz wohl ein wenig heller als gewohnt. Plötzlich hörte ich ein Klappern, recht leise, doch laut genug, daß mir der Atem stockte. Denn bevor ich mit den Augen erkannt hatte, was vor sich ging, konnte ich das Geräusch genau einordnen: so hörte es sich an, wenn ein voller Eimer abgestellt wird. Ich schaute durch das Opernglas und sah: neben der Statue zwei Personen, die eine schon mit dem Pinsel bei der Arbeit. So unvermittelt war der Tag X da, das Herz schlug mir wild, natürlich auch vor Freude über meinen Entschluß, den Abschied eine Woche aufzuschieben.
Einer der beiden Kerle fiel durch seine karierte Jacke auf. Er machte sich am Rücken der Statue zu schaffen, während der andere die vordere Fläche bemalte, mit einer Farbe, von der ich nur sagen kann, daß sie hell war. Nach meiner Schätzung würden sie kaum mehr als fünf Minuten bis zur Fertigstellung brauchen, ich hatte mich zu beeilen. Ich wählte die Nummer der Dienststelle, die ich nicht nachzuschlagen brauchte, ich wußte sie noch im Schlaf. Nach vier der fünf Ziffern bekam ich Angst, die beiden draußen könnten mich beim Telefonieren hören und gewarnt sein; so legte ich den Hörer hin, nur noch durch die Endzahl von den Genossen getrennt, und schloß behutsam das Fenster. Mit einemmal kam mir ein so furchtbarer Verdacht, daß ich mich am Fenstergriff halten mußte. Die Jacke! durchfuhr es mich, die karierte Jacke! Genau solch eine Jacke hatten wir unserem Lümmel von einem Enkel zu seinem sechzehnten Geburtstag

geschenkt, vor nicht einmal fünf Monaten; ich selbst hatte sie reichlich geschmacklos gefunden, doch Hermine hatte gemeint, darauf käme es am wenigsten an, die jungen Leute heutzutage liebten solche Jacken. Egal, jetzt stand solch ein Karierter draußen und malte das Denkmal unseres verehrten Genossen an.

Das Opernglas war nicht stark genug, um mir Gewißheit zu verschaffen: in dem einen Moment glaubte ich, den Burschen deutlich als meinen Enkel wiederzuerkennen, im nächsten kamen mir seine Bewegungen fremd vor. Natürlich wußte ich, was meine Pflicht war. Der Zeigefinger der rechten Hand wählte die letzte Ziffer, da griff, bevor die Wählscheibe ihre Umdrehung vollendet hatte, die linke Hand den Hörer und legte auf. Fast kam ich mir wie ein Zuschauer vor, dem seine zwei Hände eine Vorstellung gaben.

Ich wollte nicht mehr sehen, was auf dem Marktplatz vor sich ging, und schloß die Augen. Daß mein eigener Enkel im Auftrag des Gegners handeln sollte, war unsinnig, doch es würde behauptet werden. Dabei trieb ihn, falls er es wirklich war, nichts als Dummheit, vielleicht der Ehrgeiz, sich vor irgendwelchen Burschen zu beweisen. Was wird mit ihm geschehen, dachte ich verzweifelnd, wenn ich hintereinanderweg die Nummer wähle, die ich wählen müßte? Und was geschieht mit mir, wenn ich es unterlasse? Ich verfluchte mein Pech, ich alterte in diesen Sekunden um Jahre. Ich konnte doch nicht auf den Platz hinauslaufen und die zwei verscheuchen, dann wäre klar gewesen, daß ich Mitwisser war, das durfte ich nicht auch noch auf mich nehmen. Ich gestehe es, ich dachte: Menschenskind, werdet doch endlich fertig und haut ab!

Sie bewegten sich, als hätten sie viele Stunden Zeit. So als

wüßten sie nicht, was auf sie zukommt, wenn man sie erwischt: im günstigsten Fall ein dicker roter Eintrag in die Kaderakte, den man auch dann noch mit sich herumschleppt, wenn man längst kein Kindskopf mehr ist. Und die Vernehmungen, ich kenne das doch: Wer hat euch diese Idee in den Kopf gesetzt? Mit wem habt ihr darüber gesprochen? Was habt ihr mit der Aktion bezweckt? Wißt ihr von anderen Plänen solcher Art? Das immer und immer wieder, und die Lehrer werden verhört und die Mutter und der Vater, vielleicht sogar der Großvater? Jedenfalls wird ein Prozeß in Gang gesetzt, von dem nicht abzusehen ist, wohin er rollt.
Ich blickte wieder durch das Glas und meinte jetzt, der eine könnte gut mein Enkel sein; bald hätte ich sogar geschworen, daß er es war, auch ohne das Gesicht zu erkennen. Der sollte mir nochmal kommen und mich fragen, dachte ich am Fenster, ob ich ihm nicht mit ein paar Mark unter die Arme greifen könnte. Offenbar schrieb er eine sehr lange Parole auf den Rücken der Statue, sein Mittäter war inzwischen fertig und sah ihm zu. Auf einmal packte mich gewaltiger Zorn über soviel Sorglosigkeit, und es reizte meinen Gerechtigkeitssinn aufs Äußerste, was die beiden trieben. Die Unverschämtheit, die in ihrer Haltung steckte, schrie nach Bestrafung, und meine verwandtschaftlichen Gefühle nahmen spürbar ab. Ich beschloß, den beiden eine allerletzte Chance zu geben: Ich wollte die Augen wieder schließen und bis hundert zählen, dann wollte ich sie öffnen, und sollten sie dann immer noch dort sein, dann wollte ich jede Rücksicht vergessen und die Nummer wählen. Heute, mit Abstand, kommt dieser Entschluß mir nicht sehr glücklich vor, damals aber hielt ich ihn für geistesgegenwärtig.

Zu mehr Solidarität fühlte ich mich beim besten Willen nicht verpflichtet, ich tat also wie beschlossen:
Ich machte die Augen zu und gab mir Mühe, die Zahlen nicht zu schnell und nicht zu langsam vor mich hin zu sagen. In der Gegend um die Fünfzig kam es mir vor, als ob mein Ärger auf das Tempo drückte, so drosselte ich die Geschwindigkeit ein wenig. Es kostete Überwindung, die Augen während des Zählens nicht einmal zu öffnen, doch blieb ich standhaft. Dann wurde es leichter. Ein wenig schweiften mir die Gedanken ab, als ich versuchte, mir Hermine vorzustellen: wie sie sich wohl verhielt, wenn ich den Enkel, der ja auch ihr Enkel ist, der Gerechtigkeit übergab. Es waren so viele Möglichkeiten zwischen Einverständnis und Empörung, daß ich mich nicht entscheiden konnte. Ich brach die Überlegung ab, als ich mir sagte, Hermine würde ohnehin nichts von der Angelegenheit erfahren, zumindest kein Wort von der Rolle, die ich bei alldem spielte.
Es ist nicht auszuschließen, daß ich nach Achtzig besonders langsam zählte, es mag auch sein, daß mein Gehör nicht mehr das beste ist. Urplötzlich, jedenfalls für mich, wurde die Tür aufgerissen, das Licht ging an, und der Genosse Schulz stand vor mir. Ich mußte ein paarmal blinzeln, denn es war unangenehm hell in meiner Loge nach der langen Finsternis. Der Genosse sagte: »So sieht das also aus – du schläfst hier.«
Ich brauchte nicht erst den zu Tode Erschrockenen zu spielen. Ich rief: »Um Himmels willen, was ist passiert?«
Im gleichen Augenblick wurde mir klar, wie töricht es gewesen wäre zu bestreiten, daß ich geschlafen hatte. Einem Mann von siebenundsechzig Jahren können die

Augen schon einmal zufallen mitten in der Nacht, selbst wenn er Dienst hat. Nicht, daß sich die Genossen darüber freuen würden, dachte ich, doch den Kopf kann es mich nicht kosten. Oder hätte ich sagen sollen: Ich konnte euch nicht rufen, Genosse Schulz, es war mein eigener Enkel?
Der Genosse Schulz sagte: »Geh raus und sieh dir die Bescherung an. Es ist zum zweitenmal passiert, und wieder haben wir sie nicht erwischt. Dank deiner Hilfe.«
Ich fragte leise: »Was für eine Aufschrift diesmal?«
Der Genosse Schulz wippte ein paarmal auf den Zehenspitzen, bevor er sagte: »Es wäre ein so gutes Ende deiner Laufbahn gewesen.«
Es schien mir nicht der Augenblick, ihm zu erwidern, daß ich ja schon vor zwei Jahren aufgehört hatte, und zwar in Ehren, daß es sich heute ja nur um eine Zugabe handelte, um eine freiwillige obendrein. Ich an seiner Stelle wäre auch enttäuscht gewesen. Als er hinausging, kam ich mir vor wie jemand, der wirklich am Ende angelangt ist. Ich stellte mir vor, sie wären einige Minuten früher dagewesen und hätten ihn erwischt, den Enkel, ohne meine Hilfe. Dann wäre keiner auf die Idee gekommen, ich hätte geschlafen. Dann hätte man mir unweigerlich vorgeworfen: Mitwisserschaft! So gesehen mußte ich noch dankbar für den Lauf der Dinge sein, und doch kam nicht die kleinste Freude auf.
Ich ging hinaus auf den Platz, um mir die Schändung aus der Nähe anzusehen. Zwei Männer wuschen die Statue mit einer Lösung ab, die beißend bis zum Rat der Stadt herüberroch. Den Genossen Schulz konnte ich nirgends entdecken, zwei Autos mit laufendem Motor standen in

der Nähe. Ich dachte, die Rückenaufschrift könnte vielleicht noch zu erkennen sein; doch als ich zur Statue kam, war auf einmal ein Polizist da und sagte: »Gehen Sie bitte weiter, Bürger.«
Auch das verstand ich gut und ging zurück in meinen Rat der Stadt. Ich hätte dem Genossen wohl erklären können, wer ich war; nur fand ich, daß die Rolle, die ich in dieser Sache spielte, mir keinen Anspruch auf besondere Rechte gab. Ich setzte mich auf den Stuhl am Fenster und wartete, bis mein Kollege mich von dieser Nacht erlöste.
Kurze Zeit später meinte man, für den Posten eines Nachtwächters beim Staatlichen Brennstoffhandel ließe sich so leicht kein Besserer finden als ich. Ich hätte natürlich auf mein Alter pochen und sagen können, ich wollte in Zukunft nur noch Rentner sein; doch das ist, wie schon gesagt, nicht meine Art, wenn man mich braucht. Gewiß, ein wenig niederdrückend ist es, so vor der Stadt zu sitzen nachts, umgeben von Brikethügeln, und sich strafversetzt zu fühlen. Ganz wenige nur wissen, was mich hierher verschlagen hat, Hermine ist nicht darunter. Manchmal kränkt es mich, daß sie mich für einen hält, mit dem man nach Belieben umspringt und der sich alles bieten läßt.

Der Verdächtige

Ich bitte, mir zu glauben, daß ich die Sicherheit des Staates für etwas halte, das wert ist, mit beinah aller Kraft geschützt zu werden. Hinter diesem Geständnis steckt nicht Liebedienerei und nicht die Hoffnung, ein bestimmtes Amt könnte mir daraufhin gewogener sein als heute. Es ist mir nur ein Bedürfnis, das auszusprechen, obschon man mich seit geraumer Zeit für einen hält, der die erwähnte Sicherheit gefährdet.
Daß ich in solchen Ruf gekommen bin, erschüttert mich und ist mir peinlich. Nach meiner Kenntnis habe ich nicht den kleinsten Anlaß gegeben, mich, wessen auch immer, zu verdächtigen. Seit meiner Kindheit bin ich ein überzeugter Bürger, zumindest strebe ich danach. Ich weiß nicht, wann und wo ich eine Ansicht geäußert haben könnte, die sich nicht mit der vom Staat geförderten und damit nicht mit meiner eigenen deckte; und sollte es mir unterlaufen sein, so wäre es nur auf einen Mangel an Konzentration zurückzuführen. Das Auge des Staates ist, hoffe ich, geübt und scharf genug, Gefährdungen als solche zu erkennen, wie über Kleinigkeiten hinwegzusehen, die alles andere als gefährdend sind. Und doch muß etwas um mich herum geschehen sein, das Grund genug war, ein Augenmerk auf mich zu richten. Vielleicht versteht mich jemand, wenn ich sage: Ich bin inzwischen froh, nicht zu wissen, was es war. Wahrscheinlich würde ich, wenn ich es wüßte, versuchen, den ungünstigen Eindruck zu verwischen und alles nur noch schlimmer machen. So aber kann ich mich unbeschwert bewegen, zumindest bin ich auf dem Weg dorthin.

Es wird inzwischen klargeworden sein, daß man mich observiert. Erheblich kompliziert wird meine Lage dadurch, daß ich solch ein Verfahren im Prinzip für nützlich, ja geradezu für unverzichtbar halte, in meinem Fall jedoch für sinnlos und, wenn ich offen sein darf, auch für kränkend.

Ein Mann namens Bogelin, den ich bis dahin der Regierung gegenüber für loyal gehalten hatte, sagte mir eines Tages, man beobachte mich. Natürlich brach ich den Umgang mit ihm auf der Stelle ab. Ich glaubte ihm kein Wort, ich dachte: Ich und beobachtet! Fast hatte ich die Sache längst vergessen, als mich ein außerordentlicher Brief erreichte. Er schien zunächst von einem Bekannten aus dem Nachbarland zu kommen, mit dem ich in der Schulzeit gut befreundet war. Es war ein Umschlag von der Art, wie er sie seit Jahren benutzte, darauf waren seine Schrift und hinten sein gedruckter Name. Doch nahm ich einen Brief aus dem Kuvert heraus, der nichts mit ihm und nichts mit mir zu tun hatte: er war an einen Oswald Schulte gerichtet und von einer Frau Trude Danzig unterschrieben, zwei Menschen, von deren Existenz ich bis zu jenem Augenblick nichts gewußt hatte. Sofort fiel mir Bogelins Hinweis wieder ein: es mußten im Amt für Überwachung die Briefe nach der Kontrolle verwechselt worden sein. Es läßt sich auch anders sagen: Ich hatte nun den schlüssigen Beweis, daß man mich observierte.

Jeder weiß, daß man in Augenblicken der Bestürzung zu Kopflosigkeit neigt, nicht anders ging es mir. Ich nahm, kaum hatte ich den Brief gelesen, das Telefonbuch, fand Oswald Schultes Nummer und rief ihn an. Nachdem er sich gemeldet hatte, fragte ich, ob er Trude Danzig kenne. Es war eine ganz und gar überflüssige Frage nach dem Brief, doch ich in meiner Panik stellte sie. Herr Schulte sagte, ja, Frau Danzig sei ihm gut bekannt, und er fragte, ob ich eine Nachricht von ihr hätte. Ich war schon drauf und dran, ihm zu erklären, was uns so eigenartig zusammenführte, als ich mit einem Schlag begriff, wie unwahrscheinlich dumm ich mich verhielt. Ich legte auf und saß verzweifelt da; ich sagte mir, nur eben viel zu spät, daß man wohl auch die Telefone derer überwacht, in deren Briefe man hineinsieht. Für das Amt befand sich nun der eine Überwachte zum anderen in Beziehung. Zu allem Unglück hatte ich auch noch das Gespräch abgebrochen, bevor von den vertauschten Briefen die Rede gewesen war. Gewiß, ich hätte Oswald Schulte ein zweitesmal anrufen und ihm die Sache auseinandersetzen können; in den Ohren von Mithörenden hätte es wie der Versuch geklungen, meinen Kopf aus der Schlinge zu ziehen, dazu auf eine Art und Weise, die man mir leicht als Verleumdung des Amtes hätte auslegen können. Und abgesehen davon war es mir auch zuwider, diesem Herrn Schulte, den man ja wohl nicht grundlos überwachte, etwas zu erklären.

Lange hielt ich still, um nicht noch einmal voreilig zu sein, dann faßte ich einen Plan. Ich sagte mir, daß sich ein falscher Ausgangspunkt eine eigene Logik schaffe, daß plötzlich eine Folgerichtigkeit entstehe, die dem sich Irrenden zwingend vorkomme. Der Verdacht, unter dem ich stand, war solch ein falscher Ausgangspunkt, und jede meiner üblichen Handlungen, zu anderer Zeit harmlos und ohne Bedeutung für das Amt, konnte ihn bestätigen und immer wieder untermauern. Ich mußte also, wollte ich den Verdacht entkräften, nur lange genug nichts tun und nichts mehr sagen, dann würde er mangels Nahrung aufgegeben werden müssen. Diese Prüfung traute ich mir zu als jemand, der lieber hört als spricht und lieber steht als geht. Ich sagte mir zum Schluß, ich sollte mit meiner Rettung nicht lange warten, sie dulde keinen Aufschub, wenn es mir ernst sei mit mir selbst.

Das Erste war, ich trennte mich von meiner Freundin, die in den Augen des Amtes für Überwachung womöglich eine schlechte Freundin für mich war. Kurz ging mir durch den Sinn, sie könnte mit zum Überwachungspersonal gehören, sie hatte unverhüllten Einblick in alle meine Dinge; doch fand ich dafür keinen Anhaltspunkt, und ich verließ sie ohne solchen Argwohn. Ich will nicht behaupten, die Trennung habe mir nichts ausgemacht, ein Unglück aber war sie nicht. Ich nahm den erstbesten Vorwand und bauschte ihn ein wenig auf, zwei Tage später befand sich in meiner Wohnung nichts mehr, was ihr gehörte. Am ersten Abend nach der Trennung war ich einsam, die ersten beiden Nächte träumte ich nicht gut, dann war der Abschiedsschmerz überwunden.

In dem Büro, in dem ich angestellt bin, täuschte ich eine Stimmbandsache vor, die mir beim Sprechen, das behauptete ich ein paarmal krächzend, Schmerzen bereite. So fiel es keinem auf, daß ich zu schweigen anfing. Die Gespräche der Kollegen machten einen Bogen um mich herum, der bald so selbstverständlich wurde, daß ich die Stimmbandsache nicht mehr brauchte. Es freute mich zu sehen, daß ich mit der Zeit kaum noch wahrgenommen wurde. Zur Mittagspause ging ich nicht mehr in die Kantine, ich brachte mir belegte Brote und zu trinken mit und blieb an meinem Schreibtisch sitzen. Ich gab mir Mühe, ständig auszusehen wie jemand, der gerade nachdenkt und nicht dabei gestört zu werden wünscht. Ich

überlegte auch, ob ich mich von einem guten Angestellten in einen nachlässigen verwandeln sollte. Ich meinte aber, daß gewissenhafte Arbeit, wie sie mir immer selbstverständlich war, unmöglich zu der Verdächtigung hatte führen können; daß eher Schlamperei ein Grund sein könnte, den Blick nicht von mir wegzunehmen. So blieb als einzige von meinen Gewohnheiten unverändert, daß ich die Arbeit pünktlich und genau erledigte.
Ich hörte einmal, auf der Toilette, wie zwei Kollegen sich über mich unterhielten. Es war wie ein letztes Aufflakkern von Interesse an meinen Angelegenheiten. Der eine sagte, er glaube, ich müsse wohl Sorgen haben, ich hätte meine alte Munterkeit verloren. Der andere erwiderte: Das gibt es, daß einem dann und wann die Lust auf Geselligkeit vergeht. Der eine sagte, man sollte sich vielleicht ein wenig um mich kümmern, vielleicht sei ich in einer Lebensphase, in der ich Zuspruch brauche. Der andere beendete das Gespräch mit der Frage: Was geht es uns an? – wofür ich ihm von Herzen dankbar war.
Ich war auch schon entschlossen, mein Telefon abzumelden und tat es doch nicht: es hätte den Eindruck erwecken können, als wollte ich eine Überwachungsmöglichkeit beseitigen. Allerdings benutzte ich den Apparat nicht mehr. Ich hatte keinen anzurufen, und wenn es klingelte, ließ ich den Hörer liegen. Nach wenigen Wochen rief niemand mehr an bei mir, ich hatte elegant das Telefonproblem gelöst. Kurz fragte ich mich, ob es nicht verdächtig sei, als Telefonbesitzer niemals zu telefonieren. Ich antwortete mir, ich müsse mich entscheiden zwischen einem Teil und seinem Gegenteil; ich könne nicht alles beides für gleich verdächtig halten, ansonsten bliebe mir ja nur, verrückt zu werden.

Ich änderte mein Verhalten überall dort, wo ich Gewohnheiten entdeckte, zu diesem Zweck studierte ich mich mit viel Geduld. Manche der Änderungen schienen mir übertrieben, bei manchen fühlte ich mich albern; ich nahm sie trotzdem vor, weil ich mir sagte: Was weiß man denn, wie ein Verdacht entsteht? Ich kaufte einen grauen Anzug, obwohl ich kräftige und bunte Farben mag. Meine Überzeugung war, daß es jetzt am allerwenigsten darauf ankam, was mir gefiel. Wenn es nicht lebenswichtig war, verließ ich meine Wohnung nicht mehr. Die Miete zahlte ich nicht mehr im voraus und nicht mehr bar dem Hausbesitzer in die Hand, sondern per Postanweisung. Eine Mahnung, wie ich sie nie zuvor erhalten hatte, kam mir recht. Zur Arbeit fuhr ich manchmal mit der Bahn, manchmal ging ich den weiten Weg zu Fuß. An einem Morgen sprach mich ein Schulkind an und fragte nach der Zeit. Ich hielt ihm die Uhr hin, vom nächsten Tag an ließ ich sie zu Hause. Bis zur Erschöpfung dachte ich darüber nach, was Angewohnheit in meinem Verhalten war, was Zufall. Oft konnte ich die Frage nicht entscheiden, in solchen Fällen entschied ich für die Angewohnheit.

Es wäre falsch zu glauben, daß ich mich in meiner Wohnung unbeobachtet fühlte. Auch hierbei dachte ich: Was weiß man denn? Ich schaffte alle Bücher und Journale fort, deren Besitz ein schiefes Licht auf den Besitzer werfen konnte. Ich war mir anfangs sicher, daß sich solche Schriften nicht bei mir befanden, dann war ich aber überrascht, was alles sich eingeschlichen hatte. Das Radio und den Fernsehapparat schaltete ich mitunter ein, natürlich nur zu Sendungen, die ich mir früher niemals angehört und angesehen hatte. Wie man sich denken

kann, gefielen sie mir nicht, und damit war auch dies Problem gelöst.
Während der ersten Wochen stand ich oft hinter der Gardine, stundenlang, und sah dem Wenigen zu, das draußen vor sich ging. Bald aber kamen mir Bedenken, weil jemand, der stundenlang am Fenster steht, am Ende noch für einen Beobachter gehalten wird oder für einen, der auf ein Zeichen wartet. Ich ließ die Jalousie herunter und nahm in Kauf, daß man nun auf den Gedanken kommen konnte, ich wollte etwas oder mich verbergen.
Das Leben in der Wohnung spielte sich bei Lampenlicht ab, ich brauchte aber kaum noch Licht. Wenn ich nach Hause kam aus dem Büro, aß ich ein wenig, dann legte ich mich hin und dachte nach, wenn ich bei Laune war. Wenn nicht, dann döste ich vor mich hin und kam in einen angenehm sanften Zustand, der kaum von Schlaf zu unterscheiden war. Dann schlief ich wirklich, bis mich am Morgen der Wecker weckte, und so weiter. Ich ärgerte mich in jenen Tagen manchmal über meine Träume. Sie waren eigenartig wild und wirr und hatten nichts mit meinem wahren Leben zu tun. Ich schämte mich dafür ein wenig vor mir selbst und dachte, es sei ganz gut, daß man mich nicht auch dort beobachten konnte. Dann aber dachte ich: Was weiß man denn? Ich dachte: Wie schnell entfährt dem Schlafenden ein Wort, das dem Beobachter vielleicht zur Offenbarung wird. Ich hätte es in meiner Lage für leichtsinnig gehalten, mich darauf verlassen zu wollen, daß man mich nicht für meine Träume verantwortlich machte, sofern man sie erfuhr. Also versuchte ich, von ihnen loszukommen, was mir erstaunlich leicht gelang. Ich kann nicht sagen, wie der

Erfolg zustandekam; die Stille und Ereignislosigkeit meiner Tage halfen mir sicherlich genauso wie der feste Vorsatz, das Träumen loszuwerden. Jedenfalls glich mein Schlaf bald einem Tod, und wenn das Klingeln mich am Morgen weckte, dann kam ich aus einem schwarzen Loch herauf ins Leben.

Es ließ sich hin und wieder nicht vermeiden, daß ich mit jemandem ein paar Worte wechseln mußte, beim Einkauf oder im Büro. Mir selber kamen diese Worte überflüssig vor, doch mußte ich sie sagen, um nicht beleidigend zu wirken. Ich verhielt mich nach besten Kräften so, daß mir keine Fragen gestellt zu werden brauchten. Wenn ich trotzdem gezwungen war zu sprechen, dann dröhnten mir die eigenen Worte in den Ohren, und meine Zunge sperrte und sträubte sich gegen den Mißbrauch.

Bald hatte ich es mir auch abgewöhnt, die Leute anzusehen. Es blieb mir mancher unschöne Anblick erspart, ich konzentrierte mich auf Dinge, die wirklich wichtig waren. Man weiß, wie leicht ein gerader Blick in anderer Leute Augen mit einer Aufforderung zum Gespräch verwechselt wird, das war bei mir nun ausgeschlossen. Ich achtete auf meinen Weg, ich achtete darauf, was ich zu greifen oder abzuwehren hatte, zu Hause brauchte ich die Augen kaum. Es kam mir vor, als bewegte ich mich sicherer jetzt, ich stolperte und vergriff mich kaum mehr. Nach dieser Erfahrung wage ich zu behaupten, daß ein gesenkter Blick der natürliche ist. Was nützt es, frage ich, wenn einer stolz seinen Blick erhoben hat, und ständiges Versehen die Folge ist? Es blieb mir auch erspart zu sehen, wie andere mich ansahen, ob freundlich, tückisch, anteilnehmend oder mit Verachtung, ich brauchte mich danach nicht mehr zu richten. Ich wußte kaum noch, mit wem

ich es zu tun hatte, das trug nicht wenig zu meinem inneren Frieden bei.
So verging ein Jahr. Ich hatte mir für diese Lebensweise keine Frist gesetzt, doch nun, nach dieser ziemlich langen Zeit, regte sich in mir der Wunsch, es möge bald genug sein. Ich spürte, daß ich wie vor einer Weiche stand: daß mir die Fähigkeit, wie früher in den Tag zu leben, Stück um Stück verlorenging. Wenn ich das wollte, sagte ich zu mir, dann bitte, dann könnte ich in Zukunft so weiterexistieren; wenn nicht, dann müßte jetzt ein Ende damit sein. Dabei kam mir die Sehnsucht, die ich auf einmal nach der alten Zeit empfand, ganz kindisch und auch unlogisch vor, und trotzdem war sie kräftig da. Ich hielt es für wahrscheinlich, daß der Verdacht, der über mich gekommen war, sich in dem Amt für Überwachung inzwischen verflüchtigt hatte, es gab ja keine vernünftige andere Möglichkeit.
An einem Montagabend beschloß ich auszugehen. Ich stand in meiner dunklen Stube und hatte weder Lust zu schlafen noch zu dösen. Ich zog die Jalousie hoch, nicht nur einen Spalt breit, sondern bis zum Anschlag, dann machte ich das Licht an. Dann nahm ich aus einer Schublade Geld – ich will erwähnen, daß ich auf einmal reichlich Geld besaß, weil ich das Jahr hindurch normal verdient, jedoch sehr wenig ausgegeben hatte. Ich steckte mir also Geld in die Tasche und wußte noch nicht recht wofür. Ich dachte: Ein Bier zu trinken wäre vielleicht nicht schlecht.
Als ich auf die Straße trat, klopfte mein Herz wie lange nicht mehr. Ohne festes Ziel fing ich zu gehen an, mein altes Stammlokal gab es inzwischen nicht mehr, das wußte ich. Die erste Kneipe, die mir verlockend vorkam,

wollte ich betreten; ich dachte, wahrscheinlich würde es die allererste sein, die auf dem Weg lag. Ich nahm mir aber vor, nicht gleich am ersten Abend zu übertreiben: ein Bier zu trinken, ein paar Leute anzusehen, ihnen ein wenig zuzuhören, das sollte mir genügen. Selbst zu sprechen, das wäre mir verfrüht erschienen, in Zukunft würde es Gelegenheiten dafür geben, noch und noch. Doch als ich vor der ersten Kneipe ankam, brachte ich es nicht fertig, die Tür zu öffnen. Ich kam mir kindisch vor und mußte dennoch weitergehen, ich fürchtete auf einmal, alle Gäste würden ihre Augen auf mich richten, sobald ich in der Türe stand. Nach ein paar Schritten versprach ich mir fest, vor der nächsten Kneipe nicht noch einmal einer so törichten Angst nachzugeben. Aus purem Zufall drehte ich mich um und sah einen Mann, der mir folgte.

Daß er mir folgte, konnte ich im ersten Augenblick natürlich nur vermuten. Nach wenigen Minuten aber hatte ich Gewißheit, weil ich die dümmsten Umwege machte, ohne ihn loszuwerden. Er blieb in immer gleichem Abstand hinter mir, sogar als ich ein wenig rannte; es kam mir vor, als interessierte er sich nicht dafür, ob ich ihn bemerkte oder nicht. Ich will nicht behaupten, ich hätte mich bedroht gefühlt, und trotzdem packte mich Entsetzen. Ich dachte: Nichts ist zu Ende nach dem Jahr! Man hält mich nach wie vor für einen Sicherheitsgefährder, wie mache ich das bloß? Dann dachte ich, das Allerschlimmste aber sei ja doch, daß es auf mein Verhalten offenbar gar nicht ankam. Der Verdacht führte ein Eigenleben; er hatte zwar mit mir zu tun, ich aber nichts mit ihm. Das dachte ich, während ich vor dem Mann herging.

Als ich zu Hause ankam, ließ ich die Jalousie wieder herunter. Ich legte mich ins Bett, um über meine Zukunft nachzudenken; ich spürte schon die Entschlossenheit, nicht noch ein zweites Jahr so hinzuleben. Ich sagte mir, gewiß lasse sich die Sicherheit des Staates nur dann aufrechterhalten, wenn die Beschützer es an manchen Stellen mit der Vorsicht übertrieben; nichts anderes sei in meinem Fall geschehen und geschehe immer noch. Schließlich tat es ja nicht weh, beobachtet zu werden. Das letzte Jahr war mir nicht aufgezwungen worden, dachte ich, ich brauchte nicht nach Schuldigen zu suchen: ich hatte es mir selbst verordnet.
Dann schlief ich voll Ungeduld ein. Ich wachte vor dem Weckerklingeln auf und konnte es kaum erwarten, dem ersten Menschen, der mich grüßte, in die Augen zu sehen und »Guten Tag« zu antworten, egal was daraus werden würde.

Aus heiterem Himmel findest du deine Wohnung unerträglich. Es dauert eine Weile, bis du für dein Gefühl, das zuerst nichts als dunkles Unbehagen ist, einen Grund siehst. Du glaubst auf einmal, daß die Wohnungseinrichtung dich behindert. Du glaubst, daß es nicht deine Eigenarten waren, nach denen die Möbel ausgesucht wurden, sondern daß mehr und mehr die Einrichtung der Wohnung deine Eigenarten bestimmt. Und dafür ist sie dir plötzlich nicht gut genug.
Du siehst dich prüfend um, was unbedingt entfernt oder verändert oder ausgewechselt werden müßte. Während du noch unentschieden bist, spürst du Angst, du könntest zu dem Schluß kommen: alles. Du setzt dich auf den einzigen Platz, von dem du sicher bist, daß er dir bleibt, wie immer die Veränderungen ausfallen mögen, auf den Fußboden. Du kommst dir umzingelt vor von Überflüssigem. Ein Sofa, das mitten im Zimmer steht, erscheint dir nur noch wie ein Ding, das dich daran hindern soll, zehn Schritte geradeaus zu gehen.
Du verdächtigst dein Bett, in Wahrheit ein Ungeheuer zu sein. Du erinnerst dich zwar, warum du gerade dieses Bett gekauft hast: weil es so bequem ist. Jetzt aber wirst du die Frage nicht los, wie viele Stunden du im Bett gelegen hast, nur weil es so bequem ist.
Dein Unmut über die Bilder. Die meisten, bist du plötzlich sicher, hängen nur deshalb an ihrem Platz, weil sie irgendwann einmal dorthin gehängt worden sind. Zugegeben, von dir selbst, doch du denkst jetzt: Was ist das schon für ein Grund?
Eines der Bilder findest du abscheulich. Eigentlich, denkst du, hast du es schon immer abscheulich gefunden, schon als du es damals aufgehängt hast. Sogar schon

vorher: du hast es nur aufgehängt, weil du einmal der Ansicht warst, in deine Wohnung gehöre auch ein häßliches Bild. Dieser Ansicht bist du längst nicht mehr, aber das Bild hängt und hängt. Ein anderes Bild kommt dir unbekannt vor, denn du hast es seit Jahren nicht mehr angesehen, unbekannt und nichtssagend. Du denkst: Mein Gott, das habe ich dort hingehängt.
Du fragst dich, in welcher Reihenfolge du vorgehen solltest; ob du zuerst darüber zu entscheiden hast, welche anderen Bilder du anstelle der abzuhängenden an die Wand hängen willst, oder ob du zuerst einfach die Bilder von der Wand nimmst. Du weißt, daß hinter den Bildern helle Flecken sind. Wo Bilder einmal gehangen haben, sagst du dir, dort müssen immer wieder Bilder hängen, gleichgroße oder größere. Außer du entschließt dich, die Wohnung zu renovieren, willst du das tun? Dann stellst du dir die Frage, was denn an hellen Flecken an der Wand so Schreckliches ist. Dann stellst du dir jemanden vor, der helle Flecken an der Wand so liebt, daß er Bilder nur deswegen aufhängt, um helle Flecken zu erzeugen. Nach einer Weile nimmt er die Bilder wieder ab und freut sich über die Stellen. Du findest den Gedanken spaßig, weißt aber gleichzeitig, daß du dieser Jemand nicht bist.
Mit der Anschaffung des Bücherregals, sagst du dir, hat auch ein Unglück angefangen. Bald kamst du zu der Ansicht, ein leeres Bücherregel wirke deprimierend, also hast du es eilig gefüllt. Du hast, wie du jetzt fürchtest, die richtige Reihenfolge nicht beachtet: du hättest zuerst genügend Bücher besitzen und dann erst das Regal anschaffen sollen. Weil du dich nicht darum gekümmert hast, konnte das leere Bücherregal Druck auf dich ausüben. Kaufen konntest du aber nur die Bücher, die es zu

kaufen gab. Die meisten davon hast du gelesen, eigentlich alle, denn du wolltest nicht einer sein, der Bücher nur zum Hinstellen kauft. Du rechnest die Stunden zusammen und bist erschrocken.

Du stehst vom Fußboden auf und weißt nicht, womit du anfangen sollst. Du gibst dem Stuhl einen Tritt, hebst ihn aber sofort wieder auf und stellst ihn zurück an seinen Platz, wie voll Mitleid. Du wünschst dir deine Wohnung so leer wie an dem Tag, an dem du eingezogen bist.

Inhalt

Großvater 7
Der Nachteil eines Vorteils 13
Lenchen und Dieter oder Die Gewalt aus dem Nichts 14
Die Klage 39
Die beliebteste Familiengeschichte 40
Die Mauer 62
Das Bild 103
Personen 110
Die Strafe 112
Romeo 115
Der Ring und all das andere 132
New Yorker Woche 145
Ohio bei Nacht 158
Das Parkverbot 165
Aufzugsgeschichte 175
Wenn auch nur eine Meinung 188
Die Beschwerde 189
Anstiftung zum Verrat 200
Ansprache vor dem Kongreß der unbedingt Zukunftsfrohen 201
Entwurf für einen Alptraum 210
Allein mit dem Anderen 211
Das eine Zimmer 227
Der Fluch der Verwandtschaft 239
Der Verdächtige 259
Aus heiterem Himmel 270

Jurek Beckers Bücher im Suhrkamp Verlag

Jakob der Lügner
Roman
Bibliothek Suhrkamp 510

»... ein kleines, sehr leises, ein zartes und märchenhaftes Buch mit Charme und Grazie – ein Stück Poesie. Der Roman *Jakob der Lügner* gehört zu den besten Prosabüchern, die in den letzten zehn Jahren in der DDR geschrieben wurden.«
Frankfurter Allgemeine Zeitung

Irreführung der Behörden
Roman
suhrkamp taschenbuch 271

»Mit einem Märchen beginnt es. Mit einem Märchen von der Macht der Liebe, deren Zauber die Welt verwandelt, schlägt Becker sofort das Leitmotiv seines Buches an. Die Poesie und der prosaische Alltag, die Vision und die graue Realität, der Traum und das harte Leben – diese fundamentalen Gegenüberstellungen sind so alt wie die Praxis der Dichter, sie immer wieder am Beispiel der Beziehung des einzelnen zur Gesellschaft zu demonstrieren. Nur daß in der Literatur stets eine simple Schneiderregel gilt: Aus alt mach neu! Daran hält sich Becker mit ebenso natürlicher wie genau kalkulierter Grazie, mit der reifen Naivität, die schon für seinen Erstling *Jakob der Lügner* bezeichnend war.«
Die Zeit

Der Boxer
Roman

»Es ist ein Meisterwerk geworden. *Der Boxer* zeigt alle Eigenschaften eines sein Thema souverän beherrschenden Erzählers. Der Roman besticht durch seine klare Konzeption, durch die geschickte Rollenverteilung zwischen dem angeblich kühl beobachtenden Berichterstatter und seinem Objekt, dem geschlagenen und schwer geprüften Konzentrationslager-Überlebenden Aron Blank, der sich aus Pogrom-Angst und Furcht vor Vorurteilen Arno nennt. Denn seinen Vornamen Aron hält er für verräterisch. Mühsam eingedämmter Haß, Mißtrauen, Existenzangst, Kontaktarmut, Flucht nach innen und in den Alkohol sind die Merkmale dieses typischen Lagersyndroms.« *Rheinische Post*

Schlaflose Tage
Roman

». . . eine zügige Erzählung – von einer ruhigen Entschiedenheit und Klarheit. Nicht brutale Unterdrückung ist das Thema der *Schlaflosen Tage*, sondern weniger und mehr: die Lebenslüge einer Gesellschaft, in der es ›ringsum von Leuten wimmelt, die scheinbar voller Zustimmung sind‹. Auch seine Heiterkeit profiliert seinen Ernst. Dabei beobachtet und formuliert er mit einer schönen, oft zärtlichen Genauigkeit.
. . . die humane Vernünftigkeit, die das Buch insgesamt erhellt, sollte uns – wenn schon nicht dem Land, von dem es handelnt – grundsätzlich willkommen sein.« *Der Spiegel*